四的法則

The Rule of Four

伊恩·柯德威 & 達斯汀·湯瑪遜◎著

劉泗翰◎譯

『柯德威與湯瑪遜的第一本小說一鳴驚人，完美地結合了懸疑與年輕人成長的故事。如果費滋傑羅、艾可和丹布朗三個人合作寫一本小說，結果大概就是《四的法則》。傑出精彩的成就——必讀的作品。』

——尼爾森・德米爾(Nelson DeMille)，《將軍的女兒》(The General's Daughter)作者

『結合了《達文西密碼》的神祕性，以及優美溫柔的筆觸……是一本極具可讀性的小說！』

——People雜誌

『一本讓人大呼過癮的驚悚文學作品！……大眾的眼光是對的！……這本小說中隱藏的黑暗面，令人聯想到安伯托・艾可的《玫瑰的名字》！』

——紐約郵報

『兩位從小一起長大的作者，合作出這本令人嘆為觀止的處女作！以驚悚小說為外殼，歷史研究為骨架，道出了一篇年輕人的成長故事。』

——好書情報

『一本精采萬分的小說，密碼文字隱藏了文藝復興時代一個黑暗的密祕……作者的學識淵博……是一本不可多得的解謎書！』

——紐約時報書評特刊

『一本令人驚豔的優秀處女作！……學院的黑暗觸角在校園裡潛行，人心惶惶。劇情盤根錯結，知識廣博，卻又極具娛樂性！』

——寇克斯評論

『讓人聯想到丹・布朗及安伯托・艾可……有謀殺、有愛情、有危險，也有追查。』

——出版家週刊

『聰明、原創……解謎的過程精采萬分！』

——紐約時報

『一本罕見的驚悚小說！內容知識豐富，結合了動作場面與解謎研究。』

——丹佛郵報

『刺激讀者的智力思考，充滿懸疑……讓人印象深刻！』

——芝加哥論壇報

『一本情節精采的小說……聰明、緊湊、多元，娛樂性十足，知識性也極為豐富！』

——舊金山紀事報

『一部緊張刺激的現代驚悚小說，巧妙地結合了歷史與懸祕……不僅能吸引《達文西密碼》的讀者的喜愛，它還提供了更多引人思考的知識……』

——校園圖書館雜誌

歷史事實

《尋愛綺夢》(Hypnerotomachia Poliphili)堪稱早年西洋印刷史上最受珍藏卻也最不為人所知的一本書，至今殘存的版本比古騰堡聖經還要少；據信，本書的作者是神秘的法蘭契斯科・柯羅納（Francesco Colonna)，但是學者對於他的身分及其創作意圖仍然爭論不休。一直到一九九九年十二月——《尋愛綺夢》原版付梓五百年，也就是《四的法則》書中描述的事件發生了幾個月之後——全本英譯版才正式問世。

親愛的讀者，

且聽普力菲羅傾訴夢境，來自天國上界的夢。

不至於浪費您的精神，也不會讓您感到厭倦，

因為書中的故事精采又豐富。

就算您古板陰沈，討厭愛情故事，

我也懇求您看看書中井然有序的鋪陳。

還是不願一讀嗎？至少還有文體——新奇的語言、

沈重的論述與智慧——值得注意。

如果連這樣您也拒絕首肯，那就看看幾何吧，

許多古老的故事用來自尼羅河流域的符號表現……

在這裡，可以看到帝王精雕細琢的皇宮，

對美豔女神、流泉盛宴的崇拜。

衛士穿著斑斕彩衣，翩翩起舞，

整個人類的生命在黑暗的迷宮中出現。

——致讀者的無名輓歌，《尋愛綺夢》

序幕

我想父親就跟多數人一樣，窮畢生之力拼湊一個連自己都不知道的故事；這個故事得從我離家去上大學的五百年前說起，但是卻在他死後很久才告結束。一四九七年十一月的一個晚上，兩名信差從梵諦岡城的陰影中輕騎奔出，來到羅馬城牆外，一個名叫聖羅倫佐的教堂；這天晚上發生的事情，不但改變了他們的命運，同時也讓我父親的命運為之改觀——這一點，他深信不疑。

我對於他的信仰，向來不以為然。兒子是時間給男人的一個不變考驗，考驗他所看重的一切終究會被兒子視為愚蠢無稽，而且考驗他在世上最愛的這個人一定會對他有所誤解。然而，父親是專門研究文藝復興時期的學者，始終深信人可能重獲新生，因此他不斷複述這兩名信差的故事，講到我就算想忘都忘不了。我現在才知道，原來他發現這個故事中有個教訓，一個讓我們父子更緊密契合的真相。

這兩名信差受命替一位貴族送信到聖羅倫佐教堂；主人還再三警告他們，不准偷拆信函，否則就要處死。這封信用黑蠟密封了四次，信中藏著一個秘密；父親花了三十年的時間想要解開這個秘密。在那個時候，羅馬的黑暗時期已經降臨，過往的榮光已逝，未來的繁華還不見蹤影；西斯汀教堂的天花板仍舊漆著一片星空，末世般的豪雨讓台伯河氾濫成災，老寡婦堅稱在河岸上看到驢頭女身的怪物。羅得利哥和唐納托這兩名貪婪的騎士，無視主人的警告，利用燭火熔解封蠟，偷看信的內容，然後在出發前往聖羅倫佐教堂之前，重新密封，還偽造了貴族的封印，一切看似天衣無縫，不可能發現信件曾經遭到破壞。若是他們的主人沒有那麼聰明，這兩名信差一定能夠僥倖逃過一死。

然而，讓羅得利哥和唐納托露出馬腳的卻不是封印，而是蓋在封印之下的厚重黑蠟。兩名信差來到聖羅倫佐教堂之後，有一名石匠出來接待他們，他知道封蠟的成分裡，含有一種從名為『致命夜影』的毒草中萃取出來的物質，碰到眼睛會使瞳孔放大。現在這種化合物是拿來做為醫療用途，不過當時卻是義大利女性的美容藥品，因為大瞳孔在那個時代是美麗的象徵，所以這種植物的另外一個名字『顛茄』（belladonna），在義大利文裡就是『美女』的意思。

羅得利哥和唐納托用燭火熔解封蠟的過程中，燃燒的蠟冒出黑煙，產生作用；當兩人抵達聖羅倫佐教堂，石匠引領他們走到祭壇附近的燭台，發現他們的瞳孔沒有收縮，立刻知道他們做了什麼事情。這兩個人的眼睛不能聚焦，無法辨識石匠，但是他仍然遵照貴族的囑咐，拔出佩劍，砍了兩名信差的頭。主人說這是信任的測試，而這兩名信差沒有通過考驗。

＊＊＊

羅得利哥和唐納托的下場如何呢？父親在死前不久才從一份文件中發現，石匠把他們兩人的屍體蓋起來，拉出教堂，然後用粗棉布和毛毯吸乾地上的鮮血；兩人的頭顱分別放在他座騎兩邊的鞍袋，屍體則各自橫放在羅得利哥和唐納托的馬背上，讓自己的馬牽著另外兩匹馬走。他從唐納托的口袋裡找出那封信，予以燒燬，因為信根本是假的，並沒有真正的收信人。

離開之前，他在教堂門前蹲下來，為他替主人所犯下的罪行懺悔，心裡恐懼萬分；聖羅倫佐教堂門前的六根廊柱，在他眼裡就像是黑色的巨牙，老實的石匠坦承此情此景讓他忍不住渾身發抖，因為他從小坐在寡母的腿上，就耳聞但丁見過的地獄，知道罪大惡極之人所受的懲罰就是遭到『悲痛王國的皇帝』咀嚼，永世不得超生。

也許聖羅倫斯這個老傢伙最後終於從墳墓中爬出來，看到這個可憐人的雙手沾滿了鮮血，於是原諒了他的罪行；也許他根本就沒有得到任何寬恕，而羅倫斯也跟今天的聖人和殉道者一樣，只是保持沈默，讓人莫測高深。那天晚上，石匠遵從主人的吩咐，把羅得利哥和唐納托的屍體送到屠夫的店裡——我想，這兩具屍體最後如何處置，還是不要去猜想比較好——他們的內臟則被丟棄在街上，我希望是被清道夫掃進垃圾桶或是祭了野狗的五臟廟，否則最後的下場就是烤成肉餅。

至於兩人的頭顱，屠夫倒是有別的用途。鎮上有個心存邪念的麵包師傅，跟屠夫買下這兩顆頭顱，然後在晚上收工之後放在爐灶裡；當地有一種習俗，就是寡婦在天黑之後會借用麵包師傅的爐子，利用殘火餘溫來煮食。那一天，一群女人來到爐前，看到爐子裡的東西，嚇得驚聲尖叫，差一點暈倒。

乍看之下，這兩名信差的命運似乎很不堪，竟然淪為作弄老女人的工具；但是轉念一想，羅得利哥和唐納托如果沒有這樣慘死，可能就沒沒無聞地過了一輩子，不會在歷史留名。所有的文明都是靠寡婦的記憶流傳下來，而這群在麵包師傅爐灶裡發現頭顱的寡婦，顯然永遠都不會忘記這段故事；就算麵包師傅在事後坦承是惡作劇，她們還是會代代相傳，不斷地轉述她們發現頭顱的故事，讓羅馬的後世子民也有如身臨其境一般，永遠記得這兩顆頭顱跑進爐灶的神奇故事——就如同他們記得台伯河潰堤的洪水中出現怪物的傳說一樣。

雖然兩名信差的故事最後終究為人淡忘，但有件事情卻絕對會流傳下來。這名石匠的保密工夫到家，主人的秘密一直留在聖羅倫佐教堂，羅得利哥和唐納托遇害的第二天清晨，清道夫把他們的五臟六腑連同穢物掃進了垃圾車，沒有人發現有兩個人死了；然而，花開花謝，花謝花又開，繁華衰敗輪替的緩慢過程持續進行，就像卡德摩斯❶種下了毒蛇的牙齒，邪惡之血灌溉著羅馬的土壤，最後終於重生。五百年的光陰飛逝，終於有人發現了這個事實；就在五個世紀過去，死亡之神又找到了一對新信差時，我正好是普林斯頓大學的準畢業生。

❶譯註：Cadmus是希臘神話中的一個王子，他殺死了巨蛇怪物後，雅典娜要他拔下蛇牙，種在泥土裡，結果長出了新的人種，後來卡德摩斯便帶領著蛇牙的後代建造新城市。

1

時間是個奇怪的東西，愈是沒有時間的人，就愈覺得時間重要。年輕時，即使肩負著全世界的重責大任，也不覺得沈重，反而有一種什麼都有可能發生的感覺誘惑著你，因為知道世界上除了準備考試而埋首書堆之外，一定還有更重要的事情可以做。

我到現在都還記得事情發生的那天晚上：我在宿舍房間裡，躺在老舊的紅沙發上，拿著心理學導論的書跟帕夫洛夫❷和他的狗奮戰不懈，心裡想著：為什麼大一科學課程每個人都可以安全過關，唯獨我被當掉呢？我面前的茶几上躺著幾封信，每一封信都藏著我的前程，也就是我第二年可以做的事。

那一天是耶穌受難日，紐澤西州普林斯頓大學的一個寒冷的四月天，大學生涯還有一個月就要結束，我跟一九九九年班所有準畢業生一樣，都無法決定未來要做什麼。

查理坐在小冰箱旁的地板上，玩著莎翁詩詞拼句的磁鐵，那是上個星期不知道什麼人留在我們房裡的東西。費滋傑羅的小說攤開放在地板上，書背已經壞了，好像一隻被人一腳踩扁的蝴蝶；查理原本應該要唸這本小說，準備151W英文課的期末報告，可是他卻只顧著拿那些印有莎士比亞詩詞文字的磁鐵，拼湊來拼湊去。如果你問他為什麼不唸費滋傑羅，他會跟你發牢騷說，這沒有意義；對他來說，文學是讀書人的騙術，是專騙大學生的賭博紙牌遊戲：你所看到的都不是最後得到的東西。對查理這種科學思維的人來說，這是反常變態的極致。他已經決定要去唸醫學院的秋季班，可是那一年三月，我們都還聽說他英文期中考只得了C+。

吉爾看了我們一眼，笑了一下。他假裝在準備經濟學的考試，但是電視上正在演《第凡內早餐》；吉爾對電影有一種莫名的狂熱，尤其是奧黛麗•赫本的片子。他給查理的建議是：如果不想唸原著小說，就去租改編的電影來看，反正別人也不會知道。也許吉爾說得沒錯，但是查理覺得這好像不夠誠實，何況看了電影之後，他就不能抱怨文學是騙人的東西，所以我們沒有看黛西，反而又看了一次荷莉❸。

我伸手把查理的磁鐵重組一下，於是冰箱上的句子就成了：『要當不當，這是個問題。』❹查理抬起頭來，不以為然地看了我一眼。他坐在地板上，跟我坐在沙發上幾乎一樣高，如果兩人站在一起，他就像打了類固醇的奧塞羅：體重兩百五十磅、身高六呎半的黑色巨塔，頭幾乎要頂到天花板；而我即使穿了鞋子，也只有五呎七吋。查理喜歡說我們是紅巨星與白矮星，因為紅巨星是又大又亮的星星，而白矮星則是瘦小、愚蠢又乏味。我不得不提醒他，拿破崙也不過才五呎二吋；不過保羅說，如果把法制尺寸換算成英制之後，這位法國皇帝應該還要更高一些。

保羅是當時我們四個人之中唯一不在房裡的人。那天稍早，他突然失蹤，然後就一直不見人影。一個月來，我和他之間有點尷尬，再加上最近的學業壓力，他總是跑到長春藤去唸書；長春藤是一個提供餐飲的高年級學生社團，保羅和吉爾都是會員。他正在寫畢業論文，普林斯

❷譯註：Pavlov（1849-1936），俄國行為主義心理學家，以狗為對象，研究『制約反應』。

❸譯註：Daisy Buchanan是費滋傑羅小說及同名電影《大亨小傳》（The Great Gatsby）的女主角名；Holly Golightly則是《第凡內早餐》的女主角名。

❹譯註：原文為：to fail or not to fail, this is a question.乃本書作者改編自莎士比亞名句：to be or not to be, that is a question.

頓大學所有的學生都要完成一篇論文才能畢業；查理、吉爾和我當然也都要寫，只不過我們系上的繳交期限已經過了。查理寫的是某種神經元訊號傳輸的蛋白質交互作用；吉爾討論某種單一稅率的分歧；而我則是到了最後一分鐘，才在寫申請書和面試之間擠出一點時間，剪貼拼湊了一篇論文——我相信《科學怪人》的研究領域不會因這篇論文而起什麼波瀾。

畢業論文幾乎是每個人都憎恨的制度，校友談到他們論文的時候，總是一副懷念不已的樣子，好像在上課、考試和決定未來事業都已經足以讓人焦頭爛額之際，還得擠出一篇一百頁的研究論文，是他們大學生涯中唯一值得回味的事似的。

實際上，寫畢業論文是一件悲慘又痛苦的事，是正式邁向成年人的門檻；一位社會學教授曾經用那種上完課還繼續說教的口吻跟查理和我說過：這是一個重擔壓在你的肩頭，讓你無法逃脫。**這個重擔叫做責任**，他說，**讓你們試試尺寸**，**看看合不合身**。姑且不論他唯一試過尺寸的，只是一個叫做金・席佛曼的漂亮女生，也是他指導論文的學生之一；論文確實是一種責任。不過我還是比較同意查理當時跟我說的：如果金・席佛曼是那個壓在身上讓人無法逃脫的成年人重擔，那麼我就願意參一腳，否則的話，還是永遠做孩子就好了。

保羅是我們四人之中最後一個完成論文的，無疑也會是寫得最好的一個；事實上，他的論文可能是整個畢業班，包括歷史系和其他科系在內，最好的一篇畢業論文。保羅的聰明才智不在話下，但是更神奇的卻是他比我見過的任何人都還要有耐性，而且就是用這種耐性克服難題。他曾經跟我說，以每秒一顆星星的速度來數一億顆星星，聽起來像是一輩子也無法完成的任務，但是實際上只要三年就可以數完。關鍵在於專注力，一種不會受外界干擾分心的意志力；這就是保羅過人之處：一種慢工出細活的天賦。

或許正因為如此，大家才對他的論文抱持極高的期望——他們都知道給他三年可以數多少顆星星，而這篇論文卻幾乎花了他四年的時間。

一般學生都是在大四那一年的秋天才決定研究主題，然後在次年的春天完成論文；但是保羅卻是從大一就開始做準備。大一上學期開學沒幾個月，他就決定要研究一本罕見的文藝復興時期文本：《尋愛綺夢》。這本書光是名字就令人費解，若不是因為我那個專研文藝復興時期歷史的父親大半輩子都在研究這本書，我應該連書名都唸不出來。三年半之後，距離繳交論文的期限還不到二十四小時，保羅蒐集的資料之豐富，連最傑出的研究單位都會垂涎。

問題是，他認為我也應該跟他一樣熱中著迷。我們在那年冬天一起研究了幾個月，也有長足的進展；一直到那個時候，我才真正體會到母親以前常說的一句話：我們家的男人都有相同的傾向，他們看中意的書籍和女人都同樣艱澀難懂。《尋愛綺夢》或許缺乏外在誘人的魅力，但是卻有醜女引君入甕的詭計，一種讓人慢慢上癮的神秘力量。我發現自己跟父親一樣，逐漸陷入不可自拔的泥淖，於是及時抽身，在毀了我跟女友之間的關係之前棄械投降；我覺得把時間花在她身上更值得。從那時候開始，保羅和我之間的關係就不太一樣了。

我退出之後，一個他也認識的研究生比爾·史坦就一直從旁協助；而隨著論文繳交的最後期限逼近，保羅的態度卻變得謹慎，甚至到了有點奇怪的地步。從前，他對自己的研究向來是一無保留，但是過去這個星期，他卻是守口如瓶，不但對我，連對查理和吉爾也是一樣，對任何人都隻字不提。

『怎麼樣，湯姆，你以後想往哪個方向發展？』吉爾問道。

坐在冰箱前面的查理也抬起頭來看了一眼。『對呀，』他說，『我們都心如吊懸哪！』

我和吉爾忍不住唉了一聲。『**心如吊懸**』正是查理在期中考時答錯的一題，他以為是出自《白鯨記》，而不是托比斯·史摩萊特的《藍登傳》（Adventures of Roderick Random），因為他以為是釣魚的釣，而不是懸吊的吊。此後他一直念念不忘。

『喔，你夠了吧？』吉爾說。

『你說說看，天底下有哪個醫生知道這個典故？告訴我一個就好。』查理說。

我們還來不及回答，就聽到我跟保羅共用的臥室裡傳出唏唏嗦嗦的聲音，然後突然有個人出現在門邊，身上只穿著短褲和T恤，正是保羅本人。

『只要一個嗎？』保羅邊揉眼睛邊說，『托比斯·史摩萊特。他是外科醫生。』

查理回過頭去看磁鐵上的字。『說得有理。』

吉爾低聲竊笑，但是沒有說話。

突然一片鴉雀無聲，大家都覺得有些尷尬，於是查理說：『我們以為你去長春藤了。』

保羅搖搖頭，折返臥室去拿筆記本。他一頭草莓色的紅髮在睡覺時壓扁了，偏向一邊翹了起來；臉上的枕頭壓痕也還清晰可見。『那裡人太多了，』他說，『我回到床上看書，結果睡著了。』

他大概兩天沒有闔眼，也許還要更久。保羅的指導教授文森·塔夫特盯得很緊，每個星期都逼他寫出更多的東西，不像其他指導教授多半任憑大四的畢業生自生自滅；塔夫特從一開始就是保羅背後的推手。

『所以怎樣呢，湯姆？』吉爾想填補沈默的空檔，『你決定了沒有？』

我看了茶几一眼，他指的是我面前這些信件；其實我的目光也一直從手裡的書游移到這些信件上。第一封信就是芝加哥大學的入學許可，讓我進英文系唸博士。我的血液裡流的本來就是書，就像查理天生要進醫學院一樣，芝加哥大學的博士應該很適合我，但是我對這個入學許可卻不如想像中那麼雀躍，一方面是因為我在普林斯頓的成績只算中等，另一方面則是因為我還不確定自己到底想做什麼，而一個好的研究所一眼就可以看穿這種意志不堅、猶豫不定，就像狗能聞得出來你在害怕一樣。

『拿了錢再說。』吉爾說著，目光始終沒有離開奧黛麗・赫本。

吉爾的父親是曼哈頓的銀行家；對他來說，普林斯頓不是人生的終點，充其量不過是旅程中一個可以看風景的靠窗位置，是他邁向華爾街的中途休息站。從這個角度來看，他是有點蠻不在乎的味道；每次我們對他兇一點，他就露出招牌微笑以對。我們知道，他會一路笑著走進銀行坐領高薪，就連以後要當醫生賺大錢的查理，恐怕都望塵莫及。

『別聽他的，』保羅的聲音從房間的另外一邊傳來，『跟著你的心走才對。』

我抬起頭，有點意外，沒想到除了論文之外，他還有心思想別的事情。

『跟著錢走才對。』吉爾說著站了起來，從冰箱裡拿了一瓶水。

『他們給你什麼樣的待遇？』查理暫時放下磁鐵問道。

『四萬一，』吉爾猜測道，並且隨手關上冰箱門，幾個伊莉莎白女王時代的字眼從門上摔了下來，『外加五千的分紅和股票選擇權。』

第二學期是求職季節，一九九九年是買方市場，年薪四萬一已經差不多是我期望待遇的兩倍，畢竟以我低空飛過的英文系文憑來說，我是不敢奢望太高，不過跟其他同學得到的條件相比，你還是覺得這個待遇連過得去都還稱不上。

我拿起巧匠公司的來信，那是在德州奧斯汀的一家網路公司，號稱開發出全世界最先進的電腦軟體，可以協助企業的後勤辦公室作業更流暢、更有效率。我對這家公司一無所知，更別說什麼後勤辦公室了，不過住在同棟宿舍裡的朋友建議我去談一談，而且謠傳這家新公司的起薪超高，於是我就去了。巧匠跟一般公司沒有什麼兩樣，絲毫不介意我對他們和他們的事業一無所知，只要我能在面談時解答幾個謎題，而且在面談過程中適度地表現出口齒清晰、和顏悅色，就可以拿到這份工作；結果我就跟凱撒大帝一樣——去了、做了、得到了。

『雖不中，亦不遠矣，』我一邊看信，一邊說，『年薪四萬三，加上三千元的春季紅利，一萬五的選擇權。』

『還有梨樹上的一隻鷓鴣鳥❺，』保羅從房裡的另外一頭插上一句，他是唯一表現出談錢比碰到錢還覺得更髒的人。『虛榮中的虛榮！』

查理又回去重組他的磁鐵，一邊用他充滿爆發力的男中音，模仿他們教會的傳教士——來自喬治亞州的小個子黑人，剛剛才從普林斯頓大學的神學院拿到學位——吟唱道：『**虛榮**中的**虛榮**，**凡事**都是虛榮。』

『湯姆，誠實面對自己吧！』保羅有點不耐煩地說，但是我們的眼神卻始終沒有交會，『任何一家公司若是覺得你值那麼多薪水，一定撐不了太久；何況你連他們在**做什麼**都不知道！』說完，他又一頭栽進筆記本裡，振筆疾書。他就跟大多數的先知一樣，注定要受到忽視。

吉爾的眼睛還是盯著電視不放，但是查理卻抬起頭來，聽出保羅的聲音裡有些尖銳。他揉一揉長滿鬍碴的下巴，然後說道：『好了，大家都停下手邊的工作。我想，我們應該去放點蒸氣了。』

這時候，吉爾的視線第一次離開電視；他一定聽到了我所聽到的東西：稍微強調的蒸氣二字。

『現在？』我問道。

吉爾看看手錶，欣然接受這個建議：『我們有半個小時的時間。』為了表示全力支持，他還特地關掉電視，讓奧黛麗縮回映像管。

查理也大力闔起費滋傑羅，破掉的書背整個散開來，以示抗議，不過他一點也不在乎，把書丟到沙發上。

『我還在工作，』保羅表示反對，『我得把這個做完才行。』

他冷冷地看了我一眼。

『怎麼了？』我問。

但是他沈默不語。

『小姐們，你們有什麼問題嗎？』查理不耐煩地說。

『外頭還在下雪喲！』我提醒他們。

就在我們以為春天已經降臨樹梢之際，今年的第一場暴風雪卻在今日來襲，現在積雪已經有一呎深，恐怕還不只。校園裡原本在復活節這個週末安排的活動，包括保羅的指導教授文森•塔夫特在耶穌受難日的演講，全部都已經改期。這絕對不是查理心目中理想的天氣。

❺譯註：原文出自一首聖誕歌曲〈耶誕節的十二天〉，這是一首循環式的歌曲，也就是每唱一次不但要重複前一段歌詞，還要增加一句新的歌詞，並且從一數到十二。『梨樹上的一隻鷓鴣鳥』正是歌曲的第一段。

『你是八點半才要去見柯瑞吧？』吉爾問保羅，試圖勸他回心轉意，『我們在八點半之前就會結束，而且你今天晚上還可以趕工。』

李察·柯瑞從前是父親和塔夫特的朋友，個性古怪，不過卻是保羅從大一開始就一路相隨的精神導師；保羅也透過他認識了世界上許多重量級的藝術史學家，就連《尋愛綺夢》研究也受到他的贊助經援。

保羅掂了掂手裡的筆記本，光是看著筆記本，眼中就透露疲憊的神情。

查理感到保羅的心意有些動搖，於是加了一句：『我們在七點四十五分就可以結束。』

『怎麼分組？』吉爾問。

查理想了一下，說：『湯姆跟我一組。』

＊　＊　＊

我們要玩的遊戲可說是老把戲、新玩法：在校園地底下有如迷宮一般的蒸氣管地道裡比賽節奏明快的漆彈攻擊遊戲。在地底下，老鼠比燈泡多，即使在酷寒冬天，氣溫也高達三位數，而且地道裡的地形危險，連校警都不准進去追逐捉人。查理和吉爾是在大二的考試期間，看到吉爾和保羅在社團發現的一張舊地圖，又聽說吉爾的父親在大四的時候曾經跟朋友在地道裡玩，於是想出了這個遊戲的點子。

新版的遊戲很快就大受歡迎，不但長春藤有十幾個會員參加，連查理在急救醫療技術小組認識的朋友也都一起加入。後來保羅成為遊戲中最厲害的導航指揮，其他人似乎都感到非常意外；

只有我們四個人知道箇中原因：因為保羅經常一個人利用這些地下坑道往來長春藤。不過保羅對這個遊戲逐漸感到意興闌珊，因為除了他之外，其他人都沒看出遊戲中蘊涵的戰略技巧，就像是一場戰略芭蕾一樣，讓他深感挫折。後來在嚴冬的一場大戰中，有顆流彈射穿了蒸氣管，爆炸的力量撕裂了包裹在電線外層的塑膠安全膜，整整外露出二十呎通電的電線，若不是查理機警地把兩個半醉半醒的三年級學生拉開，他們恐怕早就烤成肉餅了；那時候保羅並不在場。

訓導員——也就是普林斯頓大學裡的校警——知道了這件事，接下來幾天，訓導長連番發佈了幾波懲戒公告。此後，查理把漆彈槍和子彈換成了速度比較快、卻沒有那麼危險的武器：他在庭院拍賣中找到了一組舊的雷射標籤槍。不過隨著畢業日期逼近，行政單位對於違規事件都採取毫不寬容的政策；如果今天晚上在地道裡被逮個正著，可能會遭到退學或是更嚴重的懲處。

查理走進他跟吉爾合住的臥室，拿出一只大型的登山背包，然後又拿了另外一個交給我，最後才戴上他的帽子。

『天哪，查理，』吉爾說，『我們只不過下去半個小時而已。我連放春假的行李都比你還少。』

『有備無患，』查理說著，把較大的那只背包扛在肩膀上，『我總是這樣說。』

『你跟你的童子軍。』我咕噥著。

『是鷹級童軍❻，好嗎？』查理特別強調，因為他知道我連初級童軍都沒有通過。

❻譯註：鷹級童軍（eagle scout）是美國童軍的最高階級，相當於我國的國花級童軍。

『你們這些姑娘們，準備好了嗎？』吉爾站在門口打岔道。

保羅深呼吸一口氣，打起精神，點點頭。他從臥室裡拿出一個呼叫器，繫在腰帶上。

我們在宿舍多德樓前兵分兩路，從不同的地點進入地道；在其中一組人馬發現另外一組人馬的行跡之前，我們都不知道對方在地下坑道的哪一個角落。

我們分道揚鑣之後，只剩我和查理在校園裡向前走，我跟他說：『我不知道還有黑人童軍這回事。』

積雪比我預期的深，也比我預期的冷。我拉緊滑雪夾克，把手鑽進手套裡。

『沒關係，』他說，『我認識你之前，也不知道白人也有娘娘腔。』

＊＊＊

整座校園籠罩著一片薄霧。這些天來，一方面是因為畢業在即，一方面則是因為我自己的論文已經解決了，感覺上好像整個世界充滿了不必要的倉皇與匆忙——低年級的學生趕著去上晚間的課，畢業生則在電腦室裡揮汗如雨，趕著寫最後一章；現在連雪花都忙著在空中飛舞打轉，遲遲不肯落地。

我們一邊走著，我的腿開始隱隱作痛。十六歲生日剛過不久，我就發生了一場車禍，導致我高二那年的暑假幾乎都躺在醫院裡度過；現在我已經不記得意外的細節，不過那天晚上有一幕始終烙印在我的腦海：我聽到左大腿啪地一聲折斷，然後穿透肌肉、皮膚，斷裂的一端就這樣跟我大眼瞪小眼，我只看到這一幕，接著就不省人事了。

我左手上臂和手腕也全斷了，左側的肋骨也斷了三根；據急救人員說，我的動脈嚴重出血，所幸他們及時趕到才救了我一命，不過等他們把我從殘骸中拖出來的時候，開車的父親已經傷重不治。

當然，這場車禍讓我徹底變了一個人：經過三次手術和兩個月的復健，隨之而來的就是每當天氣一變，六個小時之後就有如幽靈般準時報到的疼痛；骨頭裡釘著鋼釘，腿上遺留疤痕，生命中則多了一個奇怪的空洞，而且似乎隨著時間推移，愈來愈大。最初改變的是衣服——不同尺寸的褲子，直到體重恢復正常為止；然後是不同款式的服裝，遮掩腿上的傷疤。

後來我發現，家人也變了：母親變得畏縮內向，兩個姊姊——莎拉和克莉絲汀——在家的時間也愈來愈少。最後連朋友也變得跟以前不一樣，或者說是我改變了他們吧；我不確定是否希望朋友更了解我或是用不同的態度待我，老實說我自己都搞不清楚是怎麼回事，可是那些老朋友就像我的舊衣服一樣，再也不合身了。

遇到受創的人，大家總是喜歡說時間會癒合一切傷痕；他們的說法是：唯有時間能治療一切傷痕，說得好像時間是個醫生似的。可是經過了六年的反覆思索，我對這種說法卻有不同的觀點——時間應該是在遊樂場裡用噴槍彩繪T恤的那個人：顏料從噴槍口射出來，形成彩色的薄霧，一顆顆彩色顆粒在空中飄盪，直到附著在布料上為止；這些顏料最後會變成什麼樣子，也就是說T恤上會有什麼樣的設計，通常都看不出個所以然來。我猜，花錢買這件T恤的人（永不閉幕的主題樂園裡總是會有這麼一個忠實的顧客），不管是什麼人，第二天早上起床一定會忍不住懷疑自己到底看上了哪一點，怎麼會花錢買這麼一件衣服。

有一次我提到這個比喻，跟查理解釋我的想法：我們就是顏料，是時間把我們從噴槍口射出來。

或許保羅的說法解釋得比較清楚吧；那是在我們認識沒多久的時候所說的話。當時保羅就已經是文藝復興迷，雖然才十八歲，卻已經相信人類文明從米開朗基羅死後就一路走下坡。他看過我父親針對這個時期所寫的每一本書，並且從新生名冊上認出我的中間名，於是在大一開學之後沒多久，就跑來跟我自我介紹。

我的中間名很奇特，小時候還一度成為少年苦惱的根源。我父親原本打算用他最喜歡的作曲家來替我命名，那是十七世紀一個不太有名的音樂家；據父親說，如果沒有他就不會有後世的海頓，更不會有莫札特了。可是我母親卻不願意在我的出生證明上使用父親屬意的名字；一直到我出生之前，她都堅稱阿肯基羅·柯瑞里·蘇利文是姓名中的三頭怪物，不可以給孩子取這麼可怕的名字。她偏愛湯瑪斯，那是她父親的名字，雖然少了一點想像力，但是至少沒有那麼招搖。

到了臨盆之際，她展開產床上的拖延戰術——這是她自己的說法——除非我父親讓步，否則她就不讓我呱呱墜地；到了這個緊要關頭，父親只好放棄堅持，於是我就成了湯瑪斯·柯瑞里·蘇利文，不管是好是壞，這個名字就注定要跟我一輩子。母親希望可以把中間名藏在姓名之間，就像把灰塵掃進地毯底下一樣；可是父親始終相信人的名字代表一切，也一直惋惜地說，少了阿肯基羅的柯瑞里，就像是少了絃的史特拉底瓦里名琴⑦。他聲稱，要不是因為代價太大，否則他絕對不會妥協；他總是面帶微笑地說，她的拖延戰術是用在他們的床上，而不是產床上。他認爲判斷錯誤的唯一藉口，就是在激情中簽下合約；他就是這樣的人。

我跟保羅認識了幾個星期之後，我跟他說起時間像彩色噴槍的比喻。

『你說得對，』他說，『時間不是達文西。』他想了一會，露出慣有的溫柔笑容。『連林布蘭特都稱不上，充其量只是廉價的傑克森・波拉克❽。』

他似乎從一開始就了解我。

他們三個都是如此：保羅、查理、吉爾。

❼譯註：史特拉底瓦里（Stradivarius，1644–1737），義大利小提琴製作大師。其名號已成為名琴代名詞。

❽譯註：Jackson Pollock（1912–1956），美國現代藝術家，是抽象表現主義的大將。

2

我和查理到了南校區，站在狄倫體育館前的人孔蓋上。他的針織帽上掛了一個費城七六人隊的標籤，隨風飄搖；頭頂上有一盞鈉蒸氣燈，一大片雪花飄飄，在橘紅色的燈光下來回拉扯。我們暫時按兵不動，查理開始失去耐性，因為兩個大二的學生正在過街，浪費我們的時間。

『現在該怎麼辦？』我說。

他的手錶輕輕震動了一下，他低頭瞥了一眼。『現在是七點零七分，訓導員在七點半換班，我們還有二十三分鐘。』

『你想，要逮到他們，二十分鐘就夠了嗎？』

『當然，』他說，『如果我們可以猜到他們在哪裡的話。』查理回頭去看對街。『走快點啦，妳們這些女孩。』

其中一個女孩穿著春天的薄裙，在雪花中踩著碎步前進，好像這場大雪是在她換好衣服之後才突然來襲，讓她來不及換上冬裝似的；另外一個是我在系際比賽時認識的秘魯女孩，她穿著游泳跳水隊專用的橘色連帽外套。

『我忘了打電話給凱蒂。』我突然想到。

查理轉過身來。

『今天是她的生日，我出門之前應該先打電話給她。』

凱蒂·墨芊是大二的學妹，慢慢變成了那種我不知何德何能竟能夠交到的女朋友。她在我生命中愈來愈重要，更坐實了查理向來深信不移的真理：愈是漂亮聰明的女孩，對男人的品味就愈糟糕。

『你買禮物給她了嗎？』查理問。

『買了，』我用手比了一個長方形，『從畫廊裡買到了一幅照片……』

他點點頭。『那就好，沒打電話也沒關係，』他半笑不笑地哼了一聲，『反正她現在也許還有別的事要忙。』

『什麼意思？』

查理伸出手來攔截了幾片雪花。『今年的第一場雪。裸體奧運。』

裸體奧運是普林斯頓學生最愛的一項傳統。每年下第一場雪的當天晚上，好德樓的宿舍湧進來自校園各個角落的學生，成千上百，爭睹群聚在庭院的大二學生，像旅鼠一般、以大無畏的精神寬衣解帶，瘋狂裸奔。

這個儀式一定是從普林斯頓仍是男子學院的時代就流傳下來的，當時集體裸露是男性特權的表徵，就像站著小便和發動戰爭一樣；但是在女性加入之後，這個親密的集體儀式才變成每年必看的活動，連新聞媒體都大肆報導，甚至有遠從費城和紐約來的衛星轉播車和攝影機湧進校園。想到裸體奧運，就像是在酷寒冬季點燃一把烈火一樣。不過今年輪到凱蒂，我倒寧願在家裡的壁爐裡燒一盆火。

那兩個大二學生終於走過去了，查理問道：『你好了嗎？』

我用腳來回掃掉人孔蓋上的積雪。

他跪下去，用食指勾住人孔蓋的縫隙，用力拉開蓋子，在積雪的柏油路面上留下一道潮濕的刮痕。我又回頭看看馬路上有沒有人。

他一隻手放在我的背上說：『你先下去。』

『背包怎麼辦？』

『不要拖拖拉，**快走！**』

我跪下來，雙手撐著圓孔的兩側，一股熱氣從地底竄出來。我試著從圓孔中央穿過，但是蓬鬆的滑雪外套卻卡在洞口。

『該死！湯姆！死人的動作都比你快！你腳蹬一下，看能不能搆到鐵梯，牆邊應該有座梯子。』

我感覺到鞋子碰到了梯子的最上面一階，於是開始往下爬。

『好，』查理說，『接著。』

他把背包遞給我，然後自己也從圓孔爬下來。

地下坑道在黑暗中向前後兩邊延伸，什麼都看不到，只聽到空氣中有金屬碰撞鏗鏘作響，還有氣體的嘶嘶聲。這是普林斯頓的循環系統，這些管道把遠處中央鍋爐製造的蒸氣，以高壓推送到北校區的宿舍和學院大樓；查理說，管子裡的蒸氣經過壓縮，每平方吋的壓力高達兩百五十磅。比較細的管線則是輸送高壓電和天然氣瓦斯。

我在坑道裡，從來沒有見過任何警告標示，沒有三角形的螢光反射牌，也沒有校警張貼的告示；學校似乎想遺忘這個地方的存在。在入口處唯一的訊息，是很久以前用黑色油漆寫的：『LASCIATE OGNE SPERANZA, VOI CH' INTRATE』。對這裡向來毫無畏懼的保羅第一次看到這個標示時忍不住莞爾一笑。**放棄所有希望吧**，他把這段引自但丁的拉丁文翻譯給我們聽，**你們這些闖進來的人。**

查理進來之後，把人孔蓋拖回原來的位置，慢慢地向下爬；到了最底下，他脫掉帽子，微弱的光線在他額頭的汗珠上輕盈地跳舞。四個月未修剪才留成的黑人頭，幾乎要頂到天花板。**那不是黑人頭**，他總是一再澄清，**只是半黑人頭。**

他吸了幾口鬱積的空氣，從口袋裡拿出一罐薄荷膏。『在鼻孔下擦一點，就聞不到任何味道了。』

我揮揮手，不予理會。那是他有一年夏天跟一位驗屍官實習所學到的伎倆，這樣在驗屍的時候就不會聞到屍臭。自從父親意外身亡之後，我就不是特別尊重醫療這個行業；對我來說，醫生都是懶人，換來換去的新面孔，總是要我們再聽聽其他醫生的意見。但是看查理在醫院裡工作卻是另外一回事，他是本地急救醫療小組的台柱，碰到任何疑難雜症，找他就對了；不管什麼時候，他每天似乎總是比別人多出一個小時來幫助素昧平生的人，協助他們對抗他稱之為『小偷』的死神。

查理從背包裡拿出一對細條紋的灰色雷射槍，還有一捲中間有個黑色塑膠圓球的膠帶。在他忙著整理東西時，我則拉開外套的拉鍊，因為襯衫的領子已經黏在我的脖子上了。

『小心點，』他伸手及時攔截我的外套，我原本打算掛在最粗的那根管子上，『你還記得吉爾的舊外套發生了什麼事情嗎？』

我忘得一乾二淨：蒸氣管融解了尼龍的外層，裡布則著了火；我們把著火的外套丟在地上，踩熄火苗。

『把外套放在這裡，要出去的時候再來拿。』他接過我的外套，跟他自己的捲在一起，放進一個可以撐大的帆布袋，然後拉緊袋口的繩子，掛在天花板的一個鉤子上。

『這樣老鼠才不會爬上去咬。』

他說著，又從袋子裡拿出幾樣東西。他把手電筒和雙向通話的無線電交給我，然後又拿出兩大瓶水，放在背包外面的網袋；瓶子外面都有熱氣凝結成的水珠。

『記住，』他說，『如果我們走散了，不要往下游走。如果你看到水流，要記得往反方向走。這樣一旦水量增加，才不會把你沖到排水管裡。這裡可不是你們俄亥俄州的老家，這裡的水位漲起來可是快得很。』

這就是我上次跟他一組走散的下場。我扯一扯襯衫，透透氣。『老兄，俄亥俄州的人根本不去哥倫布市的。』

他不理我，只是把無線電接收器交給我，等我在胸前繫好。

『接下來呢？』我問，『往哪邊走？』

他笑著說：『這就是你派上用場的地方了！』

『為什麼？』

查理拍拍我的頭：『因為你是雪巴族❾哪！』

他說得好像雪巴族是什麼神奇的人種、擅長嚮導的侏儒族似的，像是《魔戒》裡的哈比人。

『你要我做什麼？』

『保羅比我們還熟悉這個坑道，所以我們需要用一點計謀。』

我想了一下。『另外一邊最近的坑道入口在哪裡？』

『在克里歐大樓後面有一個。』

克里歐是舊辯論社的大樓。我試圖在腦子裡描繪出相關位置，但是熱氣堵塞了我的思緒。

『從那裡到我們現在所在的位置是一條直線，直接朝南方射過來就行了，對不對？』

他跟地理位置奮戰了一會兒，說：『對。』

『但是保羅**從來就不會**直射。』

『對。』

我想像保羅會怎麼想，他的念頭總是比我們快兩步。

『那他一定會這樣做：直射，從克里歐直接下來，在我們還沒有準備好之前就先下手為強。』

查理想了一下，終於說：『對。』他的眼光凝視著遠方，嘴角浮現一個微笑。

『所以我們用圍攻的計策，』我說，『從後面包抄。』

查理的眼睛為之一亮，在我背上用力地拍了一掌，害我差點跌倒，被壓在沈重的背包底下。

『好，我們走！』

＊＊＊

我們正要沿著坑道向前走，雙向無線電傳出嘶嘶聲。

我抽出話筒，按下通話鈕。

『是吉爾嗎？』

⑨譯註：雪巴族（sherpa）是長居喜馬拉雅山區的西藏民族，善於登山、擔任嚮導。

一片沈寂。

『**吉爾**？……我聽不清楚……』

還是沒有回應。

『是干擾吧，』查理說，『他們還太遠，訊號應該還傳不出來才對。』

我對著麥克風又試了一次，等著他們的回音。『你說這玩意的通話距離可以到兩英里，』我說，『我們現在的距離還不到一英里。』

『那是在**空氣**中可以傳兩英里，好嗎？』查理說，『隔著混凝土牆和泥巴，門兒都沒有。』

可是無線電是緊急時才用的，而且我肯定聽到了吉爾的聲音。

我們在沈默中向前走了大約一百碼，留意避開腳下的泥濘水坑和動物糞便；查理突然揪著我的衣領，把我向後拉。

『有什麼不對勁？』

『你在搞什麼？』我差點失去平衡，忍不住大罵。

他的手電筒照到一塊架在坑道溝槽上的木板，這是我們以前都走過的地方。

他小心翼翼地用一隻腳踩在木板上。

『還好，』查理顯然鬆了一口氣，『沒有受損。』

我伸手朝額頭抹了一把，全都是汗。

『好，』查理說，『咱們走吧！』

查理兩個大步就跨過木板，但是我卻得戰戰兢兢地保持平衡，才終於安全抵達彼岸。

『來，』他遞給我一瓶水，『喝點水吧。』

我喝了一口，又繼續跟著他往坑道的深處走。我們在葬儀社的天堂，不管往哪個方向望過去，都像是在棺木裡一片漆黑；兩側陰暗的牆壁向前延伸，彷彿在黑暗的遠方有個模糊的交會點。

『這**整座**坑道看起來像不像是地下墓窖？』我問道。手提無線電似乎在我的思緒之間傳出些許的靜電聲。

『像什麼？』

『地下墓窖，墳墓。』

『倒也不完全是這樣。比較新的部分是大型的波浪形管道，』他比劃著上下起伏的手勢，模仿波浪的表面，『就像走在肋骨上一樣，讓你覺得自己被大鯨魚吞進肚子裡，有點像是……』

他彈彈指頭，想找個比喻；也許是聖經故事，也許是151W英文課程的梅爾維爾⑩。

『像小木偶。』

查理回頭看看我，好像等著我賞他一聲笑。

結果他沒有等到。『應該不會太遠了，』他訕訕地說，還拍一拍胸前的無線電，『別擔心，我們轉過前面的轉角，狠狠地打他們幾槍就可以回去了。』

就在這個時間，無線電響了。這一次確定是吉爾的聲音，錯不了。

查理，遊戲結束了。

我停下腳步：『這是什麼意思？』

⑩譯註：梅爾維爾（1819–1891），美國作家，代表作為《白鯨記》。

查理皺皺眉頭，等著訊息重複，可是卻沒有聲音。

『我才不上當哩！』他說。

『上什麼當？』

『**遊戲結束**，就是說不玩了。』

『不會吧？為什麼？』

『因為出了問題。』

『**什麼問題？**』

查理伸出一根指頭，叫我不要作聲。我聽到遠處有聲音傳來。

『他們來了。』我說。

他拿起長槍，『來吧！』

＊＊＊

查理的腳步愈跨愈大，我也只好緊緊地跟在後面；只有到這個時候，我才真的佩服他在黑暗中的行動還能如此敏捷，因為我最多只能用手電筒照著他，才勉強不會跟丟。

我們走到交叉地道口時，他作勢要我停下來。『先別轉過去。把手電筒關掉，他們會發現我們在這裡。』

我揮揮手，叫他繼續前進；到了空曠的地方，無線電又響了。

查理，遊戲結束了。我們在愛德華大樓地下的南北向通道。

吉爾的聲音現在清楚多了，表示他們更近了。

我開始向交叉口走去，可是查理把我推回去。

兩道光芒從不同的方向射出來，我瞇著眼睛，在黑暗中勉強辨識出身影；他們聽到我們靠近，轉過身來，其中一道光就在我們的視線上。

『該死！』查理遮著眼睛大罵，舉起長槍就對著光源扣下扳機，盲目射擊。我聽到胸前接收器裡傳出機械的嘶嘶聲。

『不要打啦！』吉爾的聲音嘶嘶地說。

我們一邊走近，查理一邊大喊：『怎麼回事？』

保羅在吉爾身後，一動也不動。他們兩個站在微弱的光線裡，是從頭頂上一個人孔蓋的縫隙射進來的微光。

吉爾把一根指頭放在嘴唇上，指一指上面的人孔蓋。我勉強看到有兩個人站在我們頭頂上，就在愛德華大樓的門前。

『比爾一直在呼叫我，』保羅拿起呼叫器，對著光線看，顯然有些心急地說：『我非得出去不可。』

查理不解地看了保羅一眼，作勢要他和吉爾避開人孔蓋。

『他不肯動。』吉爾悶著聲音說。

保羅就站在金屬蓋的正下方，凝視著呼叫器的螢幕；融解的雪水從人孔蓋的縫隙滴下來，上面有人走動。

『你會害我們被捉到！』我輕聲地說。

『他說在別的地方都收不到訊號。』吉爾說。

『比爾從來沒這樣過。』保羅也低聲地回了一句。

我拉著他的手臂，但是他卻掙開，然後點亮呼叫器的螢幕給我們看，我看到三個數字：911。

『這是什麼意思？』查理低聲問道。

『比爾一定是發現了什麼東西，』保羅開始不耐煩，『我必須去找他。』愛德華大樓前人來人往，從人孔蓋的縫隙掃下更多的積雪。查理開始緊張。

『聽著，這一定是意外，你在這裡不可能收到訊號……』

說時遲，那時快，呼叫器又響了起來，打斷查理的話。這一次的訊息是個電話號碼：116-7718。

『這又是什麼？』吉爾問。

保羅把螢幕反過來看，數字就變成了文字：BILL-911。

『我**現在**就要出去！』保羅說。

查理搖搖頭。『不能從這個人孔蓋出去。太多人在上面了。』

『他說要用長春藤那邊的出口，』吉爾說，『可是我跟他說那裡太遠，我們可以回到克里歐，在訓導員換班之前，應該還有幾分鐘才對。』

一對對紅色的珠子在遠方聚攏，老鼠都坐下來看。

『什麼事情這麼重要？』我問保羅。

『我們就快要有重大的發現……』他才開始說，查理就打岔。

『克里歐是我們唯一的機會，』他看看手錶，開始往北走，『七點二十四分，我們得立刻開始行動。』

3

我們一直朝北走，坑道仍然是像箱子一樣的四方形，不過混凝土牆逐漸被石牆取代；我可以聽見父親的聲音，解釋『石棺』這個字的字源。

源自希臘文，代表『食肉』的意思……因為希臘的石棺是用石灰岩做的，在四十天內就把整副屍體侵蝕殆盡——只有牙齒得以倖存。

吉爾超前的距離已經達二十呎，他跟查理一樣行動敏捷，對地形也瞭若指掌。保羅的身影在忽暗忽明的光線裡乍隱乍現，頭髮緊貼著額頭，彷彿浸泡在汗水裡；我突然想到他已經好幾天沒有睡覺了。

我看到吉爾在三十呎外的地方等著我們，一邊護衛我們到出口，一邊來回巡察。他在尋找替代方案，因為我們花了太多時間。

我閉上眼睛，試著在腦海裡描繪校園的地圖。

『還有五十呎就到了，』查理替保羅打氣，『最多一百呎。』

等我們到了克里歐大樓的人孔蓋下方，吉爾轉過身來。

『我先把人孔蓋推上去一點看看，大家準備隨時往回跑。』他低頭看看手錶，『我的錶現在是七點二十九分。』

他捉著最底下的一階鐵梯，很快地爬到上頭，伸手頂著人孔蓋；還沒有推開之前，他回過頭來說：『記得噢，訓導員不能下來抓人，頂多只能叫我們出去。你們先留在底下，不要叫任何人的名字，知道嗎？』

我們三個點點頭。

吉爾深呼吸一口氣，拳頭往上伸出去，用手肘頂著人孔蓋，推開了一條約半呎的縫隙。他很快地瞄了一眼——然後就有聲音從上面傳來。

『不要動！留在原地，不准動！』

我聽到吉爾低聲咒罵了一句：『該死！』

查理揪著他的衣服，把他從鐵梯上扯下來，然後一把抱住他。

『快！往那邊走！關掉手電筒！』

我在黑暗中跌跌撞撞，推著保羅往前跑，試著回想剛剛過來的路線。**靠右邊，管子在左邊，儘管靠右邊。**

我的肩膀摩擦到牆壁，撕裂了襯衫。保羅也是步履蹣跚，高溫讓他快要虛脫了。我們大概跑了二十步，直到查理把我們攔下來，等吉爾趕上，這才終於撞成一堆。我們看到遠處有燈光從打開的人孔透進坑道，然後是一隻手、一個人頭。

『通通給我出來！』

手電筒前後照了一下，在黑暗的坑道裡形成一個光線的三角形。

現在又傳來第二個人的聲音，是個女的。

『這是給你們的最後警告！』

我轉頭看看吉爾，在黑暗中只能看到他的輪廓，只見他搖搖頭，示意我們不要出聲。

保羅的氣息吹在我的頸後，感覺濕濕的；他靠在牆邊，看起來像是快要昏倒的樣子。坑道裡又傳來那個女人的聲音，故意放大音量，跟她的同伴說話。

『叫所有的人都出動，在每一個人孔都派員站崗。』

手電筒暫時退出坑道，查理立刻推著我們繼續向前跑，經過一個T字型的路口，但是沒有轉彎，直到另外一個角落才向右轉，來到一個陌生的地方。

『到了這裡，他們就看不到了。』吉爾壓低音量說著，一邊打開手電筒。眼前又是一條長長的坑道，我們猜想應該是通往校園的西北方。

『現在怎麼辦？』查理問。

『回多德樓去。』吉爾建議。

保羅擦擦額頭，說：『不行，出口已經上了鎖。』

『他們會守住每個重要的柵口。』查理說。

我開始朝坑道的西邊踱步。『這是往西北方最近的通道，對不對？』

『為什麼這樣問？』

『我想，我們可以從洛基麥席劇場那附近出來。從這裡過去有多遠？』

查理把我們最後的一點水交給保羅，他貪婪地喝了一大口。『幾百碼吧，』他說，『也許更遠一點。』

『從這個坑道過去？』

吉爾想了一秒鐘，然後點頭認可。

『我也沒有更好的辦法了。』查理說。

他們三人跟著我走進一片昏天黑地。

＊＊＊

我們安靜無聲地沿著坑道走了一段路，我的手電筒燈光漸弱，於是查理把他的手電筒交給我，不過他的注意力始終都放在保羅身上，因為保羅似乎愈來愈虛弱，最後終於支持不住，整個人靠在牆上；查理趕快把他撐起來，助他一臂之力，也提醒他不要碰到蒸氣管。每走一步路，就聽到最後幾滴水在空盪盪的水壺裡叮噹作響，我開始懷疑自己是不是已經到了忍耐的極限。

『兄弟們，』查理在我們身後說，『保羅快撐不住了。』

『我只要坐一下就好了。』保羅虛弱地說。

吉爾突然把手電筒照向前方，眼前赫然出現一道金屬柵欄。『該死！』

『安全柵門。』查理說。

『我們怎麼辦？』

吉爾蹲下去，直視保羅的雙眼。『嗨，』他搖撼著保羅的肩膀問：『這裡有沒有路出去啊？』

保羅伸手指著安全柵門旁邊的蒸氣管，然後手臂像是支撐不住似的向下一沈，說：『從底下過去。』

我拿手電筒照著蒸氣管，發現蒸氣管底下的隔熱絕緣體已經有點磨損，跟地面只有幾吋的距離。顯然有人用過這一招。

『不可能，』查理說，『空間不夠大。』

『在另外一邊有門栓可以打開柵門，』吉爾指著牆邊的門栓說，『只要有一個人鑽得過去就行了，其他的人可以從柵門走過去。』他低下頭去看著保羅說：『你以前試過？』

保羅點點頭。

『他脫水了，』查理低聲地說，『誰還有水？』

吉爾把半滿的水壺遞給保羅，他貪婪地灌下去。

『謝謝，現在好多了。』

『我們應該往回頭走。』查理說。

『不用，』我說，『我鑽過去。』

『穿我的外套去，』吉爾說，『可以隔熱。』

我伸手摸摸蒸氣管，即便隔著墊子，都可以感覺到熱氣在管子裡的脈衝。

『太大了，』查理說，『穿著就擠不過去了。』

『不穿也沒有關係。』我跟他們說。

等我整個人貼到地面上，這才發現這個空間有多狹窄。隔熱的絕緣體很燙，我盡量讓肚子緊貼著地面，從管子和地面之間擠過去。

『吐氣，然後把身子拉出去。』吉爾說。

我一吋一吋地向前擠，盡量把身子攤平——但是到了最窄的部分，我的手沒有地方可以抓，只有幾攤滲水形成的水坑，根本使不上勁。突然間，我像是被釘在管子底下似的。

『該死！』吉爾咆哮著跪了下來。

『湯姆，』查理叫我一聲，接著我感到有一雙手撐著我的腳底。『朝我這邊用力蹬。』

我用力踢著他的手掌，胸部在混凝土地面上用力摩擦過去，一條腿碰到了沒有隔熱絕緣體的蒸氣管，我感到腿上一陣火辣刺痛，立刻反射動作彈開。

等我鑽到另外一邊，查理問道：『你沒事吧？』

『順時鐘方向轉開門栓。』吉爾說。

我照著做，打開安全柵門；吉爾推開門走出來，查理攙扶著保羅跟在後面。

我們繼續在黑暗中前進，查理又問了一次：『你確定沒事？』

我點點頭。走了幾步路之後，看到牆上寫著一個簡陋的R字。我們到了洛克斐勒學院，這也是一棟學生宿舍；我大一的時候，跟一個名叫拉娜・麥克奈的女孩約會，她就住在這裡。那時候煙囪還沒有徹底封死，所以我們整個冬天有大半時間幾乎都坐在她宿舍房裡的壁爐前面取暖；當時討論的話題似乎離現在好遙遠：瑪麗・雪萊⓫、校園鬼故事、俄亥俄州立大學的美式足球隊七葉樹隊（Buckeyes）。她母親跟我父親一樣，都在俄亥俄州大任教；拉娜胸部的形狀有點像茄子，而且我們若是在壁爐旁坐得太久，她的耳朵就會變得像玫瑰花瓣一樣紅。

過了不久，我們就聽到有聲音從上面傳下來，而且是人聲鼎沸。

吉爾走近聲音來源，忍不住問道：『怎麼回事啊？』

人孔蓋就在他肩膀上方。

『就是這裡了，』我邊咳嗽邊說，『我們就從這裡出去。』

他看著我，一臉不解的神情。

⓫譯註：瑪麗・雪萊（Mary Shelley，1797-1851），英國小說家，著有《科學怪人》。

在寂靜中，我可以更清楚地聽到這些聲音——學生狂歡的聲音，而不是訓導員的聲音；幾十個人在我們頭頂上跑來跑去。

查理的嘴角開始上揚：『裸體奧運。』

吉爾這才恍然大悟：『我們就在他們下面。』

『庭院中央有個人孔蓋，』我靠著牆邊喘氣邊提醒他，『現在只要打開蓋子，混到人群中消失就行了。』

可是保羅沙啞的聲音在我身後響起：『現在只要**脫光衣服**，混到人群中消失就行了。』

接著是一片鴉雀無聲，然後查理第一個開始解鈕釦。

『讓我**出去**！』他一邊笑著，一邊剝掉身上的衣服。

我開始脫牛仔褲，保羅和吉爾也跟進。我們把衣服全都擠進一個袋子裡，幾乎要把袋子撐得脫線。

『你拿得了嗎？』查理說著，想要把兩個袋子都接過去。

我猶豫一下。『你知道外面會有訓導員吧？』

這時候，吉爾已經義無反顧，率先爬上鐵梯。

『湯姆，上面有三百個光溜溜的大二學生，如果有這種掩護還不能安全地逃回去，那麼你就**真的活該**被捉了。』

他說著就推開人孔蓋，一陣冰冷空氣有如瀑布般地竄進坑道，像薄荷一樣，讓保羅精神為之一振。

『好唄，兄弟們，』吉爾最後一次回頭說，『咱們上去賣肉吧！』

＊＊＊

我對離開坑道之後的第一個記憶，就是光明乍現：頭頂上的燈照亮庭院，警衛照明燈映著地面有如白晝，還有像螢火蟲一樣此起彼落的鎂光燈。

接著就是刺骨的冷：寒風颯颯，風聲幾乎淹沒雜沓的腳步聲和喧囂的人聲；雪花在我皮膚上融解，像是一顆顆露珠。

最後我終於看清眼前的景氣：人牆肉林，手臂大腿，像一條長蛇般圍繞著我們；一張張臉孔躍進我們的視線──同班同學、足球隊員、平日在校園裡看到的女孩子──但是這些臉孔又模糊淡去，像是拼貼藝術的一小片素材；到處都看到奇裝異服──高禮帽與超人斗篷、胸前寫著各式字樣的藝術作品──但這一切似乎都退化成一隻滾動的巨獸，中國城的舞龍，隨著喝采呼喊和劈哩啪啦響起的鞭炮聲扭動身軀。

『往這邊走。』吉爾喊道。

我和保羅像是被催眠似的跟著他走；我早就忘了好德樓在初雪的夜晚是怎麼樣的一番景況。圍著圓圈跳康康舞的人潮很快地吞噬了我們，霎時間，我幾乎忘了自己是誰，只覺得四周的人牆緊貼著我的身體；我肩上揹著背包，腳下是滑溜的積雪，只能勉強維持平衡。有人從後面推了我一把，我感到背包的拉鍊爆開了，還來不及搶救，衣服就從袋口蹦了出來，才一會兒工夫，所有的衣服就全都散落地面，在泥濘中任人踐踏。我環顧四周，希望查理在我背後，好歹接到一些衣服，可是完全看不見他的人影。

『奶子和屁股！奶子和屁股！』有個年輕男子在一旁喊著口號，一口倫敦東區方言的腔調，好像他是電影『窈窕淑女』的賣花女似的。路的另一邊則是一個胖子，是我在文學課上認識的大三學生，挺著抖動的肚腩，偷偷摸摸地溜進大二學生的人群裡；他身上一絲不掛，只揹了一個像三明治的廣告牌，前面寫著『免費試乘』，後面則是『意者內洽』。

我終於看到查理了，他擠到圓圈的另外一邊，跟威爾．克萊站在一起；威爾也是急救醫療小組的成員，他戴著一頂大草帽，帽簷綴飾著叮噹作響的啤酒鐵罐。查理從他頭上一把攫走了帽子，於是兩人展開追逐，穿過庭院，很快從我視線中消失。

笑聲此起彼落，我跟著人群走著，突然有人捉住了我的手臂。

『走吧！』

吉爾拉著我走出圓圈。

『現在怎麼辦？』保羅問。

吉爾四處張望，看到每個出口都有訓導員站崗。

『往這邊走。』我跟他們說。

我們走進宿舍的入口，溜進好德樓。有個醉醺醺的大二學生打開房門，站在門口，搞不清楚狀況，好像我們應該跟她打招呼似的；她上下打量我們一番，舉起手裡的可樂娜啤酒，打著酒嗝說：『乾杯！』然後關上房門。

不過我已經看到她的室友在壁爐前取暖，身上只圍著一條毛巾。

『來吧。』我說。

他們跟我走上一層樓，然後我用力地敲著其中一扇門。

『你在做什……』吉爾話才說了一半，房門已經打開，一雙美麗的綠眼珠迎了出來；看到我，眼睛下的朱唇微啟。凱蒂穿著緊身的海軍T恤和泛白的牛仔褲，紅褐色的頭髮在腦後紮成了一小撮馬尾；她爆笑出聲，讓我們進去。

『我**知道**妳會在家。』我搓著手說，走上前去抱住她，她也回以溫暖而歡迎的擁抱。

『穿著生日禮服來慶祝我的生日，』她上下打量著我說，眼睛發亮，『原來這就是你沒打電話的原因。』

凱蒂走進房間時，保羅的眼睛一直盯著她拿在手上的相機，加裝了望遠鏡頭的Pentax，鏡頭幾乎跟她的下臂一樣長。

凱蒂轉身把相機放在書架上，吉爾問道：『這是做什麼用的？』

『喔，替《普林人日報》拍照，』她說，『也許這一次他們會登我的照片。』

這一定是她沒有去裸奔的原因。這一年來，凱蒂一直嘗試，希望能夠有一張照片刊登在《普林人日報》的頭版，但是講究資歷的制度對她不利；現在她可以扭轉情勢，因為只有大一和大二的學生才能住在好德樓，而她的房間又正好可以俯瞰整個庭院。

『查理呢？』她問道。

吉爾聳聳肩，從窗口往下看。『在底下跟威爾・克萊玩「捉我屁股」的遊戲。』

凱蒂回過頭來看著我，臉上還是掛著笑意。『你計畫多久了？』

我支吾不語。

『好幾天了，』吉爾看我無言以對，不知道怎麼跟她說這整件事根本不是為了她籌備的，於是信口胡謅道：『也許一個星期。』

『很感人，』凱蒂說，『可是氣象報告一直到今天早上才確定會開始下雪。』

『好幾個小時，』吉爾趕緊更正，『也許一天。』

她的眼光始終沒有離開我身上。『我猜，你們需要一件衣服穿吧？』

『我們需要三件。』

凱蒂到衣櫃找衣服，說：『外頭一定很冷吧，看起來你們都已經開始熱脹冷縮了。』

保羅看著她，好像不敢相信她所說的跟他心裡想的是同一件事。『有沒有電話可以借我打？』他好不容易想出一句話說。

凱蒂指著桌上的無線電話。我走到房間的另一邊，整個人撲在她身上，把她推進衣櫃裡；她想把我掙開，但是我推得太用力，兩個人跌進一堆鞋子裡，高跟鞋四處散落。我們花了一會兒工夫才得以脫身，我站了起來，本以為保羅和吉爾會不以為然地嘆氣，但是他們都在忙著別的事情，沒有注意我們。保羅在角落裡對著話筒竊竊私語，吉爾則專注地看著窗外。本來我以為他在找查理，後來沿著他的視線望過去，才看到訓導員拿著無線電對講機朝我們這裡走過來。

『嘿，凱蒂，』吉爾說，『我們不需要一整套搭配的衣服啦，可以穿就行了。』

『別緊張啦，』她拎著衣架，抱著一堆衣服回來：三條運動褲、兩件T恤和一件藍襯衫——正是我從三月就開始找不到的那件襯衫。『這麼短的時間，只能找到這些囉！』

我們匆匆忙忙套上衣服，就聽到樓下入口處傳來無線電對講機的雜訊聲，然後就是宿舍大門砰地一聲關上。

保羅掛了電話說：『我得趕到圖書館。』

『你們從後門出去，』凱蒂催著我們說，『這裡交給我來應付。』

吉爾跟她道謝，我則拉著她的手不放。

『咱們待會見？』她的眼裡有一種慧黠的神色，但是現在總是伴隨著一抹微笑，因為她不敢相信這一招對我竟然還有用。

吉爾咕噥了一聲，捉著我的手臂就往門外走；就在我們溜出宿舍後門之際，我聽到凱蒂呼叫訓導員的聲音。

『長官，長官！我需要幫忙！』

吉爾轉身，眼睛盯著凱蒂的房間，從毛玻璃窗上的交叉花紋裡看到訓導員進了她的房間之後，表情才鬆懈下來。不久之後，我們走進刺骨的冷風中，讓好德樓消失在一片大雪簾幕裡。我們一路走回多德樓，整個校園空盪盪的，不見人影；殘存的坑道熱氣早就在風雪中散發殆盡，只剩雪花掃上臉龐留下的細小水珠。保羅走在我們前面，一言不發，維持一定的速度趕往目的地。

4

我和保羅是因為一本書才結緣的。或許就算沒有這本書，我們也可能會在總圖書館、讀書小組或是大一同時選修的文學課上認識，所以這本書並沒有什麼了不起。但是再仔細想想，這本書已經有五百年的歷史，而且是我父親生前一直鑽研的同一本書，那麼這整件事似乎就舉足輕重了。

《尋愛綺夢》的書名原文是拉丁文，字面上的意義是『普力菲羅在夢裡尋愛』；這本書是一四九九年由一個叫做阿杜思・曼尼修斯（Aldus Manutius）的威尼斯人所出版的，表面上是一本小說，實際上卻更像是百科全書，從建築到動物學，是一本幾乎包羅萬象的論文，而敘事風格卻是連烏龜都會嫌慢的步調。這本書的內容是講述一個人做了一個夢，堪稱是全世界最長的一場夢；普魯斯特以一個人吃蛋糕寫了全世界最長的一本書⑫，但是跟《尋愛綺夢》比起來，他的步調簡直就是海明威。我猜，文藝復興時代的讀者也是心有戚戚焉吧！即使在那個年代，《尋愛綺夢》也是一隻恐龍。

儘管阿杜思是當時著名的出版家，但是《尋愛綺夢》一書卻乏善可陳，所有的情節和人物都圍繞著主角普力菲羅，一個具有寓言象徵意義的平凡人。故事情節非常簡單：普力菲羅做了一場奇怪的夢，在夢裡不斷追尋他心愛的女性；但是敘事手法卻極其複雜，連大部分研究文藝復興時期的學者——也就是連等公車都在看普羅提諾⑬的那些人——都覺得這本書瑣碎繁蕪、晦澀難解，讀來令人痛苦不堪。

當然我說的是除了我父親之外的大部分學者。在文藝復興史學裡，他始終特立獨行；在多數同僚一一揚棄《尋愛綺夢》之際，他卻受到普林斯頓大學歐洲史教授麥克比博士的影響，立志要苦心鑽研這本書。麥克比博士在我出生的前一年過世，他的體型像老鼠一樣瘦小，卻有一對跟大象一樣的招風耳和一排細小的牙齒；他的成功都要歸因於活潑的個性與精明的眼光，知道什麼樣的歷史才值得研究。此人雖然其貌不揚，但是在學術界卻是個小巨人；每年的最後一堂課，當他講到米開朗基羅之死，總是讓學校裡最大的演講廳擠滿了聽眾，連大男生都忍不住掏出手帕頻頻拭淚。更重要的是，他專研這個領域裡所有人都忽略的一本書，並且成為箇中翹楚；他相信《尋愛綺夢》有其特殊之處，也許是很重要的東西，因此說服了他的學生去研究這本舊書的真正意涵。

而其中一個學生投入之深，遠超過麥克比博士的期望。父親是俄亥俄州一名書商之子，在十八歲生日的第二天來到普林斯頓大學；史考特・費滋傑羅⓮讓中西部男生到普林斯頓唸大學變成一種流行風尚，但是那幾乎是五十年前的事了。五十年來的變化很大，普林斯頓正要擺脫鄉村俱樂部型態的過往，而且為了符合時代精神，也逐漸揚棄建校的傳統。父親那一年的新生，是最後一屆必須在星期天上教堂做禮拜的學生；到了他畢業的那一年，普大第一次招收女生，校園電台WPRB還特地播放韓德爾的〈哈利路亞合唱曲〉來迎接她們。

⓬譯註：指《追憶逝水年華》。
⓭譯註：Plotinus，古羅馬哲學家，是新柏拉圖學派的代表人物。
⓮譯註：F. Scott Fitzgerald，1896-1940，美國小說家，代表作為《大亨小傳》、《夜未央》。

父親最喜歡說，他年輕時代的精神可以用康德的文章〈什麼是啟蒙時代？〉一言以蔽之；在他的心目中，康德就是一七九〇年代的鮑伯·狄倫。

這就是父親的一貫作風：消弭歷史與現代之間的界線，讓歷史不再陳腐乏味、神秘晦澀；對他而言，歷史不是一連串的時間和偉大的人物，而是思想和著作。他遵循麥克比博士的建議，在普林斯頓研究了兩年；畢業後又往西行，到芝加哥大學唸博士，主修義大利文藝復興史；接著到紐約做了一年的研究員，然後俄亥俄州立大學給他一個可能拿到終身職的教職，教授十五世紀的義大利史，讓他雀躍不已，因為終於可以回家了。

我的母親是會計師，喜歡雪萊和布雷克[15]；她在祖父過世之後，接手位在哥倫布市的書店生意。在父母親的薰陶之下，我在愛書的氣氛中長大，就跟有些小孩在宗教氣氛濃厚的家庭成長一樣。

我四歲就跟著母親去參加書展；六歲時，還無法分辨兩家不同公司發行的球員卡，卻已知道真假羊皮紙之間的差異；在十歲生日之前，我就已經接觸過大約六本印刷史上的經典——古騰堡聖經。不過在我們的小小信仰中，《尋愛綺夢》才是真正的聖經；這一點，在父親的耳提面命之下，我是永遠也忘不了的。

『湯瑪斯，這是文藝復興時期最後一個未解的謎，』父親教誨我的方式，想必就是麥克比博士教誨他的方式，『但是卻沒有人解得開，連邊兒都還沒摸到。』

他說得一點也沒錯，沒有人曾經解開這個謎題。當然啦，也是在這本書出版了幾十年之後，才有人發現有謎題需要解答；當時有位學者發現了一件奇怪的事，他把《尋愛綺夢》書中每一章的第一個字母串連起來，變成『Poliam Frater Franciscus Columna Peramavit』，意思是：『法蘭契斯科・柯羅納弟兄深愛著寶莉雅』；由於寶麗雅正是書中主人翁普力菲羅追求的對象，因此其他學者才開始質疑：《尋愛綺夢》真正的作者到底是誰？

這本書中從未披露作者的身分，連出版商阿杜思都不知道，但是從那個時候開始，一般就認為作者是一個名叫法蘭契斯科・柯羅納的義大利修士。有一小群受到麥克比博士啟發的專業研究人員也認為，這首頭文字詩只是一個引子，書中還隱藏著更大的秘密，而這群人的使命就是發掘這個秘密。

在我十五歲那年夏天，父親發現了一份文件讓他聲名大噪。那一年——也就是出車禍的前一年——他帶著我去歐洲做研究，先到德國南部的一座修道院，然後再到威尼斯的圖書館。在義大利，我們住在一間小公寓，裡面有兩張活動的床和一台史前時代的音響；我們住了五個星期，每天早上起床之後，他就從隨身帶來的唱片中，選出一首阿肯基羅・柯瑞里⑯的曲子來播放，就像中古世紀的酷刑一樣精準——早上七點半整，用小提琴和大鍵琴的聲音叫我起床，提醒我研究是不等人的。

我起床後，就會看到父親在洗臉槽前刮鬍子、燙襯衫或是數皮夾裡的鈔票，但是不管他在做什麼，總是跟著唱片哼著歌曲。他的個子雖小，對於修飾外表卻是一絲不苟，從濃密的褐髮中仔細地拔除幾根白髮，就像花匠修剪掉枯萎的玫瑰花瓣。他試圖保存一種內在的活力，因為他覺得眼角的魚尾紋和額頭上的皺紋好像讓充沛的精力逐漸消失。

⑮譯註：雪萊（Percy Bysshe Shelley，1792-1822），布雷克（William Blake，1757-1827），兩人皆為英國浪漫派詩人。
⑯譯註：Acangelo Corelli，1653-1713，義大利演奏家、作曲家，尤以奏鳴曲著稱。

我們白天總是泡在圖書館裡，每當我對一整排無窮無盡的藏書感到倦怠時，父親也很快寄予同情；到了中午，我們拿著麵包和冰淇淋到街上吃；晚上則帶我去觀光。有一天晚上在羅馬，他帶著我參觀城裡的噴泉，囑咐我在每個噴泉都丟一個銅板許願。

『這個是祝福莎拉和克莉絲汀，』他在船形噴泉（Barcaccia）說，『祝她們破碎的心早日修復。』

在我們出門之前，她們兩個都各自跟男友分手。父親向來就不喜歡她們的男朋友，因此表面上覺得是傷心事，實際上卻是好事一樁。

『這個是祝福你媽媽，』他在人魚海神噴泉（Fontana del Tritone）前說，『謝謝她這麼縱容我。』

父親向學校申請經費，但是卻沒有獲得任何補助，因此母親只好連星期天都開店做生意，籌措這次的旅費。

『這個是給我們的，』到了四河噴泉（Quattro Fiumi）時，他說，『但願我們發現想要找的東西。』

老實說，我並不知道我們到底在找什麼——至少在我們偶然發現這樣東西之前並不清楚——我只知道父親相信《尋愛綺夢》的研究已經走到了死胡同，因為每個人都只見樹不見林；他曾經在吃晚餐的時候氣憤捶桌，罵那些跟他意見相左的學者都把頭埋在沙堆裡，視而不見。他說，這本書太艱澀，不能從文本本身著手；比較好的做法是研究其他相關文件，從其他線索去推敲真正的作者是誰，以及他的創作意圖。

事實上，父親對於真相的狹隘觀點已經讓很多人對他避之唯恐不及，如果沒有那年夏天的意外發現，我們一家人可能都得靠書店的收入維生了。還好當時，幸運之神眷顧父親，不過命運卻也在第二年奪走他的生命。

在威尼斯一家圖書館的三樓書庫裡有個隱密的角落，擺著幾排鮮少有人青睞的書架，似乎連清掃的修士都忘了這批書的存在；我們背靠著背，在書架之間的走道上梭巡，尋找父親追查多年的線索，結果他發現一封信夾在一本厚厚的家族史書裡。信上的日期是《尋愛綺夢》出版前兩年，收信人是當地教會聆聽信徒告解的神父，內容則是跟一位高階的羅馬子民有關，這個人的名字就叫做法蘭契斯科·柯羅納。

父親看到這封信時的興奮雀躍之情，筆墨難以形容。他鼻梁上架著一副鐵絲框眼鏡，每次看書時就會慢慢地滑到他的鼻頭；一雙眼睛在鏡片後面放大，幾乎大到足以媲美他的好奇心——這是大多數人對他的第一印象，也是唯一的印象——在那一刻，只見父親緊揪著剛剛發現的東西，屋子裡所有的燈光似乎都匯聚在他的眼裡。

他手裡那封信的筆跡拙劣，用的是托斯卡一帶的方言，而且文不成篇，彷彿寫信的人不習慣這種語言或是根本就不習慣握筆。信裡講的事情天南地北，不著邊際，有時候像是向上帝傾訴，有時候又好像沒有特定的對象。寫信的人先是為了沒有使用拉丁文或希臘文表達歉意，因為他不會這兩種語言；最後又為了他所做的事情致歉。

天上的聖父，請原諒我，我殺了兩個人。雖然是我親自下手行兇，但卻不是出自我的策劃；是我的主人法蘭契斯科·柯羅納要我這樣做，請寬恕垂憐我們兩人。

這封信上說，兩件謀殺案是經過縝密的計畫，不是像作者這麼單純的人能夠想得出來的策略；兩名受害者都是法蘭契斯科·柯羅納的手下，他懷疑他們背叛，於是派給他們一件不尋常的任務。他命令他們送信到羅馬城牆外的一座教堂，有人會在那裡收信；他要求這兩個人死都不能偷看信的內容、不能遺失，甚至不能用沒有戴手套的手去碰觸。這就是單純的羅馬石匠在聖羅倫佐教堂殺害兩名信差的故事。

＊＊＊

我和父親在那年夏天發現的文件，後來在學術圈裡被稱為〈顛茄檔案〉（The Belladonna Document）；父親覺得這份文件一定可以重振他在學術圈內的名聲，於是在短短六個月就出版了一本同名的小書，還在扉頁上說要把這本書獻給我。

他在書中直接點明了這封信跟《尋愛綺夢》之間的關係，指稱《尋愛綺夢》的作者法蘭契斯科·柯羅納並不是如一般學者認定的威尼斯修士，而是我們找到的這封信裡所提到的那位羅馬貴族。為了證明他的論點，他還在書末加了一個附錄，列舉威尼斯修士（他稱之為『偽作者』）與羅馬的柯羅納兩人所有已知的生平事蹟，供讀者自行比較。光是這份附錄就足以令保羅和我信服了。

細節其實非常直截了當。那位假柯羅納在威尼斯所住的修道院，根本不適合哲學家或作家居住；根據我父親的說法，那個地方不是什麼神聖靈修之所，絕大多數時間都是俗世人聲鼎沸，混雜了喧囂的音樂，還有放浪形骸、飲酒尋歡的聲音；教宗克雷芒七世（Clement VII）一度下令要求院內的修士收斂檢點，但是他們卻回覆說，他們馬上就要變成路德教派，不必接受教廷約束。雖然已經身處在這麼惡劣的環境，偽作者的生平仍然是前科累累：一四七七年，他不知道違背了什麼教條，遭到修道院驅逐；四年後回來，卻又觸犯了另外一項罪名，幾乎被教會除籍；一五一六年，他被控強暴卻沒有抗辯，於是遭到終生流放；但是他不肯屈服，又回到修道院，最後仍然遭到驅離，這一次則是因為一樁涉及珠寶商的醜聞。所幸死神在一五二七年結束了他聲名狼藉的一生，這位威尼斯的法蘭契斯科・柯羅納生前被指控是竊賊、俯首認罪的強暴犯，還是終生職的『道明會』教士，最後享年九十三歲。

至於羅馬的柯羅納則剛好相反，堪稱是所有學術美德的典範。據我父親說，他出生在位高權重的貴族家庭，從小接觸歐洲的上流社會，受教於文藝復興時期的博學鴻儒；柯羅納的叔父普洛斯伯羅・柯羅納（Prospero Colonna），不但是受人尊崇的藝術贊助人和教會的樞機主教，而且還以支持人道主義著稱，連莎士比亞都可能受其影響──《暴風雨》中的魔法師普洛斯伯羅可能就是以他為藍本。

父親指稱，就是因為這些家世背景、人脈關係，他才可能一個人獨力完成像《尋愛綺夢》這麼繁複龐雜的巨著，也才可能會有重要的出版商替他出書。

還有一個足以讓爭議塵埃落定的重要因素──至少我這樣覺得──就是這位出身貴族的法蘭契斯科・柯羅納是『羅馬學院』的成員，這是一個以追求古羅馬共和時期異教徒理想為宗旨的純男性團體，對於這種理想的崇拜在《尋愛綺夢》書中已經表露無遺。這也可以解釋為什麼柯羅納在書中的頭文字詩裡自稱『弟兄』；其他學者以為這是柯羅納修士身分的表徵，殊不知這也是學院成員平日彼此寒暄的稱謂。

在保羅和我看來，父親的論辯清晰合理，但是卻在學術圈內吹縐一池春水。父親意外驟逝前，勉強目睹他在《尋愛綺夢》研究領域這個小茶壺裡製造的風暴，差一點讓他的學術名聲崩盤，幾乎所有的同僚都齊聲反駁，文森·塔夫特更是直接跳出來誹謗這本小書。在那個時候，認為柯羅納是威尼斯人的論述基礎已經鞏固，因此父親在這本小書附錄中漏列了一、兩項事蹟，竟然就成了整本書都不值得信任的證據。把兩件令人質疑的謀殺案跟世界上最有價值的書串連在一起，塔夫特寫道：『無非是可悲又煽情的自我宣傳手法』。

父親當然深受打擊，對他而言，他們反駁的是他一生志業的本質，是他自從追隨麥克比以來日夜匪懈、辛勤耕耘的成果；他從未料想到這個發現竟然會引起這麼粗暴強烈的反撲力道。就我所知，《顛茄檔案》唯一歷久不衰的書迷就是保羅；他反覆閱讀這本小書，甚至連扉頁的致獻辭都牢記在心，所以當他到普林斯頓大學報到，在新生名冊上看到一個湯瑪斯·柯瑞里·蘇利文時，立刻就從中間名認出我的身分，並且找到我本人。

＊＊＊

如果保羅期望在我身上看到父親年輕時的樣子，那麼他注定要大失所望；因為他找到的大一新生是個走起路來有一點跛，似乎為自己的中間名感到困窘的年輕人。不僅如此，這個年輕人還做了令人意想不到的事：他竟然公開抨擊《尋愛綺夢》，在這個以閱讀為宗教的家庭中，成了反叛的逆子。

這可能是車禍震撼的餘波盪漾，但是老實說，早在父親去世之前，我就已經對這本書失去信心了；在那個時候，我開始覺得這些書蟲學究都有一種偏見，這是他們共有的秘密信念，認為我們所知道的生命無非是反映現實不完美的觀照，唯有藝術才可以像眼鏡一樣予以矯正。我在晚餐桌上遇見的學者與知識份子，似乎個個憤世嫉俗，無法接受生命的事實：我們的生命永遠不像優秀作家筆下塑造出來的偉大人物，那樣充滿戲劇張力，只有在純粹完美的意外中，世界才會真的變成一個舞台——對於這一點，他們似乎都深感遺憾。

並沒有人真的說了這些話，但是當父親的朋友、同事（除了文森•塔夫特之外）到醫院來探望我時，看起來都很不好意思，似乎悔恨自己不該寫那些書評來抨擊父親的著作，嘴裡直咕噥著他們在病房外等候才草率成篇的悼念詞，這時候我才看清事實真相。他們一走到我的床邊，我就發現每個人手上都拿著書。

『我父親去世的時候，這本書幫我度過難關。』歷史系主任說著在床邊的餐桌上放下莫頓（Merton）的《七重山》（Seven Storey Mountain）。

『我在奧登的詩中找到很大的慰藉。』跟著父親寫論文的年輕研究生說著放了一本平裝本的詩集，封面還缺了一角，撕掉了標價。

『你需要的是可以提振精神的書，』有個人在其他訪客都離開之後，才跟我耳語道，『不是這些沒有生氣的東西。』

我甚至不認得他，不過他留下一本《基度山恩仇記》，是我以前看過的書；不過我想，難道他真的認為在那個時候激發我復仇的情緒是件好事嗎？

我發現這些人沒有一個比我更善於因應現實的生命；父親意外身亡為這件事畫下了一個醜陋

的句點，也讓他們賴以生存的法則成為笑柄：每個事實都可以重新詮釋，每個結局都可以改變。狄更斯可以重寫《孤星血淚》（Great Expectation），讓皮普有個完美的結局；但是現實生活沒有人可以改寫。

＊＊＊

剛認識保羅的時候，我對他很有戒心。在高中的最後兩年，我一直強迫自己改變：只要覺得腿痛，就強迫自己一直走路；只要本能跟我說，走過某一扇門，不要停留——可能是體育館的門、新朋友的車門或是我開始喜歡的某個女孩的家門——我就一定強迫自己停下來，敲開這扇門，有時候還不請自進。可是我在保羅的身上，看到過去自己的影子。

他的個子矮小，一頭不馴的亂髮下，有一張蒼白的臉龐，不像是成熟男子，反倒像是長不大的小男孩；他腳下有一隻鞋的鞋帶鬆了，手裡則拿著一本書，彷彿是他的安全毯。他第一次自我介紹時，就引用《尋愛綺夢》裡的文句，讓我覺得好像早就跟他很熟悉，雖然我心裡並不想認識他；那是九月初的一個黃昏，太陽已經快要下山，他在學校旁邊的咖啡館裡找到我。那一天，我的第一個直覺是不予理會，以後也要盡量避開他。

不過當天就在我快要告饒之際，他突然說了一句話，讓情勢為之改觀。

『不知道為什麼，』他說，『我總覺得他也是**我的**父親。』

我還沒有告訴他有關車禍的事情，不過在那一刻，我就是說不出口。

『你又不認識他。』

『我認識他，我唸過他寫的每一本書。』

『你聽我說——』

『我甚至還找到他的博士論文……』

『他不是書，你不能光用唸的。』

但是他好像充耳不聞。

『一九七四年，《拉斐爾時期的羅馬》；一九七九年，《費奇諾與柏拉圖再生》；一九八五年，《聖十字教堂裡的人》。』

他扳起指頭，如數家珍。

『一九八七年六月號的《文藝復興季刊》上刊登了他的〈《尋愛綺夢》與賀拉波洛的象形文字〉；一九八九年，《醫學史期刊》上有他寫的〈李奧納多的醫生〉。』

完全依照時間順序排列，分毫不差。

『一九九一年，《科際整合史學期刊》上有他的〈馬褲製造者〉。』

『你漏了BARS的一篇。』我說。

我說的是指《美國文藝復興學會公報》。

『那是在九二年。』

『九一年。』

他皺皺眉頭。『他們是從九二年才開始接受非會員投稿的論文。應該是我們高二那年的秋天，記得嗎？』

我們都沈默不語。他似乎有點擔心，倒不是擔心自己說錯，而是擔心我搞錯了。

『也許他在九一年就寫了，』保羅說，『但是到九二年才發表。你是這個意思吧？』

我點點頭。

『那麼就是九一年了，你說得對。』說著說著，保羅拿出他一直帶在身上的書，『然後就是這一本了。』

初版的《顛茄檔案》。

他鄭重其事地掂掂書本。『他最好的一本書。他發現的時候，你也在場吧？我是說寫到柯羅納的那封信？』

『是啊。』

『我真希望能親眼目睹，一定會覺得很神奇。』

我的視線越過他的肩頭，投射到遠處牆上的窗戶。樹葉已經轉紅，窗外也開始下雨。

『的確是。』我說。

保羅搖搖頭說：『你真的很幸運。』

他的手指輕輕地翻弄著書頁。

『他在兩年前死了，』我說，『我們發生了車禍。』

『什麼？』

『他寫完那本書之後就死了。』

保羅身後的那扇窗戶開始起霧，有個人從窗外走過，拿報紙頂在頭上遮雨。

『有人撞到你們？』

『不是，我父親開車失控。』

保羅用手指輕輕地揉著書皮封套上的圖案，一個海豚和船錨的徽章，是威尼斯艾爾丁出版社的標誌。

『我都不知道……』他說。

『沒關係。』

我們又沈默不語，是兩人之間的靜默維持最久的一段時間。

『我父親在我四歲的時候就過世了，』他說，『是心臟病發。』

『我很遺憾。』

『謝謝關心。』

『你母親做什麼呢？』我問。

他發現書皮封套上有一條摺痕，於是用指頭壓平。『她在第二年也死了。』

我想說點什麼，卻覺得以前聽到的那些話，如果從我嘴裡說出來，似乎不合時宜。

保羅勉強擠出一個微笑。『我就像《孤雛淚》（Oliver Twist）裡的孤兒奧利佛，』他說著，雙手捧成碗狀。『**拜託，我還想要。**』

我也勉強笑了笑，但是不確定這是不是個笑話。

『我只是要跟你說，』他說，『我認為你爸爸……』

『我知道。』

『我只是想說，因為……』

窗台下方的雨傘一朵朵地撐開，好像在潮汐中隱現的鱟魚。咖啡館裡的交談聲大了許多，保羅打開了話匣子，似乎想彌補什麼。他跟我說到，在父母雙亡之後，他如何被送到一所專門收容孤兒和逃家小孩的教會學校寄宿；又說到他在高中時期如何與書為伍，進了大學之後決定要讓自己的生活過得更好；還談到他在尋找可以彼此談心的朋友；最後他終於閉上嘴巴，臉上有一種羞愧的神情，好像覺得自己毀了這場談話。

我知道他的感受，於是開口問道：『那你住在哪一棟宿舍？』

『好德樓，跟你一樣。』

他拿出新生名冊，翻開折角的那一頁給我看。

『你找我找了多久？』我問。

『我才剛發現你的名字。』

我看著窗外，一朵紅傘飄過來，在咖啡館的窗口停駐徘徊，似乎不再往前進。

我轉過頭問保羅：『要不要再來一杯？』

『好呀，謝謝。』

這就是我們友誼的起點。

＊＊＊

蓋一座空中閣樓，是多麼奇怪的一件事！我們的友誼沒有任何基礎，因為我們沒有任何共通之處，但是從那天晚上開始，跟保羅聊天似乎愈來愈自然；不久之後，我甚至開始體會到保羅對我父親的那種感覺：也許他正是我們所共有的。

有一天晚上我們在他房裡談到那場車禍時，我問他：『你知道他以前老是說什麼嗎？』

『什麼？』

『**強者勝於弱者，但智者更勝於強者。**』

保羅笑了笑。

『那是普林斯頓棒球隊以前一位老教練所說的話，』我跟他說，『我在高一時打棒球隊，練完球之後，我爸爸每天都會去球場接我回家；我一再跟他埋怨，說自己跟其他人比起來矮了一截，而他總是說：「湯姆，你長得高矮都沒有關係，要記得：**強者勝於弱者，但智者更勝於強者。**」每次都是同樣的話，』我搖搖頭說，『聽得都膩了。』

『你相信是真的嗎？』

『智者更勝於強者？』

『嗯。』

我笑著說：『你沒看過我打棒球。』

『可是**我**相信，』他說，『我絕對相信。』

『你在開玩笑……』

他在高中被其他小孩欺侮、關在更衣室裡的次數，比我認識的任何人都要多。

『我不是開玩笑，』他舉起手說，『你看，我們到了這裡，不是嗎？』

他特別強調**我們**。

我一言不發，靜靜地看著他桌上的三本書：史壯克和懷特（Strunk and White）的語體文法參考書、聖經、《顛茄檔案》。普林斯頓大學是上天賜給他的禮物，有了這個禮物，其他的事情他都可以原諒。

5

保羅、吉爾和我三人從好德樓向南穿越校園，東邊就是總圖書館，細長的窗戶透出燈光，映照著雪花。在黑暗中，這棟建築物看起來就像是一座古老的融爐，厚重的石牆鎖住火紅熾熱的知識，隔絕外在的世界。我曾經做了一個夢，夢到自己半夜來到總圖書館，發現館內都是蟲子，幾千條書蟲戴著小小的眼鏡和睡帽，很神奇地藉由閱讀填飽肚子；牠們蠕動著身子，從這一頁爬到下一頁，在字裡行間穿梭，隨著劇情推演，有情人終成眷屬，歹徒也終於惡有惡報，書蟲的尾巴開始發光，最後整個圖書館變成了教堂，燭台高掛隨風左右飄搖。

『比爾在裡面等我。』保羅停下腳步說。

『你要我們跟你一起去嗎？』吉爾問。

保羅搖搖頭：『不必了。』

但是我聽出他的聲音裡有些遲疑。

『我要去。』我說。

『那我們待會在房裡見。』吉爾說，『你們會在九點以前趕回來聽塔夫特演講吧？』

『會，』保羅說，『當然會。』

吉爾揮揮手，轉身離開。保羅和我則繼續往總圖書館的方向前進。

只剩下我們兩人獨處，我卻突然發現兩個人都不知道該說什麼才好，我們上一次真正談話是好幾天前的事了，就像兩兄弟不認同對方的老婆，甚至連閒聊寒暄都會扯到彼此的歧見：他覺得我是為了跟凱蒂談戀愛才捨棄《尋愛綺夢》；我則認為他為了《尋愛綺夢》捨棄的東西更多，只是渾不自覺而已。

『比爾有什麼事嗎？』我們靠近大門時，我問道。

『我也不知道，他不肯說。』

『我們要去哪裡找他？』

『在善本藏書室。』

就是普林斯頓保存《尋愛綺夢》的地方。

『我想，他可能有什麼重大的發現。』

『像是什麼？』

『我不知道。』保羅有點遲疑，好像在挑選正確的字眼來說，『但是我肯定，這本書遠比我們想像的重要。我跟比爾都覺得好像找到了一點頭緒，會引導我們發現更大的東西。』

我已經好幾個星期沒有見到比爾．史坦了。他在研究所打滾了六年，終於慢慢地拼湊出一本關於文藝復興時期印刷技術的論文。比爾的身材瘦削，像是一具骷髏，走起路來彷彿可以聽到骨頭碰撞哐啷作響；他的目標是成為專業的圖書館員，也許以後會有更大的企圖心吧——終身教職、教授職位、晉升——這一切都跟他想要為書本服務的執著有關，然後漸漸地希望書本為你服務。

我每次在總圖書館外看到他，都覺得他像孤魂野鬼，骨架撐緊著皮囊；一半猶太人一半愛爾蘭人的血統，讓他擁有淡色的眼睛和怪誕的紅色鬈髮，整個人散發出圖書館的霉味，像是一本其他人都完全遺忘的舊書。

跟他聊天之後，我有時候會做惡夢，夢到芝加哥大學的圖書館裡擠滿了像比爾．史坦這樣的研究生，每個人工作起來都跟機器人一樣認真，只有我沒有，於是他們都瞪著鎳色的眼睛看穿我。

保羅的看法卻不太一樣。他說比爾雖然工作勤奮，令人敬佩，但卻有一個知性上的弱點：缺乏生命的火花。比爾在圖書館裡爬行蠕動，就像是閣樓裡的蜘蛛一樣，啃噬死書，然後吐出細絲結成蛛網；他從書本中得到的只是機械性的死知識，編織出來的成果也是平衡對稱、四平八穩，但是卻少了一點靈性。這是他無法改變的弱點。

『往這邊走？』我問。

保羅帶我走過長廊。善本藏書室躲在總圖書館的角落，一不注意就會錯過；在善本藏書室裡，最年輕的書也有幾百年的歷史，所以書齡的新舊成了一種相對的概念。選修文學講座課程的高年級學生會在教授的帶領下來這裡參觀，就像小朋友去郊外遠足一樣，所有的筆都要沒收，骯髒的手指頭也受到嚴密的監視，不准亂碰東西，還常常聽到圖書館員怒斥教授，告誡他們只能看，不能摸——榮譽教授來到這裡，就覺得自己變得年輕了。

『現在應該關了，』保羅看著錶說，『比爾一定是情商洛克哈特太太把門開著。』

我們來到了比爾的世界。洛克哈特太太是被時間遺忘的圖書館員，說不定還曾經跟古騰堡的太太一起補襪子呢！她的皮膚光滑白皙，但是骨架細小，彷彿天生就注定要在書架之間飄浮游移。我們多半看到她用一種死的語言對身邊的書喃喃自語，就像是替動物剝皮製作標本的師傅對著寵物說話。我們經過她面前，沒有眼神接觸，只是拿起桌邊的一塊簽到板，用鏈在板子上的原子筆簽名。

她認出保羅，開口說：『他在裡面。』對我則只是輕輕地哼了一聲。

經過狹窄的走道，我們來到一扇門前；我從來沒有開過這扇門。保羅走上前，輕輕敲兩下，等候回應。

『是洛克哈特太太嗎？』回答的聲音有點高昂飄浮。

『是我。』保羅說。

從門的另外一邊，傳來開鎖的聲音，然後門才慢慢打開；比爾·史坦站在我們眼前，比我跟保羅都要高出半呎。我最先注意到的，是他一對暗灰色、佈滿血絲的眼睛；而這對眼睛也先看到我。

『湯姆跟你一起來，』他搔搔臉說，『好，很好，沒問題。』

比爾說的都是廢話，好像他的嘴和腦之間有一段空白需要填補。不過第一印象往往會讓人誤判，過了幾分鐘之後，就可以看出他的聰明才智。

『今天很不順利，』他邊說邊讓我們進去，『整個星期都不順利，不過沒什麼啦，我還好。』

『為什麼不能在電話裡說？』保羅問。

比爾開口，但是沒有回答保羅的問題；他一邊剔門牙縫，一邊拉開夾克的拉鍊，然後轉身背對保羅。『有人預約你的書嗎？』他問。

『什麼？』

『因為有人預約我借出來的書。』

『比爾，這種事情很平常啊。』

『威廉·考克斯頓（William Coxton）的報告？還有阿杜思的微縮影片？』

『威廉・考克斯頓是個重要人物啊！』

我這輩子從來沒聽過威廉・考克斯頓這個名字。

『一八七七年寫的報告耶？』比爾說。『這還只是在法瑞斯特校區的分館；還有阿杜思的《聖凱薩琳書信集》——』他轉身面向我。『並非如一般所認定的是第一次出現斜體字——』然後又轉身面對保羅。『除了你我之外，上一次有人借用微縮影片是在七〇年代，七一年、七二年，但是**昨天**卻有人預約召回。你沒有跟借閱組的人反應嗎？你沒有發生這種情況嗎？』

保羅皺起眉頭說：『你沒有跟借閱組的人反應嗎？』

『借閱組？我跟羅達・卡特提過，他們**什麼都不知道！**』

羅達・卡特是總圖書館的主任，所有的書都會到他那裡。

『那我就不知道了，』保羅的口氣力求鎮定，不想讓比爾更激動，『也許沒有什麼。我是不會太擔心啦。』

『我不擔心啊，一點也不。可是還有一件事，』比爾走到房間的另外一頭，牆壁和桌子之間的距離似乎窄得無法通行，但是他卻無聲無息地從中間鑽過去，拍拍他身上老舊皮夾克的口袋。『我接到一些電話，接起來……**咔嚓**，就斷線了；接起來……**咔嚓**，又斷線了。先是打到我住的地方，後來又打到研究室。』他搖搖頭。『不管他啦，先談正事。我找到一樣東西，』他緊張兮兮地看著保羅。『也許正是你需要的東西，也許不是，我也不知道；不過我覺得應該對你完成論文有幫助才對。』

他從夾克內層口袋拿出一塊大小像磚頭、外面用布層層包裹的東西，輕輕地放在桌上，慢慢解開。我以前就發現比爾有個怪癖：如果手裡沒有拿書，雙手就會不自主地抽搐；現在又發生同樣的情況，不過當他開始拆封包裹，動作就順暢許多。在層層包裹裡，是一本破舊的小書，厚度不會超過一百頁，聞起來有一股海水的鹹味。

『是哪裡的館藏？』我看書背上沒有標示書名。

『不是圖書館的館藏，』他說，『是我在紐約一家古董店裡發現的。』

保羅沈默不語，慢慢地伸出手去觸摸這本書；獸皮裝訂的封面看起來粗糙而且已經有裂痕，書背是皮繩縫製，書頁則是手工切紙，也許是出自早年拓荒人的手筆，由拓荒人保存下來的一本書。

『一定有百年歷史了吧？』我說，但是比爾並沒提供進一步細節，『一百五十年。』

比爾臉上流露一種不悅的神情，彷彿小狗剛剛在他地毯上撒尿的表情。『錯，』他說，『**大錯特錯**。』原來我就是那條狗。『**五**百年。』

我回過頭去專心地盯著那本書。

『從熱那亞來的，』比爾對著保羅說，『你聞聞看。』

保羅還是沈默不語，從口袋掏出一枝沒有削過的鉛筆，反過來，用頂端的橡皮擦當作軟墊，輕輕地翻開封面。比爾用絲帶當作書籤，標示了某一頁。

『小心！』比爾在書的上方張開雙臂，想要護書；我看到他的指甲都咬得光禿禿的。『不要留下任何記號，書是借來的，』他猶豫地說，『用完了要還給人家。』

『書是誰的？』保羅問。

『雅閣西書店，』比爾說，『在紐約。你需要這個，對不對？現在我們可以完成了。』

保羅似乎沒有注意到比爾用的代名詞從『你』變成了『我們』。

『這是什麼?』我主動發問。

『是熱那亞一個守港人的日記。』保羅低聲地說,目光一直梭巡著書裡每一頁的文字。

我愣了一下。『李察·柯瑞的日記?』

保羅點點頭。三十年前,柯瑞在研究一份來自熱那亞的古老文件,他宣稱這份文件可以解開《尋愛綺夢》之謎;可是他跟塔夫特提過之後沒多久,這本書就從他公寓裡不翼而飛。柯瑞堅稱是塔夫特偷的。姑且不管真相如何,我和保羅從一開始就都認定,對我們來說,這份文件等於是根本就不存在,因此也沒有指望在研究中會用到這份文件。如今,在保羅即將完成論文之際,這本日記堪稱是無價之寶。

『柯瑞跟我說過,這本書裡有提到法蘭契斯科·柯羅納,』保羅說,『柯羅納在等一艘船進港。守港人每天都記錄他和手下的行蹤,住在哪裡,做了些什麼事情等等。』

『借你用一天,』比爾打岔道。他站起來,走向門邊。『有必要的話,就留一份複本,用手抄寫。只要有助於你完成論文,什麼都可以。但是明天就得還我。』

保羅的注意力被打斷。『你要走啦?』

『我得走了。』

『你會去聽塔夫特的演講嗎?』

『演講?』比爾停下腳步,『不會,我還有事。』

看到他手不斷抽搐,讓我心情緊張。

『我會在研究室,』他在脖子上圍了一條紅色格子的圍巾,『記得要還我喲!』

『一定。』保羅說著,把書抱得更緊一點,『我今天晚上就可以看,還可以做筆記。』

『不要告訴塔夫特，』比爾拉上夾克的拉鍊，又補了一句，『這是我們的秘密。』

『我明天就帶來還你，』保羅說，『我在午夜之前一定要交論文。』

『好，那就明天。』語畢，比爾把圍巾甩到背後，一溜煙地跑出去。他每次都來去匆匆，總是充滿戲劇性。幾個大跨步，就走過了洛克哈特太太駐紮的門檻，一下子就不見人影。這位古老的圖書館員把枯萎的手掌放在一本破舊的雨果著作上，像是輕輕撫摸著老男友的頸子。

『洛克哈特太太，』比爾的聲音從我們看不到的地方傳來，『再見囉！』

＊＊＊

比爾前腳才走，我就忍不住問：『真的是那本日記嗎？』

『你聽著。』保羅說。

他的注意力又回到那本小書，開始大聲唸出書中的內容；剛開始的時候，保羅的翻譯有點結巴，因為哥倫布時代的熱那亞地區，用的是利古連（Ligurian）的方言，中間還夾雜著一些法文，所以看起來有點吃力，不過後來就漸入佳境。

『昨天晚上漲潮。一艘船……在岸邊拋錨。鯊魚沖到岸上，其中一隻很大。法國水手去嫖妓。一艘摩爾人的……海盜船？在近海被人看到。』

他翻了幾頁，隨意唸了幾段。

『晴天。瑪莉亞復元了。醫生說，小便恢復正常。貴死人的庸醫！那個……草藥師傅……說他用半價就可以治好，而且以兩倍的速度復元。』保羅停頓了一下，盯著書頁看。『蝙蝠糞便，』他繼續唸，『可以治療一切疑難雜症。』

我打岔道：『這跟《尋愛綺夢》有什麼關係？』

但是他仍然翻著書頁。

『昨天晚上，有位威尼斯船長喝得太多，開始吹牛。我們在佛諾瓦的弱點。老傢伙在波多芬諾吃敗仗。他們把他帶到……船塢……綁在桅桿上。今天早上還吊在那裡。』

我正要重複剛才的問題，就看到保羅的眼睛瞪得老大。

『從羅馬來的同一個人，昨天晚上又來了，』他唸道，『打扮得像公爵，很有錢的樣子。沒有人知道他在這裡做什麼，他為什麼到這裡來呢？我問其他人，連那些包打聽都不肯說。謠傳說他有一艘船要進港，他到這裡來確保船隻安全抵達。』

我在椅子上往前靠了一點。保羅翻了一頁又繼續唸。

『到底是什麼東西這麼重要？連像他這樣的人都要親自來看？是貨物嗎？醉鬼理髮匠說是女人。土耳其奴隸或是女眷。可是我看過這個人，手下稱他柯羅納大公，朋友叫他柯羅納弟兄，是個紳士呢。我看到他的眼裡不是慾火，而是恐懼，好像野狼看到老虎一樣。』

保羅停頓下來，看著這段文字；柯瑞不只一次重複最後這句話給他聽，連我都認出這些字了：好像野狼看到老虎一樣。

保羅闔上封面，粗糙的書皮上留有堅硬的黑色種子；空氣中的海水鹹味愈來愈濃。

『同學們，』不知從何處來的聲音響起，『你們的時間到了喲！』

『馬上出來了，洛克哈特太太。』保羅開始動作，拉起布把這本書緊緊包裹起來。

『現在怎麼辦？』我問。

『我們得拿去給柯瑞看。』他說著把小小的包裹塞進凱蒂借他穿的襯衫底下。

『今天晚上？』我說。

我們走出去的時候，聽到洛克哈特太太喃喃自語，但是並沒有抬起頭來看我們。

『柯瑞必須知道比爾發現了這本書。』保羅說著看看手錶。

『他在哪裡？』

『在博物館那邊。今天晚上博物館的董事會有活動。』

我猶豫了一下。我以為李察‧柯瑞是來慶祝保羅完成論文的。

保羅彷彿看出我的表情有異，於是又說：『我們明天才要慶祝。』

那本日記從他襯衫底下跑出來，包裝的黑色皮革露了一角。驀然間，巨大的聲響凌空而降，幾乎像是大笑聲。

『Weh! Steck ich in dem Kerker noch? Verfluchtes dumpfes Mauerloch, Wo Selbst das liebe Himmelslicht Trüb durch gemalte Scheiben bricht！』

『歌德，』保羅跟我說，『她關門的時候總是播放《浮世德》。』他推開出口大門，回過頭來喊道：『洛克哈特太太，晚安。』

她的聲音從圖書館的門口蜿蜒傳來。

『好，』她說，『晚安。』

6

從父親和保羅口中，我逐漸拼湊出文森·塔夫特和李察·柯瑞兩人之間的糾葛；他們初識時，都是二十多歲的小夥子，有一天晚上在曼哈頓上城出席同一場晚宴。當時，塔夫特是哥倫比亞大學的年輕教授，幾乎是他現在的翻版，肚子裡永遠燒著一把火，也同樣地傲慢自負，只不過身材較瘦；他在完成博士論文之後，短短一年半內就出了兩本書，堪稱學術圈的寵兒，在上流階層的社交圈內也是當紅的青年學者。

至於柯瑞則是因為心臟有雜音，免遭徵兵的命運，才剛剛在藝術圈起步；根據保羅的說法，他開始結交權貴，在瞬息萬變的曼哈頓逐漸建立自己的名聲。

他們是在晚宴近尾聲時才第一次碰面，當時塔夫特已經醉態可掬，不小心把雞尾酒灑在身旁一位看似運動員的來賓身上；保羅跟我說這純屬意外，因為那時候塔夫特是眾所皆知的醉客。起先柯瑞也不以為意，後來發現塔夫特竟然無意道歉，於是一路追到門口，要求塔夫特給個交代；可是步履蹣跚的塔夫特卻逕自走向電梯，完全無視柯瑞的存在。

兩人走進電梯，一路下了十層樓，但是卻只有塔夫特一個人在說話，他一邊搖搖晃晃地朝著大門走，一邊滿口粗話地對著這位英俊的年輕人咆哮，說他的受害者『可憐、討厭、粗魯、卑微』。

結果完全出乎他的想像，這位年輕人竟然笑了起來。

『《巨靈論》，』柯瑞在普林斯頓唸大三那年寫過一篇關於霍布斯（Hobbes）的論文，『你忘了還有**孤獨**，「人的生命是**孤獨**、可憐、討厭、粗魯、卑微」。』

『沒有，』塔夫特吃吃地笑了起來，『我沒忘，我只是把**孤獨**留給自己，但是**可憐**、**討厭**、**粗魯**、**卑微**都是你。』話才說完，他就醉倒在一盞街燈下。

就這樣，保羅說，柯瑞叫了一輛計程車，把塔夫特送上車，回到他自己的公寓，爛醉如泥的塔夫特足足睡了十二個小時。

接下來的情況是塔夫特醒來之後，既尷尬又不知所措，於是兩人開始有一搭沒一搭地聊了起來；柯瑞先說他在做什麼，然後輪到塔夫特自我介紹，接下來兩個人都很侷促不安，不知道該說些什麼，眼看著話題就要無以為繼，柯瑞神來一筆地提到了《尋愛綺夢》，說他在普林斯頓唸書時，在一位很受歡迎、名叫麥克比的教授課堂上唸過這本書。

我可以想見塔夫特的反應，因為他不但聽說過這本書的傳說，也一定發現柯瑞在提到這本書的時候眼睛為之一亮；根據我父親的說法，這兩個人開始談論他們的周遭生活，很快就發現彼此有不少共通之處。塔夫特瞧不起其他學者，認為他們的著作短視淺薄、無足輕重，而柯瑞則認為工作上的同事像一張紙似的，單調而沒有深度；他們兩人都覺得其他人的生命貧血、缺乏目標。或許正是因為如此，他們才不厭其煩地克服彼此之間的差異。

差異**確實**存在，而且還不算小。塔夫特生性善變，要了解他並不容易，要愛他就更難了；有人作伴時，酒喝得兇，一個人獨處也不遑多讓；他的聰明才智冷酷狂野、毫不留情，像一把燎原野火，連他自己都難以掌控。他可以一口氣讀完一整本書，即使是跟他研究主題毫不相干的著作，他也能立刻挑出論辯弱點、證據缺失或是詮釋錯誤；保羅說，塔夫特所有的，並不是毀滅性的人格，而是毀滅性的思想。他愈是火上添油，這把火就燒得愈猛，結果什麼也不剩；等到他一路走來，身旁的一切都燒光了，最後就只剩下自己可以繼續燃燒。

反觀柯瑞則是善於創造，而不是毀滅；在他身上看到的並不是現存的事實，而是未來的可能。他借用米開朗基羅的話說，生命就像雕塑，要能夠看到別人所看不見的，然後把其他的部分都鑿掉。對他來說，舊書就像是一塊等待雕塑的石頭，如果五百年來都無人能懂，那麼就該換一對新的眼睛來看、一雙新的巧手來雕刻，過去的老骨頭早該下台一鞠躬。

因為有了這些差異，塔夫特和柯瑞更容易發現彼此之間的共通點。除了對這本古書的興趣之外，他們對於抽象的思想也有共同的喜好，對於偉大這個概念也都深信不移：偉大的精神、偉大的命運、偉大的設計。就像兩面鏡子面對面擺放，從一面鏡子裡看到另外一面鏡子的倒影，無限延伸；他們生平第一次認真地看到自己，發現自己比平常強了上千倍。

他們的友誼產生了奇怪但是卻可以預期的結果：成為朋友之後反而比原來更孤獨；塔夫特和柯瑞原來都各有自己的世界，也有豐富的人物背景——他們的同事、大學同學、兄弟姊妹、父母親人，還有過去的愛人——但是這些人在聚光燈照射之下，全都隱身到舞台的黑暗角落。當然，他們的事業蒸蒸日上；不久之後，塔夫特成了赫赫有名的歷史學家，而柯瑞經營的藝廊也讓他小有名氣。

可是偉大人物的瘋狂絕不會不聲不響就消失了。這兩人的生活像奴隸一般痛苦，唯一的慰藉就是每個星期六晚上的聚會，他們會在其中一個人的公寓裡或是找一間沒有人的餐廳，把他們共同的興趣轉化成生活中共有的消遣——《尋愛綺夢》。

那一年冬天，柯瑞終於把他多年來一直都保持聯絡的好友介紹給塔夫特——柯瑞是很久以前在普林斯頓大學麥克比教授的課堂上認識這位朋友，兩人同樣對《尋愛綺夢》有濃厚的興趣。

我很難想像父親當時是什麼模樣，因為我記憶中的父親已經成家，他會在辦公室牆上替三個孩子量身高、做記號，一心想著不知道他唯一的兒子什麼時候才會開始長大，也會為了一些用死掉的語言所寫的古書大驚小怪，好像整個世界都繞著他打轉。然而，是我們把他變成這個樣子，是媽媽、姊姊和我讓他變成我所看到的那個人，並不是柯瑞所認識的那個人。

我的父親派屈克・蘇利文是柯瑞在普林斯頓唸書時最好的朋友；他們自認是校園之王，我猜想大概是他們之間的友誼讓他們有這樣的感覺吧！父親原來參加籃球校隊，但是在二軍打了一季，始終是板凳球員，後來是擔任輕量級足球隊隊長的柯瑞把他拉進美式足球場，結果他的表現跌破所有人的眼鏡。從第二年開始，他們成了室友，幾乎每餐都一起吃飯。大三那年，甚至還跟一對來自瓦沙爾的雙胞胎姊妹一起約會，她們的名字分別是莫莉・羅蓓茲和瑪莎・羅蓓茲，父親曾經形容這段感情好像是走進鏡廳的幻象；第二年春天，羅蓓茲姊妹穿著一模一樣的衣服去參加舞會，結果這兩個男人一方面是因為喝得太多，一方面也是不太留意，竟然認錯了人，跟對方約會的對象打情罵俏，於是這兩段感情也就無疾而終。

我必須相信父親和塔夫特應該是分別吸引柯瑞個性中的不同面向，畢竟生性懶散、篤信天主教的中西部男孩，跟汲汲營營、專心一志的紐約客是截然不同的動物；他們第一次握手，父親的手被塔夫特厚實有如屠夫般的巨掌完全吞沒，當時他們就應該體會到這一點。

他們三人之間，也屬塔夫特的思想最陰沈；他對《尋愛綺夢》書中最血腥、最深奧的部分特別感興趣，甚至研擬出一套詮釋系統，來解釋各種犧牲祭典的意義——例如切割動物脖子的手法、書中人物死亡的方式等等——賦予暴力更深一層的意義；他還不辭辛勞地研究書中提到的建築物尺寸規模，建構一套數字模型，然後再跟柯羅納那個時代的星座圖和曆書相互對照，希望能找出其中的關聯。

塔夫特認為研究這本書的最佳途徑，就是跟作者的智慧正面衝突，比個高下；父親說，塔夫特始終相信自己總有一天會打敗法蘭契斯科·柯羅納，不過就我們所知，那一天始終沒有出現。

父親的研究途徑就完全不同了。《尋愛綺夢》最吸引他的部分是書中坦誠、毫不遮掩的性愛呈現；這本書出版之後有好幾個世紀都受到衛道人士的抨擊，於是書中的圖畫遭到查禁、塗黑或是整個撕毀，就像很多文藝復期時期的裸體畫像被後人加上無花果樹葉遮住重要部位一樣，都是藝術品味更迭以及對於敏感題材起反感的結果。以米開朗基羅來說，這種做法當然不正當；但是《尋愛綺夢》書中的幾幅版畫，即使以現代的眼光來看，都還相當驚世駭俗。

裸體男女的畫像還只是開始而已，普力菲羅跟隨一群女神參加春天饗宴，而在祭典的正中央，卻是男神普里阿普斯（Priapus）的巨大陽具，也是整幅畫的視覺焦點。在此之前，神話中的斯巴達皇后麗塔（Leda）被天神宙斯相中，於是他化身為天鵝，藏身在她的兩腿之間。至於書中的文字就更露骨了，描述各種怪誕的性愛場景，不適合用木刻版畫呈現；普力菲羅受到眼前的建築之美吸引，坦承自己跟建築物發生性行為，甚至還聲稱，至少有一次是雙方都享受到這種性的歡娛。

圖文並茂的內容讓父親深深著迷，當然他對這本書的看法自然也跟塔夫特南轅北轍；對他來說，《尋愛綺夢》不是僵化的數學論文，而是男子為了表達他對一名女子的愛情所留下來的禮讚。就他所知，在所有的藝術作品中，唯有這一部模擬出這種情緒的混沌之美；如夢似幻的故事情節、書中角色的無盡混淆、男子熱切追求真愛的漫游探索，都在他內心引起共鳴。

因此，我父親——還有保羅在他研究的初期階段——覺得塔夫特的研究途徑有誤導之嫌。**哪一天你琢磨出愛情是怎麼回事**，他曾經跟我說過，**你就會知道柯羅納想說些什麼了**。父親相信，若是真的有什麼事情非知道不可，也一定要從這本書以外的地方著手：日記、書信、家族文件等等。

他從來沒有跟我說這麼多，但是我想，他一直懷疑這本書裡**真的**藏了一個大秘密；不過他的想法跟塔夫特不同，他覺得這個秘密應該跟愛情有關：柯羅納跟階級地位低下的女子發生戀情；政治火藥桶；私生繼承人；青少年在成年這個醜陋的新娘奪走他們童真之前所想像的那種浪漫戀情。

不管父親的研究跟塔夫特有多大的差距，當他離開芝加哥大學到曼哈頓停留一年做研究的時候，還是發現這兩個人的研究有很大的進展；柯瑞堅持要這位遠道而來的老友加入他們的工作，父親也欣然同意。他們就像三隻關在同一個籠子裡的動物一樣，經過一番角力，彼此質疑地兜著圈子轉了好久，直到畫下新的地盤界線，達到新的權力平衡點之後，才各自找到安身立命之地。不過在那個時候，時間還站在他們那一邊，而且三個人都對《尋愛綺夢》深信不疑。老朽的法蘭契斯科·柯羅納就像古時候的監察官，高高在上地看著他們，指引著他們，用一層一層的希望，粉飾他們之間的異見；這樣的和諧團結表象，至少維繫了一段時間。

＊＊＊

柯瑞、塔夫特和我父親三個人就這樣合作了十個多月，這時候柯瑞發現了一件東西，成了他們合作的致命傷。在此之前，柯瑞的工作重心已經從藝廊轉移到拍賣公司，因為這裡才是藝術圈內可以賺大錢的地方；就在他籌備第一次拍賣會之際，發現了一本破破爛爛的記事本，是某位剛過世的古董收藏家遺留下來的收藏品。

這本記事本原來屬於一位在熱那亞看守港口的老先生，他習慣用潦草的字跡在本子上記錄天候和他每下愈況的健康情形，此外也記錄了一四九七年春夏兩季，每天在碼頭進出的船隻，其中包括一位神秘人物抵達熱那亞的事，這個人的名字叫做法蘭契斯科・柯羅納。

這位守港人——柯瑞稱之為熱那亞人，因為他從未透露自己的名字——蒐集了一些在碼頭上流傳、跟柯羅納有關的謠言；此外他還記載了某次偷聽到柯羅納跟當地朋友交談的內容，得知這位富有的羅馬人到熱那亞，是為了監督一艘重要的船隻入港，至於船上載運了什麼貨物，就只有柯羅納一個人知道。於是熱那亞人開始彙整入港船隻的訊息送到柯羅納白天駐腳之處，有一次還看到柯羅納在記事本上寫東西，不過一看到熱那亞人進來，就立刻把本子藏起來。

如果事情僅止於此，那麼守港人的日記對於解讀《尋愛綺夢》就沒有什麼太大的幫助；然而，守港人天性好奇，愈來愈等不及柯羅納的船隻進港，於是就想到：要得知這位貴族何以會親力親為，唯一的方法就是找出柯羅納的船運文件，上面就記載了貨運的內容。最後他終於忍不住去找他的小舅子安東尼歐。

安東尼歐是個生意人，偶爾會經手一些海盜搶來的貨物；守港人請他幫忙找個竊賊，潛入柯羅納的住處，抄錄在那裡找到的文件。安東尼歐首肯的條件則是要熱那亞人幫他安排另外一次船運事宜。

結果安東尼歐發現，就算是最不怕死的人，一聽到柯羅納的名字也立刻搖頭拒絕；唯一願意動手的是一個不識字的扒手。儘管如此，這個扒手也還算稱職，抄錄了柯羅納手中的三份文件：第一份是一個故事的片段，不過守港人顯然不感興趣，也沒有完整的描述；第二份是一塊皮革，上面畫著繁複的圖形，讓熱那亞人莫測高深；至於第三份則是一張奇怪的地圖，是由四個基本的方向組成，每個方向後面都有一組單位，但是熱那亞人看了半天也猜不出個所以然來。他開始後悔找人去做這件事，因為發生了一些事情，讓他害怕自己有生命危險。

當天晚上，熱那亞人回到家裡，看到妻子在哭，她說她弟弟安東尼歐在家裡吃晚餐時中毒暴斃，一個替他跑腿的孩子發現他的屍體。至於行竊的扒手也遭逢類似的命運：這個不識字的小賊在酒館喝酒時，突然被陌生人在大腿上刺了一刀，等到酒館老闆發現的時候，他已經血盡身亡，而那個陌生人早就不知所終。

接下來那幾天，熱那亞人整天惶惶不安、冷汗涔涔，幾乎連碼頭上的工作都不能做。他沒有再回到柯羅納的住處，但還是在記事本上記載了扒手發現的每一個有用細節，一心巴望著柯羅納的船早日抵達，然後這位貴族就會跟著他等待已久的貨物一起離開。因為極度的焦慮驚恐，甚至連大型商船在碼頭上來來往往，他都忘了記錄。柯羅納的船終於抵達港口，老熱那亞人幾乎不敢相信自己的眼睛。

這麼一位貴族仕紳為什麼要不辭辛勞地監督這麼一艘不起眼的小駁船？他寫道，這麼一艘髒兮兮、醜小鴨似的小船呢？船上到底載了什麼東西，讓出身名門的貴族如此紆尊降貴？

當他聽說這艘船繞過直布羅陀，載著從北方來的貨物時，幾乎是勃然大怒；他在記事本上寫滿了不堪入耳的粗言穢語，說柯羅納一定感染梅毒、發了瘋，只有笨蛋和瘋子才會相信從巴黎那種地方會有什麼好東西值得這麼大老遠的運來。

據李察・柯瑞說，記事本上只有另外兩個地方提及柯羅納：第一次是熱那亞人偷聽到柯羅納跟一位佛羅倫斯的建築師在說話，他是這位羅馬人唯一的固定訪客；柯羅納在談話中提到他正在寫一本書，記載最近發生的種種紛擾。仍舊恐懼不安的熱那亞人小心翼翼地記錄下來。

第二次則發生在三天之後，這件事就比較神秘，甚至讓人回想起我跟父親發現的那封信。這時候熱那亞人已經深信柯羅納真的是瘋了，因為羅馬人不讓他的手下在白天卸貨，堅持要等天黑之後，才把貨物安全地運下船；守港人還發現，很多木箱子都很輕，連婦女或老人也都是一個人就搬得動，於是他絞盡腦汁，思索什麼樣的香料或金屬可以這樣搬。守港人開始懷疑，柯羅納的同僚——那位建築師和一對同樣來自佛羅倫斯的兄弟——可能是什麼黑幫的親信或傭兵；隨後又有謠言似乎證實了他的恐懼，於是他驚恐地寫道：

> 據說安東尼歐和扒手不是柯羅納的第一個受害者，還有另外兩個人在他的一聲令下死於非命。我不知道這兩個人是誰，也沒有聽到任何人提起他們的姓名，但是我肯定此事必然跟柯羅納的貨物有關；他們知道貨物的內容，而他擔心遭到他們背叛。我現在深信：這個人的動機是恐懼，就算他的手下沒有背叛，他的眼睛也早就洩漏了秘密。

父親說，柯瑞認為第二件事不如第一件事重要，因為他相信柯羅納所說的書就是《尋愛綺夢》；若果如此，那麼扒手在柯羅納住處找到的故事片段，還有熱那亞人不感興趣、也懶得翔實記載的細節，很可能就是最初的手抄稿。

然而在這個時候，塔夫特已經從他自己的角度著手研究《尋愛綺夢》，他做了一大本目錄作為文本參考索引，詳列柯羅納在書中的每一個字，追蹤其源流典故，但是卻沒有任何線索牽涉到守港人聲稱看到柯羅納以潦草字跡書寫的記事本。他說，這麼一個荒誕不經的故事，絕對不可能解開這麼一本偉大著作的深遠謎題；他對這本日記不屑一顧，就像對待同一個主題的其他相關書籍一樣：拿來充作他腹中怒火的柴薪。

我認為塔夫特的挫折感可能還是根植於他對這本日記的感覺；他發現權力平衡開始向另外一端傾斜：在我父親加入之後，將柯瑞導引到另外一個研究途徑，發現了其他的可能性，因此原本塔夫特跟柯瑞合作的氛圍也開始冰消瓦解。

隨之而來的則是一場角力，一場爭奪影響力的戰爭，父親和塔夫特對彼此的仇視怨恨，一直持續到父親的生命結束才告終止。塔夫特自認已經一無所有，於是一再詆毀父親的工作，希望把柯瑞贏回來；而父親則覺得柯瑞在塔夫特的壓力之下逐漸枯萎，因此也同樣回敬塔夫特。

在短短一個月內，過去十個多月的努力就一筆勾銷；不管他們三人合作有多少進展，最後都各歸其主，塔夫特和我父親兩人都不願意跟對方的研究成果有任何瓜葛。

柯瑞自始至終都沒有放棄熱那亞人的日記，他無法理解為什麼他的朋友會為了一點小小的爭執，就把他們的焦點放在一邊？他在年輕時有一種特質，後來他在保羅身上又再度看到，並且為之折服：對於真相的執著，對於任何惹人分心的事物感到極度不耐煩。

我想，他們三人之中，對柯羅納這本書最死心塌地的應該是柯瑞，也是柯瑞最急著想解開書中的謎題；或許是因為父親和塔夫特都在大學裡教書，對《尋愛綺夢》的興趣也是以學術為導向，他們知道學者終其一生很可能會把精力完全投注在某一本書的身上，因此並沒有這麼急於事功。可是身為藝術經紀人的柯瑞卻是個急性子，甚至在那個時候就已經感覺到他的未來：他的書中歲月飛快流逝。

＊＊＊

這時候不只一件事，而是有兩件事發生，讓《尋愛綺夢》成了次要的焦點。第一件事發生在哥倫布市：父親回家鄉整理頭緒，在返回紐約的三天之前撞到了一個俄亥俄州大的女學生——真的是撞到——她跟女學會的姊妹淘正好在捐書募款，到市區各家商店勸募，是年度慈善活動的一部分；到了祖父的書店門口，兩人都沒有注意到對方，結果就撞在一起，霎時間紙張與書頁齊飛，母親和父親雙雙跌倒在地，此後命運之針就將他們兩人緊緊地縫在一起。

父親回到紐約之後，整個人失魂落魄，對他撞到的那位長髮藍眼的女孩念念不忘，這位姊妹會成員還稱他為老虎；於是他開口閉口不再是普林斯頓，而是詩人布雷克。其實在遇見她之前，他就知道自己已經受夠了塔夫特，也知道柯瑞找到了自己的路，鑽研守港人的日記，回家的呼聲開始在他耳邊絮絮叨叨；高堂老父的身體不好，又有一名女子在他生命的港口等候，於是我父親這趟回到曼哈頓，只是為了收拾行李和道別。

父親在東岸的歲月，從與柯瑞在普林斯頓相遇開始，看似前程無量，卻在此時畫下句點。他來到每週聚會的地點，準備宣布這個消息，結果卻發現了另外一個爆炸性的新聞。

在他離開的這段期間，塔夫特和柯瑞第一次發生爭執，還導致肢體衝突，前美式足球隊隊長終究還是不敵體型像熊一般壯碩的塔夫特，他一拳命中年輕對手的臉，打斷了柯瑞的鼻梁。就在我父親返回紐約的前夕，柯瑞帶著烏青的雙眼和包紮著繃帶的鼻梁，離開他住的公寓，跟在藝廊裡工作的一名女子共進晚餐；當晚回到公寓之後，他發現拍賣公司的文件以及他對《尋愛綺夢》的研究成果全都不翼而飛，連他最妥善保管的財產——守港人的日記——也一併消失。

柯瑞很快就把矛頭指向塔夫特，不過塔夫特一一否認；當地警方手邊都還有一大串的竊案未破，對於幾本舊書失竊也沒有太大的興趣。我父親在這當口回來，立刻跟柯瑞站在同一陣線，兩人同時與塔夫特絕交，不想再跟他有任何牽扯。

接著父親轉頭跟柯瑞說，他買了第二天一早的車票回哥倫布市，以後也不打算再回來了。於是他跟柯瑞就在塔夫特沈默的凝視之下互道珍重。

我父親生命的成形階段就此結束，短短一年的歲月替未來的身分上緊了發條，此後又是另外一番景況。仔細想想，每個人不也都是一樣嗎？成年就像冰河一樣侵蝕我們的青年期，成年期一到，童年特徵就立刻凍結，永遠捕捉住我們最後一個動作的形象，就像是冰河期來襲前所擺出來的最後一個姿態；對派屈克·蘇利文來說，酷寒凍結了青年期之後，他就成了三面人：丈夫、父親和學者，一直到他生命的終點。

守港人的日記失竊之後，塔夫特就完全從父親的生命中消失，卻成了他事業上的牛虻，偶爾浮現出來，戴著學者的面紗到處咬人。柯瑞也有三年沒聯絡，直到我父母要結婚了，才寫了一封信來；那封信讀來也令人感到不快，充滿了過去那段黑暗歲月的陰影。他在信中先恭喜新郎和新娘，接下來的每一句話都跟《尋愛綺夢》脫不了干係。

時光流逝，世事分歧。塔夫特延續早年的活力，獲得『高等研究學院』的終身職研究員，這個學院的地位崇隆，愛因斯坦住在普林頓斯附近時就曾經在這裡做過研究。這樣的榮耀當然會讓我父親眼紅，不過更重要的是，塔夫特從此豁免了大學教授的教學義務；除了同意指導比爾・史坦和保羅的論文之外，這隻老態再也不必上課，虐待其他學生了。

柯瑞則到波士頓的史基納拍賣公司擔任重要的職位，此後在事業上飛黃騰達。至於在父親學步的哥倫布書店裡，三個新生兒陸續呱呱墜地，讓他忙得暫時遺忘了在紐約的那段時光，以及當時所留的無法磨滅的印象。

這三個人因為傲氣和環境彼此疏離，但是卻找到不同的替身來取代《尋愛綺夢》，以替代的戀情來取代未完成的追尋。世代的鐘又轉了一圈，時間讓朋友成了陌路；法蘭契斯科・柯羅納拿著鑰匙上緊時鐘發條，心裡一定以為他的秘密仍然安全無虞。

7

『往哪邊走？』我問保羅。圖書館在我們身後逐漸隱去。

『到藝術博物館去。』他說著弓起身子，不讓雨淋濕布包。我們得經過莫瑞道奇大樓才能到博物館。這棟建築在北校區房舍最密集的地方，外表看起來像是用石頭氣泡堆砌出來的房子，裡面的劇場正在演出湯姆·史塔柏（Tom Stoppard）的作品『世外桃源』，是學生劇團推出的戲碼；這是查理在151W英文課必須唸的最後一個劇本，也是我跟他一起去看的第一齣戲。我們預購了星期天晚上的票。舞台是一座沸騰的鍋爐，聲音從鍋沿溢了出來，是湯瑪希娜的聲音，她在劇中是個十三歲的天才兒童；我第一次看這個劇本時，這個角色就讓我想到保羅。

如果你可以讓每一個原子在原地靜止不動，她說，**如果你的頭腦可以理解這些靜止的動作，如果再加上你的代數真的、真的很強，那麼你就可以寫出未來的公式。**

是的，老師疲憊地說著，她的頭腦像火車頭一樣拉著老師跑，讓老師疲憊不堪；**是的，就我所知，妳是第一個有這個想法的人。**

從遠處看，藝術博物館的前門似乎還開著，在假日晚上，算是個小小的奇蹟。博物館裡的職員是一群古怪的人，有一半跟圖書館員一樣膽小如鼠、安靜無聲，另外一半則跟藝術家一樣喜怒無常、陰晴不定。我總覺得他們大部分的人如非絕對必要，都寧可讓幼稚園的小朋友用髒兮兮的手去摸莫內的畫，也不願意讓大學生進博物館。

藝術史的系館在麥寇米克大樓，就在博物館前面一點點，入口處的外牆都鑲著玻璃。我們走近時，警衛在金魚缸後面打量我們；他們就像凱蒂有一次帶我去看的前衛藝術展覽一樣，我始終都搞不懂：看起來像是活的東西，可是卻完全靜止不動，也沒有聲音。門口掛了一個標誌寫著：『普林斯頓藝術博物館信託理事會議』，旁邊還有一排小字寫著：**博物館暫不對外開放。**

我遲疑了一會兒，但是保羅卻闖了進去。

『柯瑞！』他對著大廳喊。

有些與會人士回過頭來看，但是沒有熟面孔。正廳的牆上掛著幾幅畫，彩色玻璃窗點綴著這棟蒼白陰沈的房子，隔壁房間則有幾個仿希臘的花瓶，放在及腰高的柱子上。

『**柯瑞！**』保羅繼續喊著，這一次音量更大。

李察•柯瑞粗肥的脖子上頂著一顆大光頭，這時候緩緩地轉了過來。他的身材高大結實，穿著訂做的細條紋西裝，配上一條紅領帶。看到保羅走來，他那一對黑色的眼眸流露出慈愛之情；柯瑞的太太在十幾年前過世，沒有留下一兒半女，因此他現在對保羅視如己出。

『小夥子，』他熱情地伸出手臂，好像我們只有實際歲數的一半似的；接著又轉向保羅，『沒想到這麼快就見到你，我以為你要過一陣子才會有空，真是意外的驚喜！』他的手指頭玩弄著袖釦，眼中充滿了喜悅，緊緊握住保羅伸出去的手。

『你們都好嗎？』

我們都笑了起來。柯瑞的聲音聽起來精力充沛，掩飾了他的年紀，但是在其他方面卻可以看到歲月留下的痕跡；我上次看到他是在六個月前，不過現在他的動作卻出現僵硬的徵兆，而且臉頰也不像以往那麼豐腴，隱約可以看到臉皮開始鬆弛。柯瑞是紐約一家大拍賣公司的老闆，同時也是好幾家博物館的信託理事，規模都比這一家要大得多——保羅透露，自從《守港人的日記》失竊之後，柯瑞全心全意在事業上尋找寄託，不過卻始終無法取而代之，頂多是讓他忘記過去所失去的東西。沒有人比柯瑞自己對他的成功事業更感意外，也更不在乎。

『啊，』他說著轉過身去，好像要替我們介紹什麼人似的，『你們看過這些畫了沒有？』他身後掛著一幅我以前從未看過的畫；我環顧四周，這才發現牆上的這些藝術品並不是原來展出的作品。

『這些不是大學的收藏吧？』保羅說。

柯瑞緩緩一笑。『不是，當然不是。每一個信託理事今天都帶了一些東西來；我們下了一個賭注，看誰能夠提供最多的畫作借給博物館展出。』

這位前美式足球選手談起賭金、博弈和紳士之間的賭注，還是意猶未盡。

『結果誰贏了？』我問。

『藝術博物館。』他似乎有點迴避這個問題，『鷸蚌相爭，普林斯頓得利。』

緊接著是短暫的沈默，他看看大廳裡那些在我們闖入之後還沒有離開的人。

『我本來打算等信託理事會開完之後再給你看，』他對保羅說，『不過既然你人都來了，也沒有理由非等到那時候不可。』

他作勢要我們跟上，然後走向左邊的展示間。我看了保羅一眼，不知道柯瑞說的是什麼東西，但是保羅好像也不知道。

『老喬治·卡特帶了這兩幅……』柯瑞跟我們介紹沿路看到的藝術品。兩幅杜勒（Dürer）的小號畫作，老舊的畫框已經出現漂流木的紋理。『較遠那邊是伍吉穆帶來的，』他指著大廳的另外一邊說，『菲利普‧莫瑞斯也帶了兩件很不錯的形式主義作品。』

柯瑞帶我們走到第二個房間，原來展示的二十世紀末期藝術品，都被印象派畫作取代。『威爾森一家帶了四幅畫：一幅邦納（Bonnat）、一幅小號的馬內（Manet）、兩幅土魯茲─羅特列克（Toulouse-Lautrec）。』他給我們一點時間去看這些畫。『馬寬德一家人又補了這幅高更。』

我們走過正廳，到了古董展示間，他說：『瑪麗‧奈特只帶了一件，不過是很大的羅馬雕像，而且她還說可能是永久捐贈，非常慷慨。』

『你呢？』保羅問。

柯瑞帶我們在一樓轉了一大圈，又回到原來的房間。『這是我的。』他大手一揮說道。

『哪一幅？』保羅問。

『全部。』

他們相互看了一眼：正廳裡有十幾幅畫。

『到這邊來，』柯瑞帶我們走到掛滿畫作的牆邊，非常接近在我們剛剛發現他的地方。『這就是我要給你們看的東西。』

他帶我們看牆上的每一幅畫，一幅一幅仔細地看，但是一句話也沒說。

全部看完之後，他問道：『這些畫有什麼共同點？』

我搖搖頭，但是保羅一眼就看出來了。

『主題都一樣。這些畫都是跟約瑟有關的聖經故事。』

柯瑞點點頭。『「約瑟販麥」，』他從第一幅畫開始說起，『布林柏（Bartholomeus Breenbergh）的作品，大約是一六五五年。我特別情商巴伯藝術中心出借。』

他讓我們仔細看了一會兒，然後走到第二幅畫。『「約瑟及其兄弟」，馬伯特茲（Frank Maulbertsch）的作品，一七五〇年。仔細看背景的方尖碑。』

『讓我想起《尋愛綺夢》裡的圖畫。』我說。

柯瑞笑了一笑。『我一開始也是這樣想。可惜彼此似乎沒有關聯。』

他帶我們走到第三幅畫前面。

『彭多模（Pontormo）。』保羅不等柯瑞開口就搶先說道。

『沒錯，「約瑟在埃及」。』

『你怎麼拿到這幅畫的？』

『倫敦那邊不肯直接借給普林斯頓，我是透過大都會博物館出面借的。』

柯瑞還要說些什麼，但是保羅已經看到這一系列的最後兩幅畫。那是一對畫屏，大約有幾呎高，色彩豐富；保羅的聲音聽起來情緒很高昂。

『薩爾托（Andrea del Sarto）。「約瑟的故事」。我在佛羅倫斯看過。』

李察·柯瑞沈默不語。他出錢讓保羅在大一那年暑假去義大利研究《尋愛綺夢》，那也是保羅唯一出國的經驗。

『我在碧堤宮有個朋友，』柯瑞雙手抱胸說著，『他對我一直都很好，同意借展一個月。』

保羅僵了一分鐘，什麼話也沒說。他的頭髮因為淋了雪，還濕濕的亂成一團，但是當他回頭去看那幅畫的時候，嘴角浮現微笑；看到他的反應之後，我終於了解，這些作品的展出順序有其道理：這些畫的重要性逐次遞增，但是只有保羅一眼就看出來，我猜柯瑞一定堅持要依照這樣的順序來展出，而館方也不得不同意，因為他帶來的藝術品比其他人全部加起來還要多。我們面前的這堵牆，是柯瑞送給保羅的禮物，一種無聲的賀喜，恭喜他完成論文。

『你有沒有唸過布朗寧寫薩爾托的詩？』柯瑞問道，似乎想訴諸文字。

我在一次文學討論會上唸過，但是保羅搖搖頭。

『**你完成了許多人的終生夢想**，』柯瑞說，『**夢想？努力、掙扎，最後還是失敗。**』

保羅終於回過頭來，一隻手放在柯瑞的肩上。然後他倒退一步，從襯衫底下拿出布包。

『這是什麼？』柯瑞問。

『比爾剛剛給我的東西，』保羅有點支支吾吾，我可以感覺到他不太確定柯瑞會有什麼反應。他小心地打開包裹：『我覺得應該給你看一看。』

『我的**日記**，』柯瑞把記事本捧在手裡翻來翻去，震驚地說不出話來，『我不敢相信……』

『我要用它來完成論文。』保羅說。

不過柯瑞完全不理會他，只是一直盯著手裡的書，臉上的笑容突然消失：『這是從哪裡來的？』

『比爾給我的。』

『你說過了。他在哪裡找到的？』

保羅猶豫了一下，柯瑞的語氣有點尖銳。

『紐約的一家書店，』我說，『一家賣古物的店。』

『不可能，』柯瑞喃喃自語，『為了這本書，我到處都找遍了：紐約的每一家圖書館、每一家書店，甚至連當舖也找過，還有每一家重要的拍賣公司，但是這本書就是**不見了**。三十年了，保羅，三十年都不見蹤影。』

他手眼並用，小心翼翼地翻閱書頁。『沒錯，你看。這就是我跟你說的那一段，這裡提到柯羅納，』——他看著一筆又一筆的紀錄——『還有這裡。』他突然抬起頭來：『比爾不會是今天晚上碰巧發現這本書的吧？不會正好是論文期限的前夕吧？』

『什麼意思？』

『還有圖呢？』柯瑞追問，『比爾也給你了嗎？』

『什麼圖？』

『一片皮革，』柯瑞伸出拇指和食指，比畫了一個大約一呎見方的四方形。『夾在日記中央夾頁裡。一張設計藍圖。』

『不在裡面，』保羅說。

柯瑞把手裡的書又翻了一遍，眼神愈來愈冷峻、愈來愈疏離。

『柯瑞，我明天就得把書還給比爾，』保羅說，『我今天晚上看一遍，說不定可以幫我完成《尋愛綺夢》論文的最後一部分。』

柯瑞又回到現實。『怎麼？你還沒寫完啊？』

保羅的聲音充滿焦慮：『最後一段不像其他的部分。』

『可是明天就是最後一天了，怎麼辦？』

保羅沒有答腔，柯瑞又把日記重翻了一遍，這才終於放手。『回去寫完吧！不要功虧一簣，這樣的賭注太大了。』

『我不會。我覺得就快要找到答案了，真的很接近。』

『有什麼需要，就說一聲；看是要考古挖掘的許可證，還是要觀測人員。如果答案真的就在那裡，我們一定會找出來。』

我看了保羅一眼，不知道柯瑞在說什麼。

保羅不安地笑了笑說：『我什麼都不需要。現在有了這本日記，我可以靠自己找到答案。』

『別讓這本書離開你的視線。從來沒有人完成這件事，要記得布朗寧說的：「許多人的終生夢想」。』

『先生。』我們身後突然冒出一個聲音。

轉過頭去，是一名博物館員朝我們走過來。

『信託理事會馬上就要開始了，可不可以請您移駕到樓上會場？』

『我們待會再談，』柯瑞說著轉往另外一個方向，『我不知道會議要開多久。』

他拍拍保羅的手臂，又跟我握了手，然後朝樓梯走去。看著他走上樓，我們這才赫然發現一樓大廳只剩下我們兩人和警衛。

『我不應該拿給他看。』我們向大門走去時，保羅近乎自言自語地說著。

他停下腳步，再看一眼柯瑞帶來的一系列畫作，好像要儲存在他的記憶裡，以便博物館打烊之後還可以重溫。過了一會兒，我們終於回到室外。

『比爾在什麼地方找到這本日記？為什麼要說謊？』我們一走進雪花裡，我就迫不及待地問。

『我覺得他不會騙我們。』保羅說。

『那柯瑞在說什麼？』

『如果他知道得更多，應該會告訴我們才對。』

『也許因為我在場，所以他不想說太多。』

保羅不理我。他喜歡維持一種假象，好像我們在柯瑞眼中的地位是平等的。

『他說會幫你申請考古挖掘許可證，是什麼意思？』

保羅有點緊張地回頭看看跟在我們身後的一個學生，說：『湯姆，別在這裡說。』

我知道不能逼他，過了好長一段沈默之後才說：『你可不可以跟我說，為什麼所有的畫都跟約瑟有關？』

保羅的表情鬆懈下來。『《創世紀》第三十七章，』他停下來，回想內容，『**雅各愛約瑟甚於其他眾子，因為是老來得子，還為約瑟做了一件彩衣。**』

我想了一會兒才理解：彩色的禮物，老父親對他最鍾愛的兒子所表現的愛。

『他真的以你為榮。』我說。

保羅點點頭說：『但是我還沒寫完，工作還沒有完成。』

『不只是論文而已。』我跟他說。

他淺笑一聲：『當然是。』

* * *

在走回宿舍的路上，我發現天空有一種讓人很不舒服的感覺：天色很暗，但又不是全黑；從地平線的一端到另外一端，全都蓋滿了厚重的雲層，是一種沈重卻又有點發亮的灰。天上看不到一顆星星。

回到多德樓的後門，我們發現根本進不去。保羅揮手叫樓上一個大四的學生，他把識別證借我們時，臉上露出一種奇怪的表情。門邊的小感應板發出嗶一聲顯示讀取了卡片，然後又發出像獵槍射擊的聲音打開大門。

地下室有兩個大三的女學生，穿著T恤和短褲，在熱氣蒸騰的洗衣房裡，圍著一張桌子折衣服。真是屢試不爽：在冬天裡走進洗衣房，就像是走進沙漠的海市蜃樓，蒸氣繚繞，玉體橫陳。在室外下大雪時，看一眼裸露的肩腿，比喝一杯威士忌更令人血脈僨張。我們離好德樓還有一大段距離，但是卻好像闖進了裸體奧運的準備室。

我爬到一樓，往宿舍的北側走，我們的房間就在最後一個天井；保羅無言地尾隨在後。愈靠近房間，就愈讓我想起咖啡桌上的那兩封信，就連比爾的新發現也不足以分散我的注意力。這幾週來，我已經有好幾天在睡前一直想著：年薪四萬三千美元的人可以做些什麼事。費滋傑羅寫過一篇小說，講一顆跟麗池飯店一樣大的鑽石；而當睡夢中所有事物的比例都失去平衡的時候，我就會想像自己買了鑲著這顆鑽石的戒指，送給在夢境另一端的女子。有時候我會想像自己買了有魔法的東西，例如永遠不會發生車禍的車子或是受了傷會自行痊癒的腿，就像小孩子玩遊戲一樣。如果我的想像太過天馬行空，查理就會把我拉回現實；他說我應該買一堆昂貴的厚底鞋，或是付頭期款買一間天花板很低的房子。

『他們在做什麼？』保羅指著走廊的末端說。

查理和吉爾兩人並肩站在走廊末端，看著一個人在我們的房門口走來走去。我看了一眼，立刻覺得事情不妙：校警來了，一定是有人看到我們從坑道爬出來。

『發生什麼事？』保羅說著加快腳步，我也緊跟在後。訓導員在地板上量東西；查理和吉爾在爭吵，但是聽不出來他們在吵些什麼。我還在想著該找什麼藉口來搪塞的時候，吉爾看到我們回來，大聲說：『沒事，沒事，什麼都沒丟。』

『你說什麼？』

他指指門口，我這才發現房間裡一片凌亂：沙發椅墊全都丟在地上，書架上的書也全都掃到地上，在我跟保羅合住的臥室裡，所有的衣櫃抽屜也全都被拉了開來。

『噢，天哪……』保羅低聲說著，從我和查理中間擠過去。

『有人闖進來。』吉爾解釋道。

『有人走進來才對，』查理糾正他說，『房門沒鎖。』

我轉頭去看吉爾，他是最後一個離開房間的。這幾個月來，保羅再三叮嚀，在他完成論文這段期間，務必要把門鎖好；吉爾是唯一忘記的人。

『你們看，』吉爾指出房間另外一邊的窗戶為自己辯駁，『他們是從那裡進來的，不是從房門。』

客廳北邊的窗戶洞開，窗台上有些積雪在風中飛舞，窗戶底下形成了一攤水，窗簾則被人砍了三個大缺口。

我跟著保羅走進我們的臥室，他的視線沿著書桌抽屜，一路梭巡到牆上查理替他釘的書架和架上從圖書館借來的書，書都不見了！他扭著頭到處搜尋，呼吸變得很沉重。在那一刻，我們彷彿又回到地道；除了聲音之外，沒有任何熟悉的事物。

沒有關係啦，查理。他們不是從那邊進來的。

你當然沒有關係，他們又沒有偷你的東西。

訓導員還在客廳裡走來走去。

『一定是有人知道了……』保羅喃喃自語道。

『你看這裡。』我指著雙層鋪的下鋪床墊。

保羅轉過身來，書都還在；他用顫抖的手開始清點書籍。

我檢查自己的東西，幾乎都沒有人動過，連灰塵都還在。有人翻了我的文件紙張，不過只有一個加框的《尋愛綺夢》封面複製品——那是父親送我的禮物——被人從牆上拿下來拆開檢查；有一個角落折到了，除此之外並無大礙。我拿在手上，環顧四周，發現有一本書的位置被人動過了：《顛茄書信》的校樣；這是《顛茄檔案》原來的書名，後來我父親覺得新名字比較合適就改掉了。

吉爾走進兩間臥室之間的客廳，喊道：『他們沒有碰我跟查理的東西，你們怎麼樣？』

他的聲音裡帶著一絲歉疚，還有一點期盼：儘管房裡亂七八糟，但是希望沒有掉任何東西。

我抬起頭，朝他所在方向看去，這才發現他的意思：原來另外一間臥室完全保持原狀。

『我的東西還好。』我跟他說。

『他們什麼也沒找到。』保羅跟我說。

我還來不及問他是什麼意思，客廳就傳來一個聲音打斷了我們。

『我可以問你們兩個一些問題嗎？』

那位女訓導員的皮膚粗糙，還有一頭鬈髮，她看著我們兩個渾身被雪弄得濕透的人從房間角落走出來，並留意到保羅身上穿著凱蒂的運動褲，而我則套著凱蒂的游泳隊T恤。威廉絲隊長—

——她胸前的名牌透露她的身分——從外套口袋裡拿出一本小筆記簿。

『你們是……』

『湯姆·蘇利文，』我說，『他是保羅·哈里斯。』

『有什麼東西被偷嗎？』

保羅的眼睛還在檢視他的房間，完全無視訓導員的存在。

『我們還不知道。』我說。

她抬起眼來，『你們四處看過了嗎？』

『還沒有發現任何東西不見。』

『今天晚上，誰最後離開房間？』

『問這個幹嘛？』

威廉絲清清嗓子說：『因為我們知道是誰忘了鎖門，但是不知道是誰忘了關窗。』

她特別強調**門窗**這兩個字，好像在提醒我們是咎由自取。

保羅到這時候才發現窗子是開著的，頓時臉色大變：『那一定是我。臥室裡太熱了，湯姆不喜歡開窗。我到客廳來工作，一定是忘了把窗戶關起來。』

『好了吧，』吉爾發現訓導員似乎無意幫忙，於是對她說：『這樣應該夠了吧？我想沒有什麼好看了。』

不待訓導員回答，他逕自關窗，把保羅拉到沙發上坐下來。

訓導員在筆記簿上記了最後一筆：『門沒鎖、窗沒關、沒有東西失竊，還有什麼嗎？』

我們都不作聲。

威廉絲搖搖頭。『竊案最難破，』她似乎在跟我們的高度期望角力，『我們會跟警分局報案。以後把門窗關好，就會少一點麻煩。如果有進一步消息，我們會跟你們聯繫。』

她大步走到門口，腳下的皮靴吱吱作響，門則自動關上。

我走到窗戶旁邊再看一眼，地板上那攤融化的雪水清澈透明。

『他們什麼也不會做。』查理搖搖頭說。

『沒關係啦，』吉爾說，『反正也沒丟東西。』

保羅一言不發，不過眼神仍然在房裡梭巡。

我打開窗戶，讓風吹進房裡；吉爾有些不悅地轉身看著我，但是我在檢查窗簾。他們沿著窗櫺劃了三刀，讓窗簾布像狗門一樣在風中拂動。我又低頭看看地板，只有我鞋子帶進來的泥巴。

『湯姆，』吉爾對我喊道，『把該死的窗戶關上！』這時連保羅也朝著我這邊看過來。

割破的窗簾布是向外推開，好像有人從窗戶爬出去；有一點不對勁，但是訓導員卻沒有發現。

『你來看這裡。』我說著用手指頭沿著切口的邊緣，觸摸窗簾布，所有的切口跟割斷的窗簾布一樣都是朝外；如果有人割破窗簾闖進來，那麼切口應該朝內才對。

查理已經開始打量房間。

『而且沒有泥巴。』他指著地板上的那攤水說。

他跟吉爾互看一眼，吉爾似乎認為查理在指責自己；如果窗簾是由內往外割，那麼我們又回到門沒鎖的問題。

『這沒有道理，』吉爾說，『如果他們知道門沒鎖，就不會從窗戶爬出去了。』

『本來也就沒有什麼道理，』我說，『只要進得來，就一定可以開門出去。』

『我們應該跟訓導員提這件事，』查理又認真起來。『我不敢相信，她連看都沒看。』

保羅沒有說話，只是輕撫著那本日記。

我問他：『你還是會去聽塔夫特的演講吧？』

『我想會。還有將近一個小時才開始。』

查理把書放回書架上的最上層，只有他才搆得著。『我會經過史丹霍普大樓，』他說，『去跟訓導員說他們漏了什麼。』

『也許是個玩笑，』吉爾好像不是對任何人說話，『裸體奧運鬧得正開心呢。』

收拾了幾分鐘之後，我們似乎都一致決定這件事到此為止。吉爾換了一件毛質長褲，把凱蒂的衣服丟進乾洗袋。『我們可以先去長春藤吃點東西。』

保羅點點頭，手裡還不停翻著布勞岱爾⑰的《菲利普二世時代之地中海世界》，好像書頁會被偷走似的。『我也得去看看我放在那邊的東西。』

『也許你們想換件衣服吧？』吉爾看著我們說。

保羅的心思完全不在這裡，根本沒聽到吉爾的話。但是我知道吉爾的意思，於是晃回臥室裡換衣服。在長春藤那種地方，我絕對不想被其他人看到現在的這身打扮；只有保羅像是社團裡的幽靈，完全不受這些規矩約束。

我打開抽屜，發現自己幾乎沒有乾淨的衣服可穿；搜到衣櫃的最深處，挖出一條卡其褲和一件襯衫，襯衫因為擺了太久，原來的折痕變成摺線，摺線又變成縐紋。我到處找那件冬季的夾克，這才想到那件外套放在查理的帆布袋，還掛在蒸氣管坑道裡呢。我拿起母親在聖誕節替我買的外套，走回客廳，看到保羅坐在窗邊，眼睛則盯著書架，不知道在想什麼。

『你要隨身帶著日記嗎？』我問道。

他拍拍腿上的布包，點點頭。

『查理呢？』我四處張望，又問道。

『他已經走了，』吉爾帶我們走到走廊時跟我說，『找訓導員去了。』

他拿起他紳寶汽車的鑰匙，又拿起房門鑰匙放進外套口袋。關門之前，還鄭重其事地檢查口袋。

『房門鑰匙……汽車鑰匙……識別證……』

看他這樣慎重，反倒讓我覺得不安，因為吉爾向來是不拘小節的人。我轉身向客廳望去，那兩封信還躺在桌上。吉爾同樣慎重地鎖上房門，還用力轉一轉門把，確定打不開。我們朝著他的車子走去，沈默壓得人喘不過氣。他發動引擎，巡邏的訓導員正在遠處交班，好似幽靈的陰影。我們看了一會兒，吉爾扳動排檔桿，帶著我們滑向黑暗深處。

⓱譯註：布勞岱爾（Braudel，1902-1985），法國知名史學家。

8

車子經過北校區大門的警衛崗哨之後，向右轉進拿梭街。這是普林斯頓的主要街道，但是在這個時候卻空無一人，只有兩輛剷雪車緩緩前行，還有一輛卡車在路上撒鹽，好像剛從冬眠甦醒似的。偶有零星的商店在夜裡還留著燈光，可以看到雪花堆積在店前的窗口下。泰伯和麥考伯兩家書店都已經打烊，不過佩夸影印店和幾家咖啡館倒還是人聲鼎沸，全都是趕在繳交期限前最後一分鐘才要完成論文的大四學生。

『很高興終於寫完了吧？』吉爾問保羅，他好像又回到自己的內心世界。

『我的論文啊？』

吉爾看著後照鏡。

『少來了，你**寫完了**吧？還有什麼沒寫的？』

保羅的呼吸在後窗形成一片薄霧。『多著呢。』他說。

我們在停車燈號前轉進華盛頓路，然後往展望大道上的餐飲社團前進。吉爾知道這時候最好不要問太多問題。車子轉進展望大道，我知道吉爾的心思已經轉到別的地方去了。這個星期六是長春藤社一年一度的舞會，身為社長的他自然得負全責安排一切事宜；但是因為論文的關係，籌備進度嚴重落後，他已經習慣不到長春藤來，似乎這樣就可以讓他相信一切都在掌握之中。據凱蒂說，等我明天晚上護送她到會場時，整個社團的內部陳設會讓人認不出來。

車子開到社團旁邊一個似乎是吉爾專用的停車位，他熄火拔出鑰匙。屋子裡一片冷寂，好像回應車內的氣氛。週五本來就是週末風暴的颱風眼，是週四和週六傳統狂歡飲宴之間，一個休養生息和清醒頭腦的機會。當然這場大雪也讓人感到消沈，連平常大三和大四學生吃過晚飯後回到校園時鬧烘烘的聲音，也似乎被雪花淹沒。

據行政部門的說法，普林斯頓的餐飲社團是『上流階級的餐飲選擇』，但是老實說，餐飲社團基本上是我們唯一的選擇。在建校初期，餐廳的爐火薰人，酒館老闆又不好伺候，迫使學生必須自力救濟；於是開始有一小群人聚集在同一個屋簷下一起用餐。在那時候的普林斯頓，就連他們用餐時頭上的屋頂以及蓋來支撐這些屋頂的房舍，都絕不寒酸簡陋，有些社團甚至還不乏豐厚的地產。

直到現在，餐飲社團仍然是普林斯頓的特色：就像是男女兼收的兄弟會一樣，是大三和大四的會員每天吃飯和舉辦宴會的場所，但是卻不住在裡面。從將近一百五十年前這些機構首次問世以來，普林斯頓校園的社交生活，一言以蔽之，就是掌握在這些社團手中。

這個時候的長春藤看起來有點陰森：籠罩在一片昏暗夜色之中，突出的銳角和暗沈的石頭建築，似乎拒人於千里之外；反觀隔壁的『村莊』社團，白色的牆角和渾圓的門楣就顯得很突出。這兩個姊妹社團比展望大道上其他十個保存至今的社團歷史更悠久，也是普林斯頓最高級、最難加入的社團；兩個社團每年為了爭取最好的學生，競爭激烈，從一八八六年迄今不衰。

吉爾看看手錶，說道：『他們應該吃過晚飯了，我去找點東西帶上去吃好了。』他打開大樓，帶我們走上主樓梯。

我已經有好一陣子沒有來這裡了，鑲著橡木的暗色牆壁和牆上那些表情嚴肅的人像，總是讓我停步不前。樓梯的左邊是長春藤的餐廳，裡面有一張長木桌和百年歷史的英式座椅；右邊則是撞球室，只有派克・海塞特一個人在裡面打球。派克是長春藤的小丑人物，是個出身富裕家庭的笨蛋；他的智慧正好足以讓他知道別人都認為他是笨蛋，但是卻又笨得以為都是別人的錯。他用雙手拿著球竿打撞球，就像是拿著手杖的輕歌劇演員。我們從門口經過的時候，他抬起頭來看了一眼，但是我們沒有理他，逕自上樓，往社團幹部辦公室走去。

吉爾在門上敲了兩下，但是不待回答就推門進去，我們也跟著走進房間。房內的光線柔和，只見吉爾的副社長——肥胖的布魯克斯·富蘭克林——盤據在一張紅木長桌旁邊，桌子的長度正好超過房門，上面放了一盞蒂芬妮的桌燈和一具電話。桌子的角落則擺了六張椅子。

『還好你現在來了，』布魯克斯說著，很有禮貌地忽略保羅身上還穿著女人的衣服，『派克跟我說了他對明天晚上的服裝有什麼計畫，我正在想，可能需要有人支援呢！』

我跟布魯克斯並不熟，但是自從我們在大二那年一起選修經濟學導論之後，他就把我當作老朋友看待。我猜派克的計畫應該跟週六的舞會有關，傳統上都是以普林斯頓為主題的化妝舞會。

『吉爾，你他媽的死定了！』派克突然從樓下出現，一隻手夾著菸，另外一隻手則拿著一杯酒，『至少你還有點幽默感。』

他只跟吉爾講話，好像我跟保羅都是隱形人似的。我看到布魯克斯在桌子的另一邊搖頭。

『我決定扮成甘迺迪總統，』他繼續說道，『但是我的舞伴可不是賈姬，而是瑪麗蓮夢露。』

派克一定是看到我一臉茫然的表情，因為他把香菸丟進桌上的菸灰缸之後又說：『沒錯，湯姆。甘迺迪是哈佛畢業的，但是他大一是在普林斯頓唸的。』

派克家裡是加州一個釀酒致富的家族，每一代都要送一個兒子進普林斯頓，而且一定要加入長春藤社，派克正是最近的這一代；而他之所以能夠連過這兩關，都是歸功於吉爾所說的：海塞特家族的**勢力**——這話說得太仁慈了。

我還來不及回應，吉爾就先靠了過去。

『派克，我跟你說，我沒有時間跟你囉嗦。如果你想扮成甘迺迪，那是你家的事，只是拜託你扮得有品一點。』

派克沒有得到預期的反應，於是惡狠狠地瞪了我們一眼，悻悻然地走出去，手裡依然拿著酒杯。

『布魯克斯，』吉爾說，『麻煩你到樓下問亞伯特，晚餐還有沒有剩，我們都沒吃飯，而且還要趕時間。』

布魯克斯答應了。他堪稱完美的副社長：聽話、忠誠，又任勞任怨；儘管吉爾名義上是請他幫忙，但是口氣聽起來卻像是命令，而他也不以為忤。今天晚上是我第一次看他露出疲態，我猜他可能剛寫完論文。

『其實，』吉爾抬起頭來又說，『我帶兩份晚餐上來給他們吃好了。我自己到樓下去吃，我們可以一邊吃，一邊討論明天的酒單。』

布魯克斯轉向我和保羅。『很高興看到你們兩個，我替派克跟你們道歉。有時候我真不知道他腦子裡在想些什麼。』

『只是有時候嗎？』我低聲說道。

布魯克斯一定是聽到了我說的話，因為他在轉身離開時，臉上帶著微笑。

『吃的東西應該很快就會好，』吉爾說，『如果你們需要什麼，就到樓下來找我。』接著他看著保羅說：『等你弄好了，我們就可以去聽演講。』

吉爾離開之後，我有好一會兒都覺得自己跟保羅好像做了什麼壞事似的。我們在一間十九世紀的大宅子裡，坐在古董紅木桌子旁邊，等著別人送晚餐上來；打我進普林斯頓以來，這還是頭一遭呢！我跟查理參加的是『修道院社』，那是一棟簡樸的石砌小屋，舒適而有特色；如果地板打過蠟，屋外的植物略事修整，會是一個朋友聚會喝杯啤酒或打撞球的好地方。不過就規模和魅力而言，就遠不及長春藤了。社團的主廚向來是以量取勝，品質倒是其次；而且我們吃飯的時候，愛坐哪裡就坐哪裡，不像長春藤的朋友必須依照抵達的順序入座。我們的椅子有一半是塑膠製品，而且用的是免洗餐具。有時候我們辦宴會花太多錢或是水龍頭沒有關緊，還會在星期五的午餐菜單上看到熱狗。

其實，街上的其他社團都跟我們差不多，唯有長春藤是例外。

『跟我到樓下去一趟。』保羅突然跟我說。

我不知道他是什麼意思，不過我還是跟著他下樓。我們經過樓梯南側的彩繪玻璃之後，又繼續向下走到社團的地下室。保羅帶著我經過長廊，來到社長辦公室。這裡原本應該是吉爾專用的地方，但是保羅在完成論文的階段，擔心他在圖書館的個人閱覽室愈來愈沒有隱私，於是吉爾慨然打了一把鑰匙給他，也是希望藉此吸引他多到社團來走動。

在此之前，保羅一心只想著工作，沒什麼興趣到長春藤來；不過社長辦公室寬敞、安靜，而且保羅可以從蒸氣管坑道直接過來，實在是難以抗拒的誘惑。雖然其他成員抗議吉爾把全社團最高級的房間當成了青年旅館，不過保羅幾乎總是從地道進出，因此減少了一些爭議；這些人只要沒有看到他從大門出入，似乎就比較無所謂。

我們來到門前，保羅拿出鑰匙開門；我跟在他後面，溜進社長辦公室，卻嚇了一大跳：我已經有好幾個星期沒有進來，幾乎忘了這裡有多冷。嚴格說起來，這裡是社團的地窖，溫度經常在零度左右徘徊，讓人很不舒服；姑且不論這裡是不是全社團最高級的房間，看起來都像是剛剛遭到書信暴風的襲擊。屋子裡到處散落著書本，像是一堆一堆的殘骸；長春藤在歐洲和美國古典時期鑄造的書架上，則堆滿了保羅的參考書、歷史期刊、航海地圖和散亂的設計藍圖。

保羅隨手關上房門。書桌旁邊原本是一座精緻的壁爐，但是因為紙張太多，有些甚至貼在壁爐上。儘管室內一片凌亂，但是保羅看了一眼，似乎還是很高興：一切都跟他離開時一模一樣。他走過去，從地板上拿起《米開朗基羅詩集》，撣掉封面上的油漆屑，然後慎重地放在桌上。他在壁爐架上找到一根長的木製火柴，於是點燃火柴伸進壁爐裡，加了舊報紙的木材像是有了生命似的，冒出藍色的火焰。

『你的進展不少嘛！』我看到一張比較詳盡的設計藍圖攤在他的桌上。

他皺皺眉頭。『那不算什麼，像那樣的圖，我畫了十幾張，也許全都是錯的。每次覺得想要放棄了，就會畫一張圖。』

我看到的是一張建築藍圖，是保羅發明的一棟建築物。這棟建築物是從《尋愛綺夢》書中提到的建築廢墟細節所拼湊出來的：原本斷裂的拱門已經修復、謎一般的地基再度穩固、一度粉碎的廊柱和柱頭雕飾現在也都完好無缺。在這張作品底下還有一堆類似的建築藍圖，每一張都是用相同的方式，從柯羅納想像的片段拼湊出來的建築物，而且每一張都不一樣。保羅在這個地下室裡創造了一片新天地，一個屬於他自己的義大利。

此外，牆上還貼了其他的素描，不過有些又被後來貼上去的記事紙條遮住。每一張圖裡的每一條線都像建築設計圖一樣的精準慎重，而且使用的是一種我不知道的度量單位。這些圖的比例精確、手稿嚴謹，看起來就像是電腦繪圖的成品；但是保羅自稱不信任電腦，而且也沒有錢買電腦，又很客氣地婉拒柯瑞要送他一台電腦的好意，因此這些建築藍圖都是他親手繪製的。

『這些是什麼東西？』我問。

『柯羅納正在設計的建築物。』

我都忘了保羅在講到柯羅納的時候，總是習慣用現在式而非過去式。

『什麼建築物？』

『柯羅納的墓窖。《尋愛綺夢》的前半段提到他正在設計墓窖，你還記得嗎？』

『當然囉。你認為那個墓窖看起來像這個樣子？』我指著那些設計圖說。

『我不知道，但是我要找到答案。』

『要怎麼找？』這時我突然想起柯瑞在博物館裡所說的話。『柯瑞說的觀測人員跟這個有關吧？你要去挖啊？』

『也許。』

『所以你知道柯羅納為什麼要興建這個墓窖嗎？』

這是我們合作結束之際所遭遇到的關鍵問題。《尋愛綺夢》的內文語焉不詳地提到柯羅納正在興建墓窖，但是我跟保羅對於這個墓窖的用途卻有不同的看法。保羅認為這是文藝復興風格的大型石棺，是柯羅納為了整個家族所設計的墓窖，甚至還有向米開朗基羅嗆聲的用意，因為他在同一個時期為教宗設計了陵寢。

而我則是極力想要找出這個墓窖跟《顛茄檔案》之間的關聯，認為這是柯羅納手下受害者的長眠之地；這也可以進一步解釋為什麼柯羅納在《尋愛綺夢》書中對這個設計如此神秘——柯羅納在書中從未仔細描述這個建築，也沒有透露興建的地點——在我放棄跟保羅合作的時候，這個問題仍然是他研究中一個解不開的大謎題。

他還沒回答，門口就有人在敲門。

『你們轉移陣地啦！』吉爾帶著社團裡的服務生走進來。

他停下腳步，打量保羅的房間，好像男人走進女人的臥室一樣，好奇又有點羞怯。服務生在桌上的書堆之間，騰出一點空間，放了兩套用餐巾捲起來的餐具；兩個人手上還端著兩個長春藤社專用的瓷盤、一壺水和一籃麵包。

『熱的硬皮麵包。』服務生放下麵包籃的時候還加了一句。

『黑胡椒牛排，』吉爾也有樣學樣，『還需要什麼嗎？』

我們搖搖頭，吉爾又對房間做最後的巡禮，這才回到樓上去。

服務生替我們倒了兩杯水，問：『還需要什麼飲料嗎？』

我們說不用，接著他也消失了。

保羅吃起飯來狼吞虎嚥，讓我想起我們第一次碰面時他模仿《孤雛淚》裡的奧利佛，雙手合起來做出捧碗狀的樣子。有時候我甚至懷疑，保羅對童年的第一個記憶可能就是飢餓。他在寄宿的教會學校長大，跟其他六個孩子同桌吃飯，動作慢一點就搶不到東西吃；我猜他可能始終沒有脫離這種搶飯吃的心態。大一那一年，我們都在宿舍的餐廳一起吃飯，有天晚上，查理開玩笑說保羅吃得那麼快，好像不要命似的。當天稍晚，保羅跟我們解釋箇中原因，此後就再也沒有人拿這個話題開玩笑。

保羅伸手多拿了一塊麵包，完全沈浸在吃飯的喜悅之中；飯菜的香氣參雜著舊書散發出來的霉味和壁爐柴火的煙味。換個情況，我或許也會樂在其中，但是此刻有太多不同的回憶交織在一起，讓人覺得渾身不自在。保羅彷彿看穿了我的心思，有點不好意思再伸手拿麵包。

我把盤子裡的食物吃光，然後把麵包籃推到他面前，說：『都給你了。』

壁爐裡的柴火在我們身後劈啪作響，在角落的牆上有個缺口，大約是餐廳裡送菜那種升降梯的大小：那是蒸氣管地下坑道的入口，保羅最喜歡從這裡進出。

『我不敢相信你還從那裡爬進爬出。』

他放下刀叉，『好過跟樓上那群人打交道。』

『這裡好像地牢似的。』

『怎麼以前你都不覺得？』

我覺得好像又要翻舊帳了，不過保羅很快地拿起餐巾擦擦嘴。『算了，不提這個，』他說著把日記放到桌上，正好放在我們兩人之間，『現在這個最重要。』他用兩根手指輕拍著封面，然後推到我面前：『現在我們有機會完成當初未完的計畫，柯瑞認為這就是關鍵。』

我抹著桌上的一點污漬，說：『也許你應該拿給塔夫特看看。』

保羅瞪著我。『塔夫特認為我跟你發現的東西根本一文不值。他一個星期催我兩次，要我交進度報告，只是為了證明我還沒有放棄。每次我需要他的協助，開車去學院找他，他總是說這些都只是引申出來的推論，我受夠了！』

『引申出來的推論？』

『他還威脅要向系上報告，說我的進度停滯不前。』

『我們找到了這麼多資料，他還這樣說？』

『這些都不重要，』他說，『我根本不在乎塔夫特怎麼想。』他拍拍日記：『我只想完成這件事。』

『明天就是你的期限了。』

『我們合作三個月的進展，比我一個人悶著頭做了三年還要多。再合作一個晚上，好不好？』他壓低音量說道，『更何況，繳交期限根本不是問題。』

聽到這話，固然讓我震驚，不過更讓我念念不忘的，則是塔夫特無情的抨擊。保羅一定知道我會作何感想，因為我覺得自己在《尋愛綺夢》上的研究成果比我寫的論文更值得驕傲。

『塔夫特瘋了，』我跟他說，『從來沒有人在這本書裡發現這麼多東西。你怎麼不要求換指導教授？』

保羅開始把剩下的麵包撕成碎片，然後用手指頭揉捏成一小團。『我也一直在問自己這個問題。』他轉頭看到別的地方，『你知道他有多少次在我面前誇口，說他的論文評閱或升等評鑑如何毀了「一些低能兒」的學術生涯嗎？他沒有提過你父親，但是說了好些其他的人。你記得古典學系的麥殷泰教授嗎？記得他討論濟慈那首〈希臘甕頌〉的專書嗎？』

我點點頭。塔夫特寫了一篇文章抨擊重點大學的學術品質每下愈況，就是用麥殷泰教授的書做為主要的例子；他在三個段落裡指出的事實謬誤、錯誤引用和疏失，就比二十幾篇其他學者所寫的書評加起來還要多。塔夫特這種意在言外的批評看似針對寫書評的人，但是深受其害的卻是麥殷泰，因為他不但成了學術圈的笑柄，在第二年的終身職教授升等評鑑中，校方甚至將他從系上提報的名單中剔除。

塔夫特事後承認，此舉是為了報復麥殷泰的父親，因為這位專研文藝復興時期的史學家曾經在書評中對塔夫特的書有褒貶不一的評論。

『塔夫特曾經跟我說過一件事，』保羅接著說，不過音量愈來愈低，『說他小時候認識一個孩子名叫羅吉藍（Rodge Lang），學校裡的孩子都叫他埃普（Epp）。有一天放學，有隻野狗一路跟著埃普回家，不論他跑多快，那隻狗都一直跟在後面，就連他把剩下的午餐丟給那隻狗也沒有用；最後他拿起棍子，想嚇跑那隻狗，但是狗還是緊追不捨。

『跑了幾哩路之後，埃普心中開始起疑。他跑進一片荊棘叢，那隻狗也跟在後面進去；他丟石頭打狗，狗也不退縮。最後，埃普開始踢狗，那隻狗還是不肯走，於是埃普一踢再踢，那隻狗依舊留在原地不動，直到埃普把狗踢死了為止。然後埃普撿起死狗的屍體，埋在他最喜歡的一棵樹下。』

我震驚得說不出話來。『這個故事到底要說些什麼？』

『據塔夫特說，這時候埃普才終於知道他有一隻忠心耿耿的狗。』

我們陷入一片沈默。

『塔夫特在說笑嗎？』

保羅搖搖頭。『塔夫特跟我說了很多關於埃普的故事，全都是像這個樣子。』

『我想這應該是某種寓言吧？』

『老天爺，為什麼呢？』

『他自己發明的寓言？』

『我不知道，』保羅有點遲疑，『可是羅吉·埃普·藍這個名字正好也是一個字謎，字母重新組合之後，就變成「魂魄」（doppelganger）這個字。』

我有點想吐。『你想這些事情說的是不是塔夫特自己？』

『你說踢狗那件事？誰知道，也許就是他。不過他的意思是說，我跟他之間也是同樣的關係，而我就是那條狗。』

『那你究竟為什麼還繼續跟他寫論文？』

保羅又開始侷促不安地玩起麵包。『我下定決心跟著塔夫特寫論文，唯有如此，我才能完成論文。湯姆，我跟你說，我相信這件事比我們想像的更重大，柯羅納的墓窖已經近在咫尺。多年來，從未有人發現像這樣的事情；而在你父親之後，就沒有人對《尋愛綺夢》的研究能夠超越塔夫特。我需要他。』保羅把麵包屑丟進盤子裡。『他也知道這一點。』

吉爾在門口出現。『我樓上的事辦完了，』他說得好像我們在等他辦完事似的，『現在可以走了。』

保羅似乎很高興不必再繼續說下去，塔夫特的行為對他來說是一種恥辱。我站起來，開始收拾盤子。

『不要管這些盤子了，』吉爾揮揮手說，『我叫人下來收拾吧！』

保羅輕輕地擦擦手，掌心裡的麵包碎屑就像磨掉的角質般紛紛散落。我們跟著吉爾先後離開社團。

＊ ＊ ＊

雪愈下愈大，籠罩在濃密的雪花之下，這個世界看起來像是隔著一層靜電似的。吉爾開著他的紳寶，向西往體育館的方向前進。我從車身旁邊的後照鏡看著保羅，心想這些話不知道在他心裡放了多久。車子在街燈下走過明暗間隔的道路，在短暫的黑暗中，我根本看不到他，他的臉龐只是一團黑影。

事實上，保羅一直都有秘密，沒有讓我們知道。多年來，他對自己的童年以及在教會學校的夢魘細節，始終是守口如瓶；現在他又隱瞞了自己和塔夫特之間的關係。儘管我們是很親近的朋友，但是在此刻卻有一定的距離。我有一種感覺：雖然我們之間有很多共通點，不過君子之交淡如水仍是上策。

李奧納多·達文西曾經說過：畫家在作畫之前，必須先把整張畫布塗黑，因為萬物的本質都是黑暗的，除非是暴露在燈光之下；然而大部分的畫家都反其道而行，從雪白的畫布開始作畫，最後才加上陰影。

保羅對李奧納多瞭若指掌，熟悉的程度會讓人以為這個老頭子就睡在我們的下鋪，他當然知道從陰影開始作畫的價值；別人對你的認識，永遠只限於你讓他們看見的部分。

或許我還無法掌握箇中精髓，不過在我們入學的幾年前，校園裡曾經發生一件有趣的事，我跟保羅都注意到這個消息。有個二十九歲的偷車賊名叫詹姆斯·霍格，謊稱他是猶他州的一個農場幫手，年齡只有十八歲，竟然混進了普林斯頓。霍格宣稱自己在星光下自學柏拉圖，還說他訓練自己短跑，一哩路只跑四分鐘多一點。田徑隊出機票錢讓他飛到普林斯頓來參加選拔，他說那是十年來第一次在室內睡覺。審查入學資格的單位被他唬得一愣一愣，當場就發給他入學許可，就連他申請延後一年入學，也沒有人起疑心。霍格說他必須到瑞士去照顧病重的母親，事實上卻是在監獄裡服刑。

他所說的話固然有一半是漫天大謊，但是另外一半卻或多或少不離事實，這正是騙局精巧之處。如其自稱，霍格確實是短跑健將，在普林斯頓的兩年期間，都是田徑隊的明星選手；即使在課堂上也是熠熠明星，他選修的課程份量，即使付錢叫我選修我都不幹，而他卻可以拿到全優的成績。他在校園裡的魅力所向披靡，長春藤社在他大二那一年春天就已經內定讓他加入。

而霍格的校園生涯結束的方式，甚至讓人感到惋惜，因為一切純屬巧合：他去參加田徑比賽，結果會場上剛好有人認出了他的身分，於是謠言四起，普林斯頓也對此展開調查，最後在科學實驗室裡將他逮捕，予以起訴；他承認自己詐欺，幾個月之後又鋃鐺入獄，慢慢地也就被人遺忘了。

對我來說，霍格的故事只是那年夏天的頭條新聞；唯一可以跟它比美的消息，就是我赫然發現《花花公子》在春天出了一本長春藤名校女郎專輯。但是對保羅而言，這件事卻有更深遠的意義：保羅的一生始終堅持虛構的偽裝，吃得不好卻假裝自己很飽，買不起電腦卻宣稱自己不喜歡用電腦，因此他完全可以認同這個遭到事實欺凌的人；像詹姆斯‧霍格和保羅這樣從小一無所有的人，唯一的好處就是他們享有充分的自由可以重新塑造自我。事實上，我對保羅的認識愈多，就愈是深深體會這不只是一種自由，甚至還是一種義務。

不過看到霍格的下場，保羅不得不省思重新塑造自我和把別人耍得團團轉之間的界線何在；從他進入普林斯頓的那一天起，他就小心翼翼地在這條線上游走：只是保守秘密而不是說謊。

每當我想到這點，舊有的恐懼就油然而生。我父親了解《尋愛綺夢》勾引他的方法，因此他曾經把研究這本書比喻成跟女人發生戀情；**你會開始說謊**，他說，**甚至對自己說謊**。

保羅的論文也許正是這樣的謊言：保羅跟著塔夫特做了四年的研究，喜怒哀樂都受到這本書的牽制，更為了這本書廢寢忘食，但是花費了這麼多的心力，這本書卻絲毫不肯讓步。

我又瞄了一眼後照鏡中的倒影，看到他茫然地看著雪地，眼裡有一種空洞的神情，臉色似乎很蒼白。遠處的交通號誌閃起了黃燈。父親還讓我學到另外一課：如果一件事失敗了會讓你終身失去快樂，就千萬不要投入太深——不過他並不是用言語教我，而是用他自己做教材。保羅賣了最後一頭牛，換來了一把魔豆，只不過現在他開始懷疑：這些魔豆到底會不會長高？

9

我想這是母親跟我說的。她說：好朋友在你開口要求時為你赴湯蹈火，但是至交知已卻不等你開口就已經先這樣做了；一生中能夠遇到這樣一位至交知已的機會已經微乎其微，更不要說一次遇到三個，那幾乎是違背自然法則了。

大一那年，我們四個人在一個秋高氣爽的晚上相遇，那時候我跟保羅已經常在一起，而查理則住在同一棟宿舍的單人房。開學第一天，他就闖進保羅的房間，自告奮勇幫保羅整理行李；查理認為落單是天底下最悲慘的事，因此他永遠都在找新朋友。

保羅立刻對這號人物產生戒心，因為他有點野，又一天到晚不請自來，跑到保羅的門口敲門，滿腦子都是新鮮的冒險點子；當然查理有如運動員般的壯碩身材，似乎也讓保羅自然而然地產生畏懼心理，好像小時候曾經被這樣的人物欺凌似的。

至於我倒是覺得很意外，因為查理竟然沒有對我們這兩個文靜嚴肅的人感到厭倦；其實在第一個學期，我一直相信查理終究會拋棄我們，去尋找跟他比較相似的同伴。我最早認定他是那種有錢人家的少數族裔運動員：媽媽是神經外科醫生，爸爸是公司總裁，學業一帆風順，一路由家教輔導，唸到了地區性的私立預科學校，沒惹過什麼大麻煩，也胸無大志，進普林斯頓只是想好好地由他玩四年，然後拿個中等成績畢業。

現在看來實在很可笑。事實上，查理在費城市中心長大，在市區犯罪率最高的地區擔任救護車急救小組的義工；他是中產階級的孩子，唸的是公立學校，父親是東岸一家化學製藥廠的區域業務代表，母親是老師，教七年級的科學課。他申請大學時，父母就挑明了說，如果學費超過州立大學本州學生應繳的費用，就得由他自己負責，因此他一入學就申請了好幾個學生貸款，畢業後的債務也遠比我們其他人都要來得多。甚至連一無所有的保羅，經濟情況都比他好，因為學校提供了全額獎學金。

或許正因為如此，查理做的事情比我們其他人更多，但是睡得更少——除了保羅正趕論文而失眠的那幾個月之外——他期望學費物超所值，為了讓犧牲有價值，結果犧牲得更多。

在普林斯頓，要維持自己的身分認同並不是一件容易的事，畢竟黑人學生只佔全校學生的十五分之一，而且只有一半是男性；然而對查理來說，反正身分認同本來都不是遵照傳統的路徑發展。他有一種天下捨我其誰的性格，一種令人無法抗拒的使命感，所以打一開始，我就覺得我們全都活在他的世界裡，而不是我們自己的世界。

當然，在那年十月的那個深夜，距離我們初次見面也不過才六個星期，我們自然不會知道這麼多，但是他卻跑來敲保羅的門，提出了至今仍然是最大膽的冒險計畫。

大約從內戰時期開始，普林斯頓的學生就有一種習俗，爬到校園裡最古老的建築物拿梭大樓樓頂，去偷樓頂上那口鐘的撞鎚。最原始的構想是：如果沒有敲鐘表示新學年開始，那麼新學年就無法正式開始；是不是真的有人相信這種說法，我倒是不知道，但是我確切知道偷鐘鎚成了一個傳統，而學生則從偷鑰匙到爬牆，無所不用其極。

經過了一百多年之後，行政部門對這種行為不勝其擾，也擔心發生意外會有法律訴訟的問題，最後終於公開宣布遷移鐘鎚；但是查理卻得到了相反的訊息。他說，遷移鐘鎚是個障眼法，實際上鐘鎚仍在原地，而今天晚上，他就要在我們的協助下去偷鐘鎚。

對我來說，拿著一串偷來的鑰匙闖進古蹟地標，然後拖著我那條病腿讓訓導員追著跑，只為了不值一文的鐘鎚和十五分鐘的校園名氣，無論如何都不會是世界一流的好點子，這一點我想不需要多費唇舌來解釋。

不過查理辯解的時間愈長，我就愈覺得他說得有道理：大三和大四的學生忙著交報告、寫論文，大二的學生忙著選主修科目和餐飲社團，唯一留給大一新生做的事情就是冒險或是在過程中被逮個正著。而且他還說，各學院院長在這個時候最寬容仁慈。

查理堅持參與的人數要三個人——不能再少——因此我跟他兩人決定最公平的方法就是投票；原本我對民主制度很有信心，因此我相信保羅會投我一票，我們會以些微的多數獲勝。沒想到一向合群的保羅不忍心讓查理失望，竟然讓步了。

於是我們同意替查理把風，然後仔細研擬攻擊路線，當天午夜，三個人儘可能地穿著黑衣集合，向拿梭大樓出發。

我先前說過，現在的湯姆經過了可怕的車禍，劫後餘生，比過去那個湯姆更勇敢、更有冒險精神，再也不像是逐漸凋萎的紫羅蘭；不過在此必須澄清一下：不論新舊，我都不是以冒險為生的埃維爾・尼維爾⑱。我們抵達拿梭大樓之後那整整一小時，我站在把風的崗位上緊張地直冒冷汗，一點點風吹草動都會讓我嚇得跳起來。

一點鐘剛過，事情就發生了：餐飲社團在這個時候陸續打烊，吧台營業時間結束，開始有一批學生向西移動，安全警衛也回到校園裡；查理跟我保證，我們在這個時候到拿梭大樓連個人影也看不到，但是現在看不到人影的卻是他自己。

⑱譯註：Evel Knievel（1938-），美國知名的特技演員。

我轉過頭去，輕聲地對保羅說：『怎麼去了這麼久？』

沒有回應。

我向黑暗處跨了一步，斜眼窺視著陰影，又問了一次。

『他在上面幹什麼？』

但是當我的視線轉過了牆角，這才發現連保羅都不見人影，而大樓的前門洞開。

我跟到門口，把頭伸進去，隱約聽到保羅和查理在遠處交談的聲音。『**不在上頭**。』查理說。

『**動作快一點**！』我說，『**有人來了**！』

驀然間，我身後的黑暗處傳來聲音：『校警！站在原地不要動！』

我嚇得背轉過身，查理的聲音戛然而止；我想我一定是聽錯了，因為我聽到保羅罵了一句髒話。

我的腦子裡一片模糊；我想像著自己的懲處：留校察看、院長的口頭警告、甚至退學。

『**雙手放在屁股上**！』那個聲音的音量又提高了一點。

『雙手放在屁股上。』那個聲音又說。

我照做。

好一會兒都沒有聲音，我扭過頭去，想要認出在黑暗中的校警，但是什麼也看不到。

接下來聽到的卻是他的笑聲。

『現在搖一搖啊，寶貝！**跳舞囉**！』

從黑暗中現身的人也是個學生，他又笑了起來，踩著倫巴舞的步伐向我這邊走來。他的身高介於我和查理之間，黑髮凌亂地蓋在臉上，身上穿著一件訂做的黑色西裝外套，裡面那件漿燙過的白襯衫則有太多鈕釦沒有扣上。

查理和保羅兩手空空，從我身後的大樓裡戰戰兢兢地走出來。

那個年輕人迎過去，笑著說：『所以是真的囉？』

『什麼？』查理瞪著我，吼了一聲。

年輕人指著鐘樓。『鐘鎚啊，他們真的拿掉啦？』

查理一言不發，但是保羅點點頭，仍然充滿著冒險犯難的精神。

我們的新朋友想了一下：『所以你們爬上去了？』

我開始知道他意欲何為。

『你們不能就這樣**走了**吧？』他說。

他的眼神裡流露一種淘氣的神情，查理開始喜歡這個傢伙。要不了多久，我又回到把風的位置，守著東邊的入口，其他三人則消失在大樓裡。

十五分鐘後，他們回來了，但是卻沒有穿長褲。

『**你們在搞什麼？**』我說。

他們穿著內褲，手挽著手，跳著吉格舞的舞步向我走來。我抬頭看著樓頂的圓頂，看到三條長褲掛在風向球上迎風招展。

我結結巴巴地說，我們該回去了；他們三人彼此互看一眼，開始噓我。那個陌生人堅持我們應該找一家餐飲社團慶祝一下；他說，現在正是到長春藤喝兩杯的時候——顯然他知道在這個時候，走在展望大道穿不穿褲子都無所謂了。查理高興地跟他同聲一氣。

我們向東邊往長春藤的方向走去，沿路這個新朋友跟我們說起他在高中時的惡作劇歷史：在情人節那天把游泳池的水染紅；新生在英文課唸到卡夫卡的時候，把蟑螂放出來；莎劇《血海殲仇記》首演當天，在劇院屋頂放了一個特大號的充氣陽具，讓戲劇系蒙羞。他畢業於艾克斯特高中，名字叫做普萊斯頓·吉爾莫·萊金。

『不過，』他接著又說——我到現在都還記得——『叫我吉爾。』

當然，吉爾跟我們其他三人都不一樣。現在回想起來，他在進普林斯頓之前就已經對艾克斯特高中那種富饒豐盈習以為常，因此對於財富及尾隨其後的特殊待遇也就視而不見了。他眼中對人唯一的判斷標準就是人格，或許正因如此，吉爾才會在第一學期就跟查理結為莫逆，然後又經由查理認識了我們兩人。他的魅力就是有辦法消弭我們之間的差異；跟吉爾相處，讓我覺得總是有忙不完的事情。

在吃飯和宴會的場合，他總是預留我們的位置；雖然保羅和查理很快就發現他所謂的社交生活並不完全適合他們，但是我卻喜歡有吉爾為伴，尤其是跟他同桌吃飯或是在長春藤的酒吧裡聚在一起喝杯小酒，不論是跟其他朋友一起或是只有我們倆。如果保羅要在教室或書本裡才會感到自在，一如查理在救護車裡才會自在，那麼對吉爾來說，只要有風趣的話題，他就無入而不自在，至於世界的其他部分，就不必管他們死活了。

就我記憶所及，我在普林斯頓最快活的幾個晚上，都是跟吉爾在一起。

大二那年晚春，就是我們選擇餐飲社團，也是社團選擇我們的時候；這時候已經有很多社團採用抽籤制度：候選人自己在各社團公開的名單上登記姓名，然後以隨機的方式抽籤選擇新成員。不過少數社團還是沿襲舊制，也就是所謂的『比評制』。

比評制有點像是兄弟會的『對抗制』。比評制的社團是根據申請人的優點來選擇新成員，而不是靠機運；至於優點的定義，則跟兄弟會一樣各有不同，不過多半跟一般人的認定——比方說在字典上找到的定義——都不一樣。查理和我選擇參加修道院社的抽籤，因為我們共同的朋友似乎都在那裡；吉爾當然參加比評，至於保羅則受到李察・柯瑞的影響——他本身也是長春藤的會員——也決定放手一搏，參加比評。

吉爾從一開始就像是為了長春藤量身打造的候選人，幾乎符合入會的每一項標準：從家長必須是以前的會員，到現在必須是校園裡某些特定圈子裡的重要人物等等；他天生俊美，不需要特別裝扮，追求時尚卻不會過度誇飾，大膽氣派但是又有紳士風度，聰明卻又不是只會啃書的書呆子。當然，他父親是富有的證券交易商，給獨生子的零用錢多到可恥的地步，這一點對於他入會的機率也是有百利而無一害。那天春年他獲選加入長春藤，次年又被選為會長，兩者都不讓人意外。

至於保羅入選，我猜應該是完全不同的邏輯。若不是有吉爾和更遠一點的李察・柯瑞替他加油打氣，保羅根本不會去跟人家擠破頭；不過他申請入會成功，倒也不全然是因為這一層關係。其實在那個時候，大家就已經公認保羅是我們這一屆成績最優秀的學生之一，但是又不像那些成天泡在總圖書館裡足不出戶的蛀書蟲；他凡事好奇的個性讓人樂於跟他見面、交談。長春藤裡的上流階級似乎覺得這個大二學生有點意思，他沒有取笑會員篩選過程，提到死去的作家都直呼名字而不稱姓氏，而且好像還真的跟他們有這麼熟悉。

保羅對於自己入選也不意外，那個春天的晚上，他喝了一肚子的香檳酒慶功，回到宿舍的時候，我覺得他已經找到一個新家。

其實，查理和我一度擔心社團的磁吸效應會讓吉爾與保羅跟我們漸行漸遠，更何況在那個時候，柯瑞又成了影響保羅生活的主要因素。他們兩人是在我們大一剛開學不久才初次碰面，當時我絕少去紐約，不過有一次卻答應柯瑞跟他一起吃晚飯；這個人在我父親死後對我表現的興趣，讓我覺得是一件奇怪又自私的事——我始終不知道我們兩人之間誰是誰的替代品，是沒有孩子的父親？抑或是沒有父親的孩子？——所以我邀請保羅同行，希望有他做緩衝。

結果成效遠比預期的好，因為他們一拍即合。柯瑞堅稱我擁有跟父親相同的潛力，因此對我寄予厚望，如今這樣的期望立刻在保羅身上實現；保羅對《尋愛綺夢》的興趣，讓柯瑞回想起當年跟我父親及塔夫特合作研究這本書的光榮歲月。一個學期之後，他就主動提出要送保羅去義大利做暑期研究。從這時候開始，此人對保羅的支援愈來愈豐厚，也讓我感到憂心。

不過，如果查理和我擔心會失去兩個朋友，那麼實在是杞人憂天了。大三結束時，吉爾提議我們四個在大四時一起合住；這就表示，他寧願放棄搬進長春藤社長室的機會，而跟我們一起住在學校宿舍裡。

保羅立刻舉雙手贊成。經過抽籤之後，我們分配到多德樓北邊這個角落；原本查理要選四樓的房間，說這樣才會逼我們多做一點運動，不過到頭來，還是便利和正確的判斷佔了優勢。於是一樓的這間套房，加上吉爾提供的家具，就成了我們在普林斯頓最後一年的家了。

＊＊＊

吉爾、保羅和我三人來到大學教堂與演講廳之間的庭院空地，映入眼簾的卻是一幅陌生的景觀：風雪中搭起了十幾個露天帳篷，每一個帳篷底下都有一張長桌子，桌上則擺滿了食物。我立刻知道這是怎麼回事，卻不敢相信演講的主辦單位竟然要在室外供應茶點。

就像颶風來襲前夕的鄉間嘉年華會一樣，這裡的桌子也完全沒有人照料，而帳篷下的地面則是一片泥濘，盡是泥巴和爛草；雪花從四周吹進帳篷，狂風吹得白色桌布呼呼作響，還好有大型壺具壓在上面才不至於飛走，想來這些壺具待會兒就會裝滿熱巧克力或咖啡；至於裝著餅乾和小點心的餐盤，則用保鮮膜緊緊地包裹著，像一個個羅列的蠶繭似的。在安靜的庭院裡看到這種特殊的景象，宛如繁華都市突然大難臨頭，在霎時間遭到滅絕，好像一瞬即逝的龐貝城。

『這不是開玩笑吧？』吉爾在停車的時候說。我們下了車，他往演講廳走去，在最靠近他的那個帳篷旁邊停下來，搖一搖支撐的柱子，整個帳篷為之撼動。『你等著看查理怎麼說好了。』說曹操，曹操到。查理就正好出現在演講廳的門口，不知道為什麼，他好像正準備要離開。

『嘿，老兄，』我們向門口走去時，我指著庭院問他，『你覺得怎樣？』

但是查理顯然心裡在想著別的事情。

『你們要我怎樣進演講廳啊？』他對著吉爾發脾氣。『你們這些白癡叫一個女孩子守在門口，不讓我進去！』

吉爾拉開大門讓我們先進去，他知道查理所謂的『白癡』是指長春藤社裡的人；長春藤的三個大四女生正好是校園內規模最大基督教團體的聯席主席，所以負責籌辦復活節的慶典活動。

『輕鬆一點嘛，』吉爾說，『她們以為村莊社會來搗亂，所以當然要防患於未然啦！』

查理掐著自己的脖子誇張地說：『是喔？那我豈不成了你們的心腹大患！』

『漂亮！』我說著逕自往溫暖的演講廳內走去，腳下的一隻鞋都濕透了。『我們可以進去了嗎？』

樓梯最上層的平台放了一張長桌子作為接待處，桌子後面坐著一位淡金色頭髮、皮膚曬得黝黑健美的大二女生，她搖搖頭表示不可以；不過當吉爾走上樓梯，在我們背後出現時，情況立刻改觀。

那位大二女生怯生生地看著查理，開口說道：『我不知道你是跟吉爾一起的……』此時，我已經聽到演講廳傳來比較文學系的韓德森教授開始向聽眾介紹塔夫特的聲音。

『算了，沒有關係。』查理說著走向演講廳的入口，我們則尾隨而入。

演講廳裡擠滿了聽眾，找不到座位的人沿著牆邊站著聽，人潮一直延伸到演講廳後方的入口旁邊。我看到凱蒂跟另外兩個長春藤的大二學生坐在後排，但是我還來不及跟她打招呼，就被吉爾推擠著往前進，找到一個可以容納我們四人站立的地方。他用手指在嘴唇上比劃一下，指著台上，塔夫特已經慢慢走到講台。

＊＊＊

耶穌受難日的演講活動是普林斯頓行之有年的傳統，也是復活節三項慶典活動的頭一個；無論是不是基督教徒，復活節慶典已經是很多學生社交生活中的固定行程了。根據傳說，這些活動是在一七五八年的春天，由強納森·愛德華所引進的，這位脾氣暴躁的新英格蘭教士當時還兼任普林斯頓第三任校長。愛德華在受難日的晚上帶領學生講道做禮拜，接著是星期六早上的宗教餐，最後則是週日復活節當天午夜舉行的子夜禮拜。後來這些儀式也完整無缺地流傳至今；大學裡有許多事情就像動物不知不覺地陷入天然瀝青坑一樣，再也不受時間和命運的擺佈，雖然生命已經結束，屍骨卻得以長存。

強納森‧愛德華本人也正是其中之一。愛德華在抵達普林斯頓不久之後，就接受了威力強大的天花疫苗接種，結果這位老先生在三個月後卻反而死於天花。雖然這些儀式在名義上都是由他首創，不過有鑑於他在普林斯頓期間的健康情況不佳，這種說法可能並非事實。儘管如此，校方還是年復一年地重複這三種儀式，並且美其名曰：『賦予新時代的意義』。

我懷疑強納森‧愛德華跟委婉修辭和新時代意義實在八竿子打不著，因為他最著名的比喻，就是把人類的生命比喻成懸在地獄黑洞上方的蜘蛛，完全受到盛怒中的上帝掌控。後人這種做法，想必讓這位老先生每年春天都在墳墓裡輾轉難安。

如今，受難日的講道禮拜已經變成由人文學科的教授發表演說，演說中既少談到上帝，也沒有論及地獄；至於第二天的宗教餐，原本應該遵循喀爾文教派簡樸刻苦的精神，如今也變成在大學部最豪華的學生餐廳裡舉辦盛宴；還有復活節的子夜禮拜，我相信以前也曾經是撼天動地，但現在卻是不屬於特定宗教的信仰慶典，就連相信無神論或不可知論的人走進教堂，也不會覺得渾身不自在。或許正因為如此，才會有各種不同背景的學生參與復活節的慶典活動；當然每個人參加的原因不同，不過在活動中各取所需，有人強化原先的期望，有人覺得自己的感受得到尊重，大家都能快快樂樂地離開。

塔夫特站在講台上，肥胖臃腫，一如往常。我一看到他就想起普羅克汝斯特，這位神話中的土匪在捉到人之後就綁在一張鐵床上，如果受害者太矮，就把他們拉長；如果太高，就把他們截短。每次我看到這個人就忍不住覺得他的身材有多畸形：頭太大、肚子太圓，兩截手臂下的肥肉垂墜，好像骨肉分家似的。不過他在台上的身影卻有一種歌劇的效果，身上一襲綯兮兮的白襯衫和磨損的格子呢外套，讓他看起來比周遭的環境更龐大，彷彿一身的智慧把人皮撐得鼓了起來，連縫線都要迸裂開來。

韓德森教授上前一步，替他調整麥克風的高度，塔夫特文風不動，好像鱷魚張開血盆大口讓小鳥清理牙縫。這就是高踞在保羅魔豆上方的巨人；我想起埃普和狗的故事，忍不住胃裡一陣翻騰。

我們好不容易在演講廳後方找到一塊立足之地，塔夫特已經開始演講，也已經跟平常在復活節講的廢話差了十萬八千里。他用幻燈片在白色大銀幕上放映一連串影像，一張比一張更駭人：聖徒遭到凌虐、殉道者遭到屠殺。塔夫特說，信仰比生命更容易賜予，但是卻難以剝奪；他用例子佐證論點。

『聖丹尼斯遭到斬首殉道，』他的聲音透過架在天花板上的擴音器傳送出來，『據傳，他的屍體站了起來，帶著頭顱揚長而去。』

講台上方的銀幕出現了一幅畫，畫中人蒙著眼睛，把頭枕在木樁上；一旁的劊子手揮舞著巨大的斧頭。

『聖昆汀，』他放了下一張幻燈片，接著說，『雅各布·尤登斯在一六五〇年的作品。他被綁在刑台上，遭到鞭抽杖擊，於是向上帝祈求賜予力量；雖然僥倖一時不死，但是卻以巫師的罪名受到審判；他被架起來鞭打，從肩膀到大腿遭到鐵條刺穿，手指、頭顱和身體也都被釘上鐵釘，最後還被砍頭。』

查理不知道是聽不懂他的論點，或是在救護車裡看過太多類似的血腥場面，早就見怪不怪，於是轉頭低聲地跟我說話。

『比爾有什麼事嗎？』

銀幕上又出現一名男子的黑影，除了一塊腰巾之外全身赤裸，被迫橫躺在一塊金屬板上，底下則生了一堆火。『聖勞倫斯，』塔夫特接著說，他對這些細節早就瞭若指掌，不需要任何提示，『西元二五八年殉道，在烤架上活活燒死。』

『他找到保羅論文需要的一本書。』我說。

查理指著保羅手中的布包，說：『一定很重要吧！』

我本來以為查理會說什麼尖銳的評語，諷刺比爾如何迫使我們中斷遊戲，不過他的聲音卻很誠懇。他跟吉爾兩人講到《尋愛綺夢》時，十次裡還是會有五次唸錯書名，但是查理至少能夠體認保羅為此付出多少心力，以及這個研究對他有多麼重大的意義。

塔夫特在講台上按了一個鈕，銀幕上出現了更奇特的影像。一名男子躺在木板上，身體側面被鑿了一個洞，從洞裡穿了一條繩子，綁在烤叉上，兩邊各有一人轉動烤叉。

『聖伊拉斯謨斯，』塔夫特說，『又名艾爾摩，遭到羅馬皇帝戴克里先的凌虐；雖然受到鞭打杖擊，又受到熱油澆、烈火燒，不過都逃過一死。雖然關在監牢裡，但是卻逃了出來。他二度落網之後，又被迫坐在一把炙熱火紅的鐵椅上，最後則是被絞刑車開膛剖腹而死。』

吉爾轉過頭來跟我說：『這個**絕對**是與眾不同。』

最後一排座位上有人回頭噓了我們一聲，但是看到查理又摸摸鼻子轉過頭去。

『訓導員根本不肯聽我講窗簾的事。』查理小聲地跟吉爾說，他還在找話題說話。

吉爾轉過頭去看著講台，不想繼續談這個話題。

『聖彼得，』塔夫特繼續說，『米開朗基羅大約在一五五〇年的作品。彼得遭到尼祿王處決，並且依照他自己的要求，倒釘在十字架上處死；因為他自認身分卑微，不敢跟耶穌用同樣的方式釘十字架。』

台上的韓德森教授似乎渾身不自在，一直緊張地把玩袖子。塔夫特的幻燈片似乎彼此毫無關聯，使得這場活動不像是演講，反倒像是虐待狂的偷窺秀。平常在受難日演講中，聽眾席上總是不免有嘈嘈切切的談話聲，但是今天的聽眾卻是一片鴉雀無聲，興致盎然地聽著演講。

『嘿，』吉爾拍拍保羅的袖子說，『塔夫特平常講的也都是這些東西嗎？』

保羅點點頭。

『他有點怪怪的，是不是啊？』查理說。

他們兩個人遠離保羅的學術生活太久了，竟然到現在才發現。

保羅又點點頭，一言不發。

『我們現在要談到文藝復興時期。』塔夫特又接著說，『文藝復興時期有一個人專精暴力語言，也就是我一直想要傳達的語言。我今天要跟各位分享的，不是他用死亡創造的故事，而是他在活著的時候所寫的一個神秘故事。這個人是來自羅馬的貴族，名叫法蘭契斯科．柯羅納，他寫了一本印刷史上最罕見的書：《尋愛綺夢》。』

保羅的眼睛死盯著塔夫特，瞳孔在黑暗中放大。

『來自**羅馬**？』我低聲說。

保羅看著我，一臉不敢置信的表情。他還沒開口說話，我們身後的入口處就爆發激烈的爭執：大門那位女學生和一個體型龐大但不知道是誰的男人，兩人尖銳火爆的聲音傳進了演講廳裡。

等這個人走進明亮的演講廳，不禁讓我大吃一驚，因為我一眼就認出他是何許人。

10

李察·柯瑞不顧門口金髮女生的抗議，逕自走進演講廳，後排十幾個人紛紛轉頭觀望；柯瑞環視聽眾，接著就轉往講台。

這本書，塔夫特無視場內的騷動，繼續說下去，**也許是西方印刷史目前僅存的大謎題**。

好奇的眼光從四面八方投向這位不速之客，柯瑞看起來也很狼狽：領帶鬆了，外套拿在手裡，眼神渙散。保羅開始從一小群學生之中推擠出去。

這本書的出版者是文藝復興時期最出名的義大利出版社，但是作者的身分卻始終沒有定論。

『這傢伙要做什麼？』查理低聲問道。

吉爾搖搖頭說：『那不是柯瑞嗎？』

保羅走到後排座位旁，試圖引起柯瑞的注意。

很多人公認這不但是全世界最受誤解的一本書，同時也是全世界最有價值的一本書——也許僅次於古騰堡聖經。

保羅走到柯瑞身邊，小心翼翼地把手放在他背上，在耳邊說了一些話，但是那個老人卻只是搖頭。

『我在這裡，』柯瑞說道，聲音足以令前排聽眾回頭看個究竟，『要說一些自己的事情。』

這時候，塔夫特停下來，場內所有的目光都集中在這個陌生人的身上。他伸手在頭上摸了一把，看著塔夫特，接著又開始說話。

『暴力的語言？』他用一種高亢、陌生的聲音說，『塔夫特，三十年前我就聽過這場演講了，那時候你以為**我**是你的聽眾。』他轉身面對聽眾，張開雙臂，直接訴諸群眾。『他跟你們說聖勞倫斯了嗎？聖昆汀？聖艾爾摩和絞刑車？塔夫特，有什麼更動嗎？』

聽眾從柯瑞的話中聽出責難，於是開始竊竊私語，甚至有笑聲從一個角落裡傳了出來。

『朋友們，這個人，』柯瑞指著台上繼續說，『是個三流文人，是個傻瓜，是個騙子！』他轉過身凝視著塔夫特。『就連江湖郎中都還有自信騙他兩次，但是塔夫特哪，你卻只會挑無知的人下手。』他把手指放在嘴唇上，做個親吻的手勢，然後用義大利文說：『騙得好啊，你這個騙人的傢伙！』他揮舞著手臂，作勢鼓勵聽眾站起來。『朋友們，咱們大聲喝采吧！給這個聖塔夫特三聲歡呼，向小偷的守護聖徒致敬！』

塔夫特面對這個插曲，冷酷以對。『柯瑞，你來這裡做什麼？』

『**他們認識啊**？』查理低聲問。

保羅一直想打岔，阻止柯瑞，但是柯瑞卻毫不放鬆。

『老朋友啊，那**你**又來這裡做什麼呢？這不是學術殿堂嗎？現在守港人的日記已經不在你手上了，你又想偷什麼東西？』

這句話讓塔夫特再也按捺不住，身子向前傾：『**不要再說了**！你到底想做什麼？』

但是柯瑞的聲音卻像召來的靈魂一樣不受控制。『塔夫特，你把日記裡的那張皮紙放在哪裡去了？你告訴我，我馬上就走。讓你繼續演出這場鬧劇。』

演講廳的陰影像鬼影般爬上柯瑞的臉。韓德森教授一個箭步上前，吼道：『快叫警衛！』

訓導員趕過來，距離柯瑞只有一臂之遙，但是塔夫特揮手叫他離去，顯然已經恢復鎮定。

『不要捉他，』這個食人魔怪低吼道，『讓他走。他自己會走，柯瑞，你說是不是啊？不要等他們**逮捕**你吧？』

柯瑞不為所動。『塔夫特，你看看我們。二十五年了，還在打同一場仗。你跟我說那張藍圖在哪裡，我以後再也不會來煩你，這是我唯一放不下的事；其他這些——』柯瑞雙臂一揮，表示演講廳內的一切都包括在內，『都一文不值。』

『柯瑞，你出去！』塔夫特說。

『你我都試過，也都失敗了，』柯瑞還是繼續說，『義大利人是怎麼說的？**一本壞書比小偷還糟糕**。男子漢大丈夫，拿得起放得下，藍圖到底在哪裡？』

到處都有人竊竊私語。訓導員已經擠到柯瑞和保羅之間，但是出乎我意料之外，柯瑞突然低頭往走道的遠方移動，臉上的憤怒也頓時消失。

『你這個老傻瓜，』雖然他背對講台，不過仍然對著塔夫特說話，『繼續演戲吧！』

原來靠在牆邊的學生現在都擠到演講廳前方，跟他們保持一段距離。保羅則站在原地不動，看著他的朋友離開。

『柯瑞，你走吧，』塔夫特站在講台上指揮，『不要再回來了。』

我們都看著柯瑞慢慢走到出口，門口那位大二女學生瞪著一雙驚恐的大眼睛看著他；他跨過門檻，走進前庭的接待處，就從眾人視線中消失了。

＊　＊　＊

柯瑞前腳剛走，演講廳內就發出嘈雜的私語聲。

『這到底是怎麼回事？』我回頭看著出口問道。

吉爾從我們站的角落走到保羅身邊。

『你沒事吧？』

保羅支吾地說：『我搞不懂……』

吉爾騰出一隻手摟著他的肩膀說：『你跟柯瑞說了些什麼？』

『沒什麼，』保羅說，『我得去找他。』他手裡仍然緊握著日記，但是卻微微顫抖。『我得跟他談一談。』

查理出聲抗議，但是保羅心神不寧，也沒有多做辯解；我們還來不及多說什麼，他就逕自轉身，向門口走去。

『我跟他一起去。』我跟查理說。

他點點頭。塔夫特的聲音又在背景裡響起，我在走出去的途中回頭看了講台一眼，發現台上的巨人似乎正盯著我看。凱蒂在她的座位上也看到我，用嘴型問保羅的事，但是我不知道她到底在說些什麼。我拉上外套的拉鍊，走出演講廳。

庭院裡的帳篷像黑暗中的骷髏一樣東倒西歪，好像釘在柱子上跳舞似的。風勢雖然稍緩，但是雪卻愈下愈大。我聽到保羅的聲音從轉角處傳來。

『你還好嗎？』

我繞過轉角，柯瑞就在不到十呎遠的地方，敞開的外套被風吹得呼呼作響。

『怎麼回事？』保羅問。

『你進去。』柯瑞說。

我向前跨了一步，想要聽個仔細，但是腳下的積雪卻洩漏了我的行蹤；柯瑞抬起頭來看了我一眼，兩人的談話也戛然而止。我期望在他眼中看到認出是我的火光，可是沒有。柯瑞把手放在保羅的肩膀上，然後緩緩向後退。

『柯瑞，我們能不能找個地方談一談？』保羅喊道。

但是這個老人家很快地走遠了，雙手插在外套口袋裡，一句話也沒有說。

過了幾秒鐘之後，我才回過神來，走到保羅身邊，一起看著柯瑞消失在教堂的陰影裡。

『我一定要查出比爾是在什麼地方發現日記的。』他說。

『現在嗎？』

保羅點點頭。

『他在哪裡？』

『在學院裡，塔夫特的研究室。』

我環視庭院一周。保羅唯一的交通工具是一輛日產的老爺車，是用柯瑞給他的零用錢買的；學院離這裡還有一段距離。

『你怎麼離開演講廳了？』保羅問。

『我想你也許需要幫忙。』

我的下唇開始顫抖，雪花也慢慢地堆積到保羅的頭髮上。

『我還好啦！』他說。

可是他沒有穿外套。

『來吧，我們可以一起開車過去。』

他低頭看著鞋子說：『我必須單獨跟他談一談。』

『你確定？』

他點點頭。

『至少穿著這個過去。』我說著，脫掉身上的厚呢外套。

他微笑說道：『謝謝。』

保羅穿上外套，把日記挾到脅下，轉身向風雪深處走去。

『你確定不需要幫手嗎？』我在他還聽得到我說話時大吼一句。

他轉身，一言不發，點點頭。

祝你好運，我低語一句，幾乎是說給自己聽。

冷風灌進我的襯衫領口，我知道這時候只有一件事可以做；看到保羅在遠方消失，我也折返演講廳內。

＊　＊　＊

返回演講廳的途中，我又碰到那位金髮女生，但我沒有跟她說話，逕自走進廳內，看到吉爾和查理都還在演講廳後方原來的位置。他們全神貫注地聽著塔夫特，沒有理我；他的聲音有一種催眠作用。

『都沒事吧？』吉爾低聲問。

我點點頭，不想多說什麼。

『某些現代的詮釋，』塔夫特說，『都認為這本書的形式在很多方面都符合一種古老的文藝復興文類：鄉野羅曼史。但是《尋愛綺夢》如果只是傳統的愛情故事，為什麼全書只有三十頁的篇幅在描述普力菲羅和寶莉雅之間的羅曼史？為什麼其他的三百四十頁會有這麼多像謎一般的次要情節？像是碰到神話人物的奇特遭遇或是針對神秘主題的長篇大論？如果只有十分之一的文字屬於羅曼史，那我們又該如何解釋書中的其他百分之九十呢？』

查理又轉頭問我：『這些東西你都知道嗎？』

『是啊。』同樣的演講，在我家的晚餐桌上已經聽過十幾次了。

『簡而言之，這不只是愛情故事而已。普力菲羅「在夢裡尋愛」——這是拉丁文原文的書名——比男歡女愛的故事還要更複雜。五百年來，學者利用當代最有力的詮釋工具去解讀這本書，但是卻沒有人能夠走出這個迷宮。

『《尋愛綺夢》到底有多難？看看翻譯這本書的人花了多少工夫就可見一斑。第一個譯成法文的人把開宗明義的第一句話，從七十個字刪節成不到十二個字。跟莎士比亞同一時期的羅勃·達林頓（Robert Dallington）試著忠於原文地翻譯出來，結果是自找苦吃，最後還譯不到一半就宣告放棄。此後始終沒有英文的譯本出現。從這本書出版以來，西方學者就一直認為這是隱晦艱澀的代名詞。拉伯雷總是取笑這本書；卡斯蒂里奧內⑲也警告文藝復興時代的男子，追求女性的時候千萬不要學普力菲羅說話。

『為什麼這本書這麼難解呢？因為書中不只有拉丁文和義大利文，還有希臘文、希伯來文、阿拉伯文、加勒底文、埃及的象形文字等，作者不但同時使用這些語言，有時候還互相交替；在這些語言都還不夠用的時候，他甚至自創新字。

『除了文本之外，跟這本書相關的事情也是疑雲重重。別的暫且不提，這本書的作者到底是誰？這個問題一直到最近才找到答案。作者的身分保密到家，就連出版人，偉大的阿杜思，也不知道他這本最出名的作品是誰寫的。替《尋愛綺夢》撰寫導言的一位編輯，在文中懇求繆思女神披露作者的名字，不過繆思女神予以拒絕，她們的理由是：「小心謹慎是為上策，不要讓神聖的事物遭到惡毒的嫉妒吞噬。」

『所以我要問你們一個問題：如果作者只不過想寫一本鄉野羅曼史，何必如此大費周章？又為什麼要用這麼多種語言？為什麼要用兩百頁的篇幅描寫建築物？用十八頁描寫維納斯神廟、用十二頁寫一個水底迷宮？為什麼用五十頁講金字塔？一百四十頁描述寶石與貴重金屬、芭蕾與音樂、食物與餐桌擺設以及各種動植物呢？

『更令人懷疑的是：什麼樣的羅馬人竟然知識如此淵博，對這麼多主題都知之甚詳，對這麼多種語言都運用自如，甚至還能不透露自己的名字，就說服義大利最偉大的出版家替他發行這本神秘的書呢？

『最重要的是，導言中提到繆思女神不願意披露的「神聖的事物」指的是什麼？他們擔心會引起什麼樣「惡毒的嫉妒」？

『這些問題的答案指明一個事實：這本書不只是一本羅曼史。作者一定另有圖謀，只是我們這些學者至今仍然無法了解而已。但是我們要從哪裡著手尋找答案呢？

⑲譯註：拉伯雷（François Rabelais，1493-1553），法國文藝復興時期的作家，人文主義的代表人物；卡斯蒂里奧內（Baldassare Castiglione，1478-1529），義大利文藝復興時期的外交家、作家。

『這個問題，我不會替你們回答，你們應該自己去思索這個謎題，找到了答案，就是朝著了解《尋愛綺夢》的方向，又向前邁進一步。』講到這裡，塔夫特按了一下手裡的遙控器，打開幻燈機；投射銀幕上出現三張黑白分明的圖像。

『這是《尋愛綺夢》書中的三幅版畫，描繪寶莉雅在故事後半段裡所做的惡夢。據她所說，第一幅是一個小孩駕著燃燒中的馬車衝進森林，拉車的是兩名全身赤裸的女子，車上的小孩則拿著鞭子，像抽打牲畜一樣鞭打裸女。寶莉雅則躲在森林裡偷看。

『第二幅畫則是小孩用一把鐵劍切斷兩名裸女身上火紅的鐵鏈，但是在釋放她們之後，卻又一劍刺死她們，並且予以分屍。

『在最後一幅畫中，小孩從兩名裸女的屍體挖出還在跳動的心臟餵鳥，至於內臟則拿去餵老鷹；接著把她們分成四塊之後，就把屍塊丟給圍聚而來的狗、狼和獅子。寶莉雅從夢中驚醒之後，她的奶娘說那個小孩是丘比特，兩名裸女則是因為拒絕了追求她們的男子而得罪丘比特。於是寶莉雅歸納出一個結論：原來她拒絕普力菲羅是錯誤的。』

塔夫特停了一下，轉身背對聽眾，凝視著身後宛如懸空的巨大圖像。

『然而，我們若是假設表面上明顯的意義並不是**真正的**含意，那又如何呢？』他仍然背對著我們，聲音透過胸前的麥克風傳送出來，聽起來彷彿靈魂脫離了肉身，『如果奶娘的解夢事實上並不是正確的解讀呢？如果我們必須利用這兩名女子所受的懲罰來分析她們真正的罪行，那又該怎麼做呢？

『以《尋愛綺夢》創作前後幾個世紀，某些歐洲國家對於嚴重叛逆所施加的刑罰為例，叛國罪名確認的犯人必須先受**拖刑**——也就是綁在馬尾上，讓馬拖著在地上走，繞行城市一圈——然後拉到絞刑台上吊起來，等到他半死不活——還不能完全死透——這才放下來，挖出肚腸，由劊子手在他面前放火燒掉。犯人的心挖出來之後，還要展示給圍觀群眾看；最後劊子手才砍掉犯人的頭，再把屍體卸成四塊，用長矛刺起屍塊，送往公共場所展示，藉以嚇阻未來的叛國賊。』

塔夫特說到這裡才把目光轉回聽眾席，觀察台下的反應，然後才又繞回身後的幻燈片。

『記得這個刑罰，現在再回頭來看看我們這些圖。我們可以看到很多細節都呼應了我剛剛所描述的刑罰：犯人要拉到他們被處死的地點——這裡也許有點反諷，因為他們得自己拉著劊子手的馬車——他們都遭到分屍，肢體也向聚集圍觀的群眾展示，只不過這裡圍攏的群眾是野生動物。

『但是這兩名裸女並沒有受到絞刑，而是遭到劍刺。這又做何解釋呢？有一種可能是不論用斧頭或劍斬首都是高層人士專用的刑罰，對這些人來說，絞刑太低賤，不符合他們的身分地位；因此，我們或許可以推斷這兩名女子是有頭有臉的人。

『最後則是代表群眾的動物，他們應該會讓很多人聯想到但丁在〈煉獄〉的第一詩篇中所提到的三種野獸，或是〈耶利米書〉的第十六首詩篇。』塔夫特環視全場。

『我才要說……』吉爾面帶微笑，低聲地說。

出乎我意料之外，查理竟然噓了一聲，不讓他說話。

『獅子代表驕傲之罪，』塔夫特接著說，『狼則代表貪婪；這些都是嚴重叛逆之罪——像撒旦或猶大——正如刑罰所暗示的。不過《尋愛綺夢》還是有一點更動：但丁詩中第三種野獸是獵豹，代表慾望，而法蘭契斯科·柯羅納卻用狗來代替豹，表示慾望並**不是**這兩名女子所犯下的罪行。』

塔夫特又停頓一下，讓聽眾有時間消化這些資訊。

『現在，我們開始要閱讀的，是一種殘酷的詞彙；但是並非如你們所想的那樣，這不純然是野蠻的語言，而是跟我們所有的儀式一樣，都有豐富的意涵。你們就是要學著去讀，因此我要再多提供一點資訊，讓你們可以用來詮釋這個圖像——然後我會問你們一個問題，其他的就靠你們自己去想了。

『最後一個線索是個事實，也許很多人都知道，但是卻忽略了；也就是說，我們單單從這個小孩手裡所拿的武器，就可以斷定寶莉雅誤判了這個孩子的身分；如果這個惡夢裡的小孩真的如寶莉雅所說的是丘比特，那麼他的武器就不應該是劍，而是弓箭才對。』

聽眾席立刻傳來一陣竊竊私語，數以百計的學生此後對情人節會有全新的看法了。

『因此我要問各位：這名揮舞著長劍、勒令女子拉著他的戰車穿越崎嶇森林、最後還把她們像叛國賊一樣一劍刺死的小孩，到底是誰？』

他等了一會兒，好像準備要公布解答，但是最後卻說：『解答了這個問題，你們就會開始了解隱藏在《尋愛綺夢》書中的真相，也許你們也會開始了解到死亡以及死到臨頭時形式的重要。我們這些人，不論有信仰或沒有信仰，都對十字架這個符號太習以為常，因此無法理解釘十字架的重要。但是宗教，尤其是基督教，總是在講述生命中死亡的故事，犧牲與殉道的故事；今天晚上，特別是今天晚上，我們在此紀念所有殉道者當中最著名的一個，感念他為我們所做的犧牲，就更不應該遺忘這個事實。』

他拿下眼鏡，折起來放進胸前口袋，微微仰起頭說：『我把這個任務交付給你們，也把我的信心放在**你們**身上。』

說罷，他向後退了一步，又加了一句：『謝謝大家，祝大家晚安。』

＊　＊　＊

掌聲從演講廳的每一角落爆發出來——起初有點尷尬遲疑，但是不久之後就漸次加強，直達巔峰。儘管先前有人鬧場，但是全場聽眾還是深受吸引，這位奇特的人把學術與血腥殘殺結合在一起，讓聽眾完全浸淫其中。

塔夫特點點頭，慢慢踱向講台旁的桌子準備坐下，但是掌聲不絕，有些聽眾甚至站起來鼓掌。

『謝謝，謝謝。』他手扶著椅背，仍然站著，臉上又出現原有的笑容，就好像他的目光一直都看著聽眾，始終沒有離開。

韓德森教授起身走到講台，掌聲也暫時停歇。

『按照傳統，』她說，『我們在教堂與演講廳之間的庭院裡準備了茶點，工作人員也在桌子底下放了室外暖爐，歡迎各位前往享用。』

接著她轉向塔夫特又說：『我要再一次感謝塔夫特博士帶來一場令人難忘的演講，真是令人印象深刻。』她笑一笑，不過有點自制。

聽眾再次鼓掌，同時也慢慢向出口移動。

塔夫特看著聽眾離場，我則看著他。他向來深居簡出，我很少有機會看到他，今天算是其中之一；現在我終於理解為什麼保羅說他很有魅力了。即使你知道他在跟你玩遊戲，你也幾乎不可能將目光從他身上挪開。

塔夫特慢條斯理地走過講台，白色銀幕自動收回天花板上的縫隙裡，三張幻燈片投射在後面的黑板上，變成一片灰色的呢喃；我幾乎分辨不出圖像中爭食女人屍體的野獸和飄浮在半空中的孩童。

『你也來嗎？』查理跟著吉爾在出口旁邊徘徊。

我也趕上前去。

11

『你沒找到保羅啊？』我一趕上他們，查理就開口問道。

『他說不需要我幫忙。』

我提到在演講廳外耳聞他們的談話時，查理看著我的表情像是在說我不應該讓保羅一個人走。有人在我旁邊停下來跟吉爾打招呼，於是查理轉身面向我。

『保羅去找柯瑞？』他問。

我搖搖頭說：『找比爾。』

『你們要去參加茶會嗎？』吉爾發現很多人都走掉了，喊道，『來捧個人場吧！』

『當然會去。』我說。吉爾似乎安心一點，他的心思不在這裡，我們要回到他擅長的領域。

『我們得避開傑克·帕羅和凱莉——他們兩個只想談球賽，』他回到我們身旁說，『但是應該不會太糟糕。』

他帶著我們走下樓梯，走到一片淡藍色的庭院；柯瑞和保羅在雪地留下來的足跡早就被吹得無影無蹤。帳篷下擠滿了學生，而我幾乎立刻就想到：只要有吉爾在，不管想避開什麼人都是徒勞無功。我們冒著風雪，一直走到幾乎就在教堂前面的帳篷裡，但是他的社交吸引力還是無遠弗屆。

第一個過來的是在大門口擔任接待員的金髮女生。

『塔拉，妳好嗎？』她剛鑽到帳篷底下，吉爾就立刻跟她打招呼，『比妳想像中還要刺激得多吧？』

查理不願意跟她說話，卻也不想做得太明顯，於是故意把目光轉移到桌上的食物，桌上的銀色大壺裡裝著熱巧克力。

『塔拉，』吉爾說，『妳認識湯姆吧？』

她很客氣地說不認識。

『啊，』吉爾輕聲地說，『大概不是同一級吧！』

大約隔了一秒鐘我才想到他指的是年級，而不是階級。

『湯姆，這位是塔拉‧皮爾森，二〇〇一年級的，』他發現查理在躲我們，『塔拉，這位是我的好朋友湯姆‧蘇利文。』

這個介紹只是徒增尷尬罷了。吉爾才剛講完，塔拉立刻就找到一個機會，指著查理，像連珠砲似講個不停。

『我**真的**很抱歉，剛才不應該對你的朋友說那些話，』她說，『我真的不知道你們是誰……』

她的話匣子一開就不可收拾，總之，她的意思是說我們不應該跟那些她從未見過的無名小卒一樣受到同等待遇，因為吉爾跟我們在同一個臉盆上刷牙云云。

她說得愈多，我就愈懷疑她怎麼還沒有變成長春藤的笑柄。有個傳言——是真是假，我倒是不知道——說像塔拉這樣除了容貌之外沒有什麼值得推薦的大二學生，有時候還是可以獲選加入長春藤社，這都得歸功於名為『三樓比評』的特殊程序；比評委員邀請這些申請人到長春藤三樓的密室，跟他們說，除非他們能夠表現出特別強烈的意願，否則是沒有機會加入長春藤。

我只能推測這個程序的實際情況是怎麼回事，吉爾當然是矢口否認，但是我想，像三樓比評這種迷思的魔力也就在此：愈是不能講的事情，就愈是難以啟齒。

塔拉一定是猜到我在想什麼，或者她只是發現我心不在焉，因為她終於找了一個藉口走出帳篷，回到風雪中。我看著她頭髮飛揚地走到另外一個帳篷，心想：終於擺脫她了。

我看到凱蒂。她站在對面帳篷的外面，一副不想說話的樣子；她手上的那杯熱巧克力還在冒煙，相機則掛在脖子上，好像護身符似的。

我花了好一會兒工夫才知道她在看著什麼。如果是幾個月前，我可能會以為她在尋覓生命中另外一個稍縱即逝的男子，當我每天晚上忙著研究《尋愛綺夢》的時候，可以守在她身邊陪伴她的人；不過現在我卻不作如是想，讓她目不轉睛地盯著看的，無非是教堂罷了。此刻的教堂看起來像是矗立在一片白色汪洋邊的懸崖，攝影師夢寐以求的題材。

人與人之間的吸引力實在令人費解，我到現在才開始慢慢學習。我第一次看到凱蒂的時候，覺得只要看她一眼，所有的車輛都會自動停下來；當然並不是所有的人都認同我的想法（像查理就喜歡肉肉的女人，所以他比較欣賞凱蒂的決心，而不是她的外表），但是我卻為她深深著迷。在交往之初，我們在彼此面前都展現出最好的一面——穿上最好的衣服、表現出最好的風度、分享最好的故事——不過我一直以為我之所以有這等好運，無非是因為比她高兩屆，再加上她所屬社團的社長又是我的好友，因此才會有一點小小的優勢值得佳人青睞。

那個時候，只要想到拉拉她的小手或是聞到她的頭髮，都會讓我情慾高漲，非得沖個冷水澡不可。我們是彼此的戰利品，把對方當做偶像崇拜。

過了幾個星期之後，我就把她從架子上拿下來，她也禮尚往來。我們開始有些爭執，因為我的房間暖氣開得太強或是她睡覺時不關窗；我如果吃兩份甜點，她也會罵我，因為她說總有一天，連男人也要為他們犯下的小過失付出代價。吉爾總是開玩笑說我被馴服了，好像我以前有多狂野似的；其實，我一直都是好丈夫的料。即使不冷，我也把暖氣調得很強；即使不餓，我也多吃一份甜點——因為我知道凱蒂的勸誡意味著她未來不會容忍這些事情，而我們**真的**有未來可期。過去的那些綺思幻想，跟陌生人之間的觸電感覺，現在都變得非常微弱。我最喜歡她現在站在庭院裡的這個樣子。

她的眼睛專注，好像一整天的工作已經快要結束的樣子；她的長髮披肩，任由強風從髮間縫隙吹過。我喜歡這樣遠遠地看著她，把她整個人看進我的心坎裡。我向前走了一步，縮短了我們之間的距離；她看到我，揮手要我過去。

『剛剛是怎麼回事？』她問，『打斷演講的人是誰？』

『李察‧柯瑞。』

『柯瑞？』她握起我的手，咬著下唇說，『保羅還好嗎？』

『我想還好吧！』

我們看著群眾，陷入了短暫的沈默。穿著連帽防風夾克的男性紛紛脫下外套，遞給衣衫單薄的女友禦寒；塔拉，那個在大門擔任接待員的金髮女生，也發揮魅力，讓一位陌生男子心甘情願地脫下外套。

凱蒂回頭往演講廳走，『你覺得怎樣？』

『什麼？演講嗎？』

她點點頭，開始把頭髮紮起來。

『有一點血淋淋。』我對那個食人魔怪是不會有什麼好話的。

『但是比平常的演講有趣。』她把手裡那杯巧克力遞過來，『幫我拿一下。』她把頭髮捲成一個髮髻，然後從口袋裡拿出兩根長針穿過去。她的雙手靈巧，即使看不到也輕輕鬆鬆地整出一個髮型，讓我想起母親總是站在父親的背後替他打領帶。

『怎麼啦？』她看到我的表情。

『沒什麼，只是想到保羅。』

『他會準時完成嗎？』

論文截稿期限。即使現在，她還注意著《尋愛綺夢》；明天晚上，她就可以躺在我的舊床墊上好好休息了。

『希望如此。』

我們又陷入一陣沈默，這一次就沒有那麼自在了。我正想要轉移話題，談談她的生日或是還放在我房間裡的禮物，就在這時候，厄運臨頭——厄運以查理的模樣現身。查理在茶點桌邊繞了二十圈之後，終於決定加入我們的談話。

『我來晚了，』他鄭重地說，『簡報一下好嗎？』

查理的怪事不少，其中最奇怪的就是他在男生堆中向來是無所畏懼的勇猛戰士，但是一到了女孩子面前就渾身不自在，滿嘴胡說八道。

『簡報？』凱蒂有點好笑地說。

他把一塊點心塞進嘴裡，然後又塞了一塊，看著群眾尋找可能的話題。『妳知道啊，就是妳們班怎麼樣啊，誰跟誰在談戀愛啊，妳明年要做什麼啊之類的。』

凱蒂莞爾一笑。『查理，我們班很好。湯姆和我還在談戀愛。』她說著有點責難地看了他一眼，『還有，我才要升大三，所以明年還會在**這裡**。』

『啊，』他總是不記得她的年紀。他伸出巨靈般的大手，手裡拿著一塊餅乾，搜索枯腸地想著大二跟大四之間該聊些什麼才好。『大三也許是最辛苦的一年了，』他選了最糟糕的閒聊主題：給建議。『兩篇報告，主修的必修課，還要跟這傢伙分隔兩地，』他一隻手指著我，一隻手繼續把食物塞進嘴裡，『不容易啊！』他在嘴裡咂咂舌，一面品味著他塞進去的食物，一面思索著我們的前途。『我想我不會嫉妒才對。』

他停了一會兒，讓我們有消化的時間。真是一個經濟實惠的奇蹟，查理才說了不到二十個字，就讓情況更形惡化。

『妳希望今天晚上也能參加嗎？』他突然說。

凱蒂還抱著一線希望，等他進一步解釋這句話，看情況會不會好轉。不過我比較熟悉他腦子在想些什麼，知道這個希望非常渺茫。

『裸體奧運啊，』他完全無視於我打手勢要他轉移話題，『妳難道不想參加嗎？』

這個問題是致命的一擊了，我知道會有這麼一拳，卻毫無招架之力。查理為了顯示他知道凱蒂是大二學生，或許也知道她住在好德樓，竟然問我的女朋友會不會因為失去了在全校學生面前赤身露體的機會而感到懊惱。我想這個問題的背後應該算是恭維吧？或許他覺得女人若是有凱蒂這種身材一定迫不及待地要向大眾炫耀一番。查理似乎毫無警覺，完全不知道這句話絕對會出亂子。

凱蒂繃著臉，尋思他問這句話的用意。『為什麼這樣問？我應該要參加嗎？』

『這倒不是。只是我認識的大二學生當中，沒有幾個願意放棄這個機會。』他的語氣變得客氣許多，顯然知道自己誤踩地雷。

『什麼機會呢？』凱蒂進一步追問。

我想要助查理一臂之力，看看有沒有比較好聽的說法來形容喝醉酒脫光衣服裸奔，可是腦子裡卻有一群鴿子振翅亂舞，滿腦子都是鳥屎和羽毛。

『在大學四年裡能夠有一次脫光衣服的機會。』查理支支吾吾地說。

凱蒂慢慢地看了我們兩人一眼，打量著查理一身蒸氣地道裡的裝扮，還有我從衣櫃最深處挖出來的衣服，一針見血地說：『好啊，那我想咱們算是平手了。因為我認識的大四學生當中，也沒有幾個願意放棄在大學四年裡能夠有一次**換衣服**的機會。』

我忍住了伸手去撫平縐摺的衝動。

查理知所進退，假借要去餐桌拿食物先行遁逃。他的任務已經完成了。

『你們這些傢伙真的是一群寶，』凱蒂說，『你知道嗎？』

她試著一笑置之，但在語氣中卻有一絲藏不住的沈重；她伸手揉一揉我的頭髮，想要講點別的話題，這時候一個長春藤的女社員挽著吉爾的手臂來到我們面前。從他臉上抱歉的神情看來，我知道這位就是他要我們迴避的那位凱莉小姐。

『湯姆，你認識凱莉·丹娜吧？』

我還來不及說不認識，這位凱莉就已經滿臉怒氣地看著庭院遠處角落裡的什麼東西。

『那些白癡混蛋，』她把手裡的紙杯摜在地上，大罵道，『我就知道他們今天晚上一定會搞怪！』

我們都轉身過去看個究竟，只見從餐飲社團的方向來了一群人，身上穿著羅馬時代的短衫、長袍。

查理也向我們這裡跨了一大步，看個仔細，嘴裡忍不住喝倒采。

『叫他們滾蛋。』凱莉高聲下令，但是卻沒有特定的指派對象。

這一群人冒著風雪走進我們的視線，顯然正是凱莉所擔心的：經過設計的鬧場表演。他們的袍子在胸前寫了兩排字，雖然我還看不清楚下排的文字，不過上面一排卻是兩個英文字母：『T.I.』。

『T.I.』是老虎酒店（Tiger Inn）的縮寫，這不但是普林斯頓第三悠久的餐飲社團，也是校園內唯一由瘋子負責經營收容所的地方；只要老虎酒店想到了什麼作弄人的新把戲，第一個開刀的對象就一定是長春藤社。今天晚上正是不容錯過的好機會。

庭院裡陸續爆出笑聲，但是我得瞇著眼睛才看得出所以然來：這一群人都戴著長長的灰鬍鬚與假髮。我們四周的帳篷都擠滿了爭睹盛況的學生。

經過短暫的混亂之後，老虎酒店的成員排成了一列，這時候我才終於看到長袍上的第二排字寫的是什麼：每件長袍上都有一個字，每個字都是一個人名；排在中間身材最高的那一個身上寫的是耶穌，他的左右兩側各有六個人，分別是耶穌的十二門徒。

笑聲和歡呼聲此起彼落，愈來愈大聲。

凱莉一副咬牙切齒的神情，至於吉爾臉上的表情，我則看不出來他是極力壓抑自己的笑意以免得罪凱莉，抑或是故意擺出這個表演很好笑的樣子，即使心裡不以為然。

扮演耶穌的人向前邁一大步，舉起雙手，作勢要群眾噤聲。庭院裡的笑聲稍歇，他又退回行列；一聲令下，原來的一長排變成了三列的合唱團隊形，耶穌則站在一旁指揮。他從長袍下抽出一根定音笛，吹出一個音調，坐著的那一排開始跟著哼，然後跪著的那一排加入了完美的三度音程；最後，就在這兩排人似乎一口氣就要接不上來的時候，站著的那一排門徒加入了五度音程。

群眾看到這種精心策劃演練的表演，又忍不住鼓掌叫好。

『**長袍穿得好！**』附近帳篷有人爆出一聲好。

耶穌轉頭，對著聲音來源的方向揚揚眉，然後又回頭繼續指揮。最後他揚起手中的指揮棒，手腕在空中輕點三下，然後手臂誇張地向後一擺，接著再往前一甩，合唱團的歌聲也跟著揚起，『共和國戰歌』的曲調傳遍了整個庭院。

我們前來傳述天主上大學的故事，
但是憤怒的葡萄已經在肚子裡醞釀，
所以我們若是有點醉意也請見諒，
我們聖人還是向前行。

榮光啊，榮光，我們是
所有拿撒勒門徒的化石，
如果不是耶穌，我們只是
來自加利利的小小漁夫。
所以請聽我們的故事。

你們的耶穌只是古代來自中東的凡夫俗子，
唸的是公立學校，卻有特殊的聖杯：
他寧可下地獄受火刑，也不願上哈佛或耶魯，
所以選擇已經相當明確。

榮光啊，榮光，上帝勸服他
耶穌基督進了普林斯頓。
他做了正確的抉擇，
選擇主修宗教，
至於其他的都已成歷史。

因此基督在十八歲那年秋天來到校園，
成了校園裡的大人物，前所未見。
最後耶穌選了老虎酒店，
讓其他社團的臉都跟長春藤一樣綠。

這時前排有兩個門徒站起來，向前跨了一步；第一個攤開手中的紙捲，上面寫著『長春藤』，第二個手上那張紙捲則寫著『村莊』；他們兩人傲慢地彼此互看一眼，趾高氣揚地在耶穌

身旁走來走去，然後歌聲又繼續：

合唱團：榮光啊，榮光，耶穌接受比評
傲慢的異教徒吃吃竊笑。
長春藤：我們不收猶太人。
村莊：木匠也不列入考慮。
合唱團：所以天主啊，他加入老虎酒店。

凱莉緊握雙拳，好像要掐出血似的。

這時十二門徒又排成一長排，耶穌還是在中間；他們手挽著手，開始踢腿，動作熟練一致，邊唱邊跳：

耶穌，耶穌，他是有趣的傢伙，
感謝他，我們成了校友。
再也沒有什麼更神聖，
除了把清水變成美酒。
他的史實將流傳永久。

唱到這裡，十三個人同時轉身，以精準一致的動作蹶起屁股，一起掀開長袍，露出兩片屁股，每個人的屁股兩邊各寫上字母，正好排成一句話：

老虎酒店社祝各位復活節快樂

現場一片喧囂，有無休無止的掌聲，有如沸騰般的歡呼，但是也有一些噓聲從角落裡傳出來。就在這十三個人準備要離去之際，庭院的另外一邊突然傳出爆裂聲，接著是玻璃破裂的聲音。

所有的人都轉頭過去看，歷史系館迪金遜大樓的頂樓，燈光閃了一下，隨即熄滅；有一扇窗戶破了。我在黑暗中看到人影移動。

一名老虎酒店的門徒開始歡呼。

『發生什麼事？』我瞇著眼睛，可以看到破裂的玻璃窗旁邊有人。

『這一點也不好玩！』凱莉對著猶大低吼，他走到了足以聽到她說話的距離。

他眼皮一翻，理也不理。

『他想做什麼？』她指著窗戶對他大吼。

猶大想了一會兒。

『他要小便。』他笑得站不穩，又重複一遍，『他要對著窗外小便。』

凱莉衝到耶穌旁邊。

『德瑞克，這到底是怎麼回事？』她說。

頂樓辦公室裡的人影晃了一下又消失，從他的動作看來，我覺得好像是喝醉的樣子，一度看似用手在掃碎玻璃，但是一下子又消失不見。

『我想樓上還有別人。』查理說。

突然間，我們可以看見那個人的身體整個靠在毛玻璃上。

『他要小便。』猶大一再地說。

其他的門徒中開始有人亂糟糟地喊：『跳下來，跳下來！』

凱莉在他們面前轉來轉去：『你們閉嘴！找死啊！快去把他弄下來！』

那個人的身影又消失了。

『我覺得那不是老虎酒店的人，』她擔心地說，『我想是裸體奧運的人喝醉了酒。』

可是那個人身上穿著衣服。我盯著黑漆漆的窗口，想要分辨那個身影，可是這一次他並沒有出現。

我身邊那些等不及的門徒開始噓他。

『快跳啊！』其中一個人又喊了一句，可是德瑞克從後面推他一把，叫他安靜。

『你們都給我滾！』凱莉吼道。

『姑娘，別急。』德瑞克說著，把四散的門徒聚攏在一起。

吉爾從這些人出現開始，臉上一直掛著那種似笑非笑、莫測高深的神情；他看看錶，說：

『唉，看來我們把所有好玩的事都……』

『噢，天哪！』查理大喊。

他的聲音幾乎蓋過第二次爆裂聲的回音，不過這一次我聽得一清二楚，是槍聲。

我跟吉爾都及時轉頭，親眼目睹那個人背對著窗戶，從窗口掉下來，短短幾秒鐘之內就像自由落體一樣，一聲悶響，砸在雪地上。突如其來的意外，讓庭院裡的聲音和動作全都停了下來。

接著，一切歸零。

＊　＊　＊

我記得的第一個聲音，是查理衝到那個人身邊，踩在雪地上的腳步聲；然後一群人也跟著擁上，圍在現場，阻絕了我的視線。

『噢，我的天哪！』吉爾低聲道。

混亂中有人喊道：『他怎麼樣了？』可是沒有任何動作的跡象。

最後終於聽到查理的聲音。『趕快打電話叫救護車，跟他們說，在教堂旁邊的庭院有個人昏迷不醒。』

吉爾從口袋裡掏出行動電話，可是還沒有撥號，兩名校警就已經來到現場；其中一名校警從人群中擠過去，另一人疏散圍觀的群眾，要他們向後退。我從人群的縫隙中看到查理伏在那個人的身上，雙手壓著他的胸部——完美的動作，就像活塞的上下運動一樣。在這種場合看到查理每天晚上熬夜所做的工作，一種奇特的感覺油然而生。

『救護車馬上就來了！』

遠方似乎傳來微弱的警笛聲。

我的雙腿開始顫抖，有一種毛骨悚然的感覺，好像一片烏雲從頭上飄過。

救護車來了，車子的後門敞開，兩名急救小組成員跳下來，把墜樓的人固定在擔架上；圍觀人群擠來擠去，我從縫隙中看到的動作也是斷斷續續。等到救護車關上車門，我才看到那個人墜落時在地面上留下的壓痕：石板上有一種不該出現的東西，就像童話故事裡的公主身上出現抓痕一樣；我再仔細看因衝擊力道而濺起來的泥巴，這才發現原來我以為的黑色是紅色，而泥土是血跡。樓上的辦公室則是一片漆黑。

救護車火速駛離現場，警笛與閃燈消失在拿梭街。我回頭去看地面留下的痕跡，完全不成人形，好像破碎的雪天使。

寒風瑟瑟，我雙手環抱著身體；庭院裡的人群逐漸散去，我這才發現查理不見了，他跟著救護車一起走。原本期望聽到他的聲音，如今卻只留下令人氣悶的寧靜。

學生壓低聲音交談，慢慢離開庭院。『希望他沒事才好。』吉爾說著，一雙手放在我的肩膀上。

我一時以為他說的是查理。

『回去吧，』他說，『我送你一程。』

他的掌心傳來一絲溫暖，讓我很受用。不過我還是站在一旁，什麼也沒做，只是呆呆地看著。在我心裡，彷彿又看到那個人從樓上墜落，重重地撞在地上；我目睹片段的畫面，聽到打破玻璃的聲音，然後是一聲槍響。

我的胃開始抽搐翻騰。

『來吧，』吉爾說，『咱們走吧。』

風愈來愈強，我也只好同意。救護車開走的時候，凱蒂也不知道消失到何方；她有個朋友就站在我附近，跟我說她已經跟室友一起回好德樓了。我決定回去之後再打電話給她。

吉爾一隻手輕輕地放在我的肩胛骨上，引導我走向車子，他的紳寶就停在演講廳入口附近，車上已經有一層積雪。吉爾有一種本能，知道什麼時候做什麼事情最好，此刻也不例外；他把暖氣調到舒適的溫度，放了一張辛納屈的老歌專輯，再調整合適的音量，直到窗外的寒風冰雪都成了記憶。這時候他才開動車子，一點點地加速，確保我們不受風雪危害，慢慢地穿越校園。我們身後的一切也跟著慢慢消失在風雪中。

『你看到墜樓的人是誰嗎？』他在路上低聲問道。

『我什麼也看不到。』

『你想該不會是……』吉爾往前坐了一點。

『是什麼？』

『我們是不是該打個電話給保羅，看看他有沒有事？』

吉爾把行動電話交給我，可是沒有訊號。

『我肯定他不會有事。』我把玩著行動電話說。

我們坐在車子裡，一言不發，想趕走腦子裡所有不好的臆測；最後吉爾終於開啟了另一個話題。

『你上次回去都還好吧？』他問。我幾天前飛回哥倫布市，慶祝論文完成。『家裡沒什麼事吧？』

我們有一搭沒一搭地東拉西扯，希望不會繼續想到我們心裡正在想的事情。我跟他說兩個姊姊的近況，一個當了獸醫，另外一個則申請學校，要唸商學院。吉爾還問到我母親，他記得她的生日。他跟我說，雖然他把所有時間都花在籌備舞會，不過在我離開的這段時間，他仍然在經濟系繳交期限之前的最後幾天，寫完了他的論文。最後我們又談到，不知道查理申請醫學院錄取了沒有，不知道他會去哪裡，因為查理有時候太謙虛，有些事情連我們也不肯說。

我們的車子往南開，在模糊的夜色中，兩側的宿舍蹲踞路旁。教堂旁發生的事情，此刻必然已經傳遍整個校園，因為路上連一個行人也沒有，只有靜靜停在路邊的車輛。停車場在多德樓的後面，距離大門只有半哩遠，但是我們走回宿舍時卻覺得好像永遠也走不到似的。到處都沒有看到保羅的蹤影。

12

研究《科學怪人》的學術圈內有一種流傳甚久的看法，認為小說中的怪物只不過是個隱喻；這種說法倒也不是空穴來風，因為作者瑪麗・雪萊自己也在書中說這個怪物是她恐怖的後代子孫、是死去之物卻有自己的生命。十九歲開始寫這本書的瑪麗・雪萊在十七歲那年喪女，而且自己的母親又在生她的時候難產死亡，顯然這個角色是別有寓意。

我一度認為保羅和我的論文之間唯一的共通點就是瑪麗・雪萊：她跟羅馬的法蘭契斯科・柯羅納堪稱是一對璧人：有些學者指稱柯羅納在寫《尋愛綺夢》一書時只有十四歲，兩人都在青少年期就表現出超齡的智慧。在我遇見凱蒂之前的那幾個月裡，瑪麗和柯羅納在我心目中就是一對超越時空的戀人，在不同的時代卻同樣地年輕；但是對於可以跟我父親那一輩學者平起平坐的保羅來說，他們卻象徵著年輕一代的力量，足以跟冥頑不靈的老舊勢力相抗衡。

不過說也奇怪，保羅首度在《尋愛綺夢》的研究上有所進展，卻是在於指出法蘭契斯科・柯羅納是個年紀比較長的人，而不是青少年。他認識塔夫特的時候還不過是大一新生，不過這個老怪物就已經察覺到這個青澀的新人受到我父親的影響甚深。儘管塔夫特宣稱自己早就不再研究這本古書，可是他還是迫不及待地在保羅面前證明我父親的理論有多愚蠢。

塔夫特堅持《尋愛綺夢》是威尼斯的柯羅納所著，還說他有足夠的證據可以證論我父親所謂的偽作者才是真正的作者。

他說，《尋愛綺夢》在一四九九年出版，當時羅馬的柯羅納已經四十九歲，這一點沒有疑義；可是柯羅納在自己所寫的真實故事最後一頁中，卻說這本書是在一四六七年完成的——此時，我父親的柯羅納才十四歲。因此塔夫特堅稱，就算《尋愛綺夢》的作者不太可能是那位犯案累累的修士，但要說這本書出自一位青少年的手筆，那根本就不可能。於是他就像那位不斷出難題給赫丘力斯[20]的壞心國王一樣，把這個問題交給保羅去解決；他說，除非這位新手學徒能夠先解決柯羅納的年齡爭議，否則只要前提是認定羅馬人為作者的研究，他都一律不予協助。

面對這些言之成理的事實，保羅幾乎找不到任何解釋，但是也不肯屈服。他不但從塔夫特給他的挑戰中尋找啓示，同時也從塔夫特本人的身上看到值得學習之處：雖然他不認同這個人對《尋愛綺夢》的僵化詮釋，但是卻用同樣冷峻嚴苛的標準來評斷資料。

我父親的研究方法是依循自己的靈感與本能，在異國場景如修道院、教廷圖書館等地找資料；不過保羅卻效法塔夫特，以更徹底的方法著手：再小的書也不肯放過，再枯燥乏味的地方也不願錯失。他在普林斯頓大學的圖書館系統裡，上窮碧落下黃泉，從頭到尾搜過一遍；於是他逐漸推翻自己早年對書本的看法，就像一輩子生長在池塘旁邊的小男孩，一旦見識到廣濶無邊的海洋，那麼他對水的看法自然也會改觀，畢竟保羅在上大學之前的藏書只有不到六百冊，而普林斯頓大學光是總圖書館裡的書架排起來就有五十多英里，藏書超過六百萬冊。

這個經驗起初讓保羅為之震懾，我父親那種古意盎然、純粹憑運氣找到關鍵文件的研究方法，霎時間冰消瓦解。這也使得保羅開始對自己產生質疑，而我想這種內省與自我質疑對他來說更痛苦，因為他開始懷疑自己的天分只不過是在鄉下稱霸的小聰明，懷疑自己不過是天空中黑暗角落裡一顆不足為奇的小星星。儘管跟他一起上課的學長都承認他的程度已經遠超過他們，儘管教授們也將他視為未來的學術明星，不過對保羅來說，若是不能在《尋愛綺夢》的研究上有長足的進展，這些稱讚與肯定都沒有意義。

然而，在他去義大利的那年夏天，這一切都改觀了。保羅找到了一些義大利學者的著作，也多虧了他在學校裡學了四年的拉丁文，才能勉強讀完這些文本。他找到威尼斯偽作者的義大利文傳記定本，從書中發現《尋愛綺夢》的部分內容來自另外一本在一四八九年出版，名為《富饒角》的書。這不過是偽作者生平中的一件小事，看起來無足輕重，但是保羅卻看出一點端倪，因為他對羅馬的柯羅納到底年紀多大這個問題始終念念不忘。如果有了這個細節，那麼不管柯羅納本人宣稱是在什麼時候寫這本書，都足以證明他完成的時間不會在一四八九年之前，這時候羅馬的柯羅納就已經三十六歲，而不是十四歲。

雖然保羅猜不透柯羅納為什麼要謊報《尋愛綺夢》的創作時間，但是他知道自己完成了塔夫特給他的挑戰。也不知是福是禍，他一頭走進了我父親的世界。

此後，保羅的信心大增；擁有四種語言的優勢（還要加上第五種語言就是英文，不過除了閱讀相關的研究資料之外，英文是毫無用武之地），再加上充分了解柯羅納的生平與時代，於是他開始研究文本。日復一日，他花在這個研究的時間愈來愈長，而且他對《尋愛綺夢》的態度也讓我覺得似曾相識，因此心裡有些不安：書頁成了他跟柯羅納鬥智的戰場，勝者全拿。

在他前往義大利之前，塔夫特對他的影響還處於蟄伏的狀態，但是隨著保羅的興趣慢慢變成一種偏執著迷，塔夫特和比爾在他的生活中也愈來愈重要；如果不是有人適時介入，我想我們可能會完全失去這個朋友。

⑳譯註：赫丘力斯，Hercules，希臘神話中的大力士。

這個人就是法蘭契斯科·柯羅納，因為他的書不是保羅想像中那麼簡單的對手。雖然保羅使盡所有腦力，這本書仍然像一座大山一樣文風不動。

研究進度緩慢，再加上大三那年的時序由秋入冬，保羅的脾氣愈來愈壞，言詞尖銳，粗魯無禮，顯然是他從塔夫特那裡學到的功夫。

吉爾跟我說，長春藤裡的社員開始取笑保羅，說他總是藏在書堆裡一個人吃飯，從來不跟別人說話。我看著他的自信逐漸凋萎，也對我父親說過的話有更深一層的體會，他說：《尋愛綺夢》是魔法女妖，從遠方海岸傳來魅惑的歌聲，攫取人心；你若想追求她，就會身陷險境。

冬去春來，宿舍裡的男男女女穿著清涼背心在窗外擲飛盤，樹梢蹦現了花蕾與松鼠，網球場上也傳出球賽廝殺聲，可是保羅仍然一個人在房裡，拉上窗簾，緊鎖房門；門前的留言板上還寫著斗大的『請勿打擾』。這個季節裡讓我喜愛的一切，他都稱之為干擾——花香、鳥語，還有經過漫長冬季閉關啃書之後那種令人感到不耐的氣氛。我知道自己也會讓他分心，而且他跟我說的每一句話聽起來都像是外國來的氣象報告，於是我也愈來愈少去找他。

一直到夏天過後，他才有所改變。大四那年的九月初，他在空無一人的校園裡獨處了三個月之後，突然張開雙臂歡迎我們進入他的生活，還幫我們搬家。他對別人的打擾不以為意，也渴望跟朋友共處，而不再執著於過去。那個學期的頭幾個月裡，我跟保羅恢復原來的友誼，而且比以前更要好。

在長春藤裡，他毫不理會那些挑他語病、等著看好戲的人。他跟塔夫特和比爾在一起的時間愈來愈少；他開始享受美食和課間散步；甚至連每個星期二早上七點鐘在他窗前收垃圾擾人清夢的工人，他也能一笑置之。我覺得他愈來愈好，甚至可以說是重生為人。

大四那年十月，也就是我們在大學裡的最後一個秋天結束之後，有天晚上保羅跑來找我，那時候我才知道，原來我們的論文還有另外一個共通點：我們兩人所寫的主題都是死後仍然拒絕遭埋葬的東西。

『我有什麼辦法說服你改變心意回來研究《尋愛綺夢》？』他在那天晚上問我，而從他嚴肅的表情看來，我知道他一定有什麼重大發現。

『沒有。』我跟他說。這有一半是真心話，但也有一半是探探他的口風。

『我覺得我在今年夏天已有所突破，但是需要你的幫忙才能看得懂。』

『願聞其詳。』

不管我父親是如何開始研究《尋愛綺夢》，也不管他過去對這本書的好奇心有多麼令人振奮，但是對我而言，這才是我的開始。保羅在那天晚上所說的話，為柯羅納的這本死去已久的書注入了新的生命。

＊＊＊

『去年在我很沮喪的時候，塔夫特介紹我認識布朗大學的史蒂芬・葛伯曼，』保羅開始說道，『葛伯曼的研究領域是數學、密碼學和宗教，專長是以數學來分析「摩西律法」，你聽說過嗎？』

『聽起來像是希伯來密教卡巴拉。』

『沒錯。不光是研究雕刻的文字，而且還要研究**數字**。希伯來文的每一個字母都有相對應的數字，利用字母的順序可以找到某種數學的模式。

『起初我也是半信半疑，花了十個鐘頭的時間聽他講解「天體對應」，也還是不相信這種說法，因為跟柯羅納似乎八竿子打不著。在今年夏天之前，我看完了《尋愛綺夢》的所有相關資料之後，開始閱讀文本，但是根本無從著手；不管我從什麼角度來詮釋，到最後都是自打嘴巴。用某種結構模式，朝特定方向解讀，看了幾頁之後好像有些端倪，但是句子又中斷了，到了下一頁又完全不是那麼一回事。

『我花了五個星期，才看完柯羅納所描寫的第一座迷宮；我研究了維特魯威[21]，才了解建築用語，還查遍了我所知道的所有迷宮——埃及鱷魚城裡的迷宮，還有拉姆諾斯、克魯西姆和克里特島上的迷宮，還有其他六、七個——這時候我才知道，原來《尋愛綺夢》裡有四座不同的迷宮：一座在廟裡、一座在水裡、一座在花園、還有一座在地底下。

『每當我自以為解開了某一層的涵義，文字又變得複雜了四倍。就連普力菲羅也是從書一開始就迷了路，還說：我唯有祈求克里特的亞莉阿德妮垂憐，如同贈絲線予忒修斯一般[22]，領我逃出艱鉅的迷宮。就好像，這本書知道自己是如何虐待我似的。

『最後我終於發現，**真正**有用的方法就是把每一章的第一個字母連起來。於是我就遵照書中所說的，祈求克里特的亞莉阿德妮垂憐，去找唯一能夠解決這個謎題的人。』

『所以你去找葛伯曼。』

他點點頭。『我已經走投無路，不得不向他低頭。今年七月，塔夫特堅稱我用這個方法已經有長足的進展，於是葛伯曼同意讓我去普羅維敦斯跟他住一陣子，利用每個週末教我一些更精緻的解碼技巧；也就是這個時候，事情開始有了起色。』

我還記得保羅在講話的時候，我的眼光看著他身後的窗戶，覺得窗外的景色開始產生變化。那個星期五的晚上，只有我們兩個人坐在多德樓的宿舍房裡，查理和吉爾帶著一群長春藤和急救小組的朋友在蒸氣管坑道裡玩漆彈槍；第二天我有一篇報告要寫，還有一個考試要準備。一個星期之後，我第一次遇見凱蒂；不過在那當下，我全神貫注地聽著保羅說話。

『他跟我說，最複雜的概念，』他接著說，『就是解讀由文字本身形成數字系統或密碼的書籍；在這個情況下，解謎的鑰匙就藏在文本之中。你用方程式或一連串的提示來解開通關密語，然後再用通關密語解開文本。也就是說，這本書會自我詮釋。』

我微笑道：『這個念頭聽起來會讓英文系破產。』

『我也很懷疑，』保羅說，『可是後來我發現這還是一種傳統。啟蒙時代的知識份子都用這種方式來寫短論冊子，把它當作一種遊戲。整個文本看起來就像是一般的故事或書信體小說之類的，但是如果你知道箇中技巧——例如找出故意拼錯的字或是解開插圖裡的拼圖——你就可以找到解謎之鑰，就像是「只用質數和整數的平方，以及所有第十個字共用的字母；金凱王所說的話和女僕問的問題除外」等等。遵照這個指示去解謎，最後就會出現謎底，通常是一首打油詩或黃色笑話，不過有個傢伙也用這種方法來寫遺囑，誰能解開謎語就能繼承他的遺產。』

㉑譯註：維特魯威（Marcus Vitruvius Pollio），古羅馬的作家、建築師和工程師，生卒年和生平不詳，著有《論建築》（De architectura）。

㉒譯註：亞莉阿德妮（Ariadne），克里特島的公主，忒修斯（Theseus），雅典王子。亞莉阿德妮在其父親建造的迷宮入給給忒修斯一個毛線球，協助他進入其中殺死怪物。

保羅從一本書中抽出一張紙，紙上有兩段文字，其中一段由密碼寫成，底下較短的一段則是解碼後的訊息；至於前面一段如何變成後面一段，我就看不懂了。

『過了一陣子，我開始覺得這個方法也許可行。也許用《尋愛綺夢》每一章的第一個字母所拼湊出來的文句只是一個提示，也許這個提示只是告訴你該用什麼樣的詮釋方法來解讀這本書的其他部分。很多人文主義學者都對卡巴拉㉓深感興趣，而且在文藝復興時期也很流行用文字和符號來玩遊戲，說不定柯羅納就是用某種密碼來寫《尋愛綺夢》。

『問題是我不知道去哪裡找這個數字系統，我甚至開始自創一些密碼，試試看到底行不行得通；就這樣日復一日地跟它奮戰，只要找到一些蛛絲馬跡，就一頭鑽進善本圖書室，花一整個星期找答案——結果卻發現這些線索根本行不通，只不過是個陷阱、一條死巷。

『到了八月，我花了三個星期研究一段文字，這一段故事講到普力菲羅去研究一堆神廟的廢墟，然後在一座方尖碑上發現了一些雕刻的象形文字，開頭第一句話是：獻給神聖永恆尊貴的世界統領朱利斯・凱撒。我永遠不會忘記這段文字，因為我每天來來回回，重複看同一段文字，幾乎快要抓狂；不過就在這個時候，我發現了箇中奧妙。』

保羅翻開桌上一本活頁裝訂的本子，裡面是《尋愛綺夢》的影印本；然後翻到書末他自己做的索引，給我看他把每一章第一個字母抄錄下來後的筆記，看起來像是隨手塗鴉，不過拼湊出來的文句卻是形容法蘭契斯科・柯羅納最著名的一段文字：

『Poliam Frater Franciscus Columna Peramavit

『我最原始的假設很簡單。這段文句不可能只是純粹介紹作者的開場白，一定還有其他更大的目的：第一個字母不只是初步解讀訊息的重要線索，同時也是解讀全書的線索。

『於是我試了一下。我研究的這段文字的第一個符號正好是一個特殊的象形文字：眼睛。』

他翻到他所說的那一頁。

DIVOIVLIO CAES ARI SEMP. A VG.TOTIVS ORB.
GVBER NAT.OB ANIMI CLEMENT.ET LIBER A LI
TATEMAEGYPTII COMMVNIA ER E.S. ER EXER E.

㉓譯註：卡巴拉：kabala，猶太神祕哲學。

『既然這是木雕的第一個字，我認為一定很重要，問題是我仍然不知道該如何下手。普力菲羅對這個符號的定義是：眼睛代表上帝或神明；不過這個定義對我來說毫無用處。

『就在這個時候，運氣來了。有天早上我在學生活動中心工作，因為沒有睡好，所以決定去買一瓶汽水來提神，只不過販賣機出了問題，一直把推進去的一元紙鈔吐出來；我實在太累了，找不到原因，後來低頭一看，這才發現原來我把方向弄反了，紙鈔的背面朝上。我正要把錢翻過來再試一次，突然看到這個東西就在我的眼前，就在紙鈔的背面。』

『眼睛，』我說，『就在金字塔上方。』

『沒錯。就是大鋼印的一部分。這時候我又想到，在文藝復興時期有個著名的人文主義學者，就是用眼睛作為**他的**符號，甚至還印在錢幣和徽章上面。』

他停了一下，好像我知道答案似的。

『亞伯第㉔，』他指著遠處書架上的一本小書說，書背上寫著《建築十書》。『這是柯羅納真正的用意。他要效法亞伯第的書，要你注意到這個符號；如果你能看出什麼端倪，其他的問題也就迎刃而解了。

『亞伯第在他的論述中，創造了許多拉丁文的詞彙，取代衍生自希臘文的建築用語；柯羅納在《尋愛綺夢》一書中也做了同樣的事情──只有一個地方例外。我在翻譯這一段文字的時候就已經注意到這一點，因為我開始碰到一些維特魯威的詞彙，都是很久沒有看到的詞，不過我當時不覺得有什麼重要。

『後來我才發現，原來你得找出這一段文字中所有的希臘文建築用語，然後以拉丁文取而代之，就跟書中的其他地方一樣。把這些拉丁文的詞彙寫下來，然後利用拼湊文句的規則──把每一個詞彙的第一個字母連起來，就像把每一章的第一個字母拼起來一樣——就可以找出拉丁文的訊息，解開謎語。唯一的問題是，如果從希臘文翻譯成拉丁文的過程中出了一點差錯，整個謎語就解不開。比方說，把「entasi」㉕譯成「ventris diametrum」，而不是「venter」，那麼就會多一個 diametrum 的字首D，整段文字就會不一樣。』

他又翻到另外一頁，愈講愈快。『我當然也犯了一些錯誤，不過還好不算太嚴重，不至於拼湊不出拉丁文的文句。我整整花了三個星期，直到你們返校的前一天才終於完成；你想知道這段文字說些什麼嗎？』他緊張地搔著臉龐。『它說：「**誰讓摩西戴綠帽**？」』

他輕輕地笑了一聲。『我對天發誓，我可以聽到柯羅納在笑我，我覺得整本書到頭來只是一個天大的笑話，是我鬧的笑話。我是說真的，你想：**誰讓摩西戴綠帽**？』

『我聽不懂。』

『也就是說，誰對摩西不貞？』

『我知道戴綠帽是什麼意思。』

『事實上，原文並不是真的戴綠帽，而是「誰讓摩西頭上長角？」」早在阿特米德洛斯（Artemidorus）的年代，長角就是指妻子與人通姦、戴綠帽；這是源自於——』

『可是這跟《尋愛綺夢》有什麼關係？』

我等著他跟我解釋或跟我說他解讀謎語的方法錯了，可是保羅卻站了起來，開始在房裡踱

㉔譯註：亞伯第（Alberti，1404-1472），義大利建築師。
㉕譯註：希臘文，意為強度。

步，我看得出來，事情還要更複雜。

『我不知道。我還看不出來這跟全書的其他部分有什麼關係，但是奇怪的是，我就是覺得已經解開這個謎語了。』

『有人讓摩西戴綠帽？』

『可以說是。起先我也認為這一定出了什麼差錯，因為摩西在舊約裡是這麼重要的人物，怎麼可能跟通姦扯上任何關係？就我所知，摩西有個老婆——是一個米甸人，名為希波拉——可是在〈出埃及記〉裡她幾乎沒有現身，我也不知道她有出軌的行為。

『可是在〈民數記〉第十二章第一節卻發生了奇怪的事。摩西的兄姊說了他的壞話，因為他娶了一名古實女為妻。這個細節始終沒有人詳細說明，有些學者指稱，因為古實和米甸是兩個完全不一樣的地方，因此摩西一定有兩個太太。聖經裡從未出現這位古實女子的名字，不過西元一世紀的歷史學家約瑟夫斯（Flavius Josephus）在撰寫摩西生平時，宣稱這個跟摩西結婚的古實或伊索匹亞女子，名為薩碧絲。』

這些細節開始讓我感到難以招架。『所以是**她**對他不貞囉？』

保羅搖搖頭。『不是。摩西娶了第二個太太，所以摩西是對**她**還是對希波拉不忠貞，要看他先娶的是誰；這個部分的紀錄已不可考，不過某些記載也用戴綠帽或頭頂長角來形容出軌的那一方，而未必是被背叛的配偶。這應該就是謎語所指的方向，答案是希波拉或薩碧絲。』

『那你要怎麼辦？』

他的興奮之情似乎開始消退。『到了這裡，我就沒轍了。我試著用希波拉和薩碧絲作為謎底，然後以各種我所能想到的方式，用它們當作通關密語，試圖解開全書之謎，可是怎麼樣都行不通。』

他停頓了一下，好像在等我貢獻一點腦力。

我唯一能想到的話卻是：『塔夫特怎麼說？』

『塔夫特還不知道，他覺得我在浪費時間。自從他認定葛伯曼的解謎技巧沒有任何突破之後，他就叫我回頭去研究他給我的線索，專注在威尼斯那方面的第一手資料。』

『你不打算跟他說嗎？』

保羅看著我，好像我誤解了什麼似的。

『我正在跟你說啊！』

『我聽不懂。』

『湯姆，這不是意外；像這麼大的事情，不可能純屬意外。這是你父親一輩子在找的東西，我們現在該做的事就是破解謎語，我需要你幫忙。』

『為什麼？』

他的語氣堅定，令人不解，好像他在《尋愛綺夢》裡發現了什麼過去被人忽略的東西。『用不同的方式研究這本書，就會有不同的收穫。有時候耐心很重要，專心研究細節；但是有時候卻需要一些直覺本能甚或巧思奇想。我看過你研究《科學怪人》的部分結論，寫得非常好，非常有創見，而你寫來全不費功夫。你仔細想想這個謎語，也許會想到一些我沒有看到的東西，這是我對你唯一的請求。』

＊　＊　＊

當天晚上，我拒絕了保羅的邀約，原因很簡單。在我童年的地圖裡，柯羅納的書就像矗立在山上的一棟廢棄巨宅，龐大的陰影就像惡兆一般遮掩了附近的風景；小時候所有不愉快的神秘記憶，追根溯源，都跟那些讓人看不懂的書頁有關。

許多夜晚，父親因為埋首書桌而突然不能跟我們一起同桌吃飯；父母親之間永遠無解的爭執，就像聖人受到罪惡的誘惑；還有李察·柯瑞那種冷冰冰的態度，因為他比任何人都還要更熱中投入研究柯羅納的書而無暇他顧，這種熱情似乎從未冷卻。

我無法理解《尋愛綺夢》的力量，每一個看過這本書的人似乎都著了魔，但是從我自己的經驗判斷，這種力量似乎都帶來不好的結果；看到保羅苦苦掙扎了三年，即使現在已經接近突破的邊緣，仍然讓我忍不住退避三舍。

可是第二天早上，我卻意外地改變心意，決定跟保羅合作；因為在他跟我說了那個謎語之後，當天晚上我就做了一個夢。在我的童年記憶中，一直都記得《尋愛綺夢》裡的一幅木刻版畫；有好幾次我偷溜進父親的書房，想看看他在裡面做些什麼，結果就看到這幅畫。

對一個小男孩來說，看到一名裸女躺在樹下，眼睛還直勾著他看，似乎在回報他的凝視，這絕對不是什麼稀鬆平常的事。我猜想，除了研究《尋愛綺夢》的這個圈子外，大概沒有人看過全身赤裸的半人半獸怪物，站在這樣一個裸女的腳邊，下體還挺著一根像牛角般的陽具，彷彿是羅盤指針一般，指著她的方向。

我第一次看到這幅畫時只有十二歲，一個人在父親的書房裡，突然可以想像為什麼父親有時候吃飯會遲到；姑且不論這個奇怪又美好的東西究竟是什麼，但是家常小菜是絕對沒得比。

那天晚上，童年的那幅木刻又回到我的腦海——裸女斜倚在樹下、半人半獸的怪物人立起來悄然逼近——我一定是整晚在床上翻來覆去，因為連保羅都好幾次從上鋪探出頭問：『湯姆，你還好嗎？』

我在半夜醒來，立刻去翻閱保羅桌上的書。那個陽具和錯置的牛角讓我想起了一件事，二者之間的確有關聯，柯羅納不是信口雌黃，真的**有人**讓摩西戴了綠帽子。

我在哈爾特（Hartt）的《文藝復興藝術史》書中找到這幅畫。我以前就看到這幅畫，但是始終不明就裡。『這是什麼？』我把書丟到保羅的上鋪，指著那一頁問他。

他瞇著眼睛看了一下說：『米開朗基羅的摩西雕像。』說完眼睛就盯著我，好像我發瘋了似的：『湯姆，怎麼了？』

我還沒有開口解釋，他就突然起身，扭開床頭燈。

『沒錯……』他低聲地說，『噢，我的天哪！果然沒錯。』

一點也沒錯，在我給他看的那張照片裡，雕像的頭頂上有兩個小突起，就像是半人半獸怪物頭上的羊角。

保羅從上鋪一躍而下，好大一聲，我以為會把吉爾和查理都給吵醒。『真的給你想到了，』他瞪大眼睛說，『**一定**就是這個了！』

他像這樣鬧了好一會兒，我還是一頭霧水，隱隱覺得不安，搞不清楚柯羅納的謎底為什麼會在米開朗基羅的雕像上。

『為什麼會長角？』我終於忍不住問道。

保羅早就想到了，他從上鋪把書本攤開在我面前，解釋書裡的文字。『牛角跟戴綠帽完全沒有關係。這個謎語純粹從字面上來解釋：誰讓摩西頭上長角？這是聖經翻譯上的謬誤。〈出埃及記〉說道，摩西從西奈山下來的時候，臉上的光芒萬丈；可是在希伯來文裡的「光芒」，也可以譯成「角」，一個是 karan，一個是 Keren。聖傑若姆（Saint Jerome）在把《舊約》翻譯成拉丁文的時候，認為除了耶穌之外，其他人不應該有這種光芒，所以他就採用了第二個意思來翻譯。這也是米開朗基羅在雕塑摩西像時會加上兩個角的原因。』

我想，在那個興奮的當頭，我恐怕根本就無心思索到底發生了什麼事：《尋愛綺夢》又回到了我的生命中，帶著我擺渡，跨越了我從未想要橫渡的河流。原來只要找到聖傑若姆，橫亙在我們面前的難題就解決了，因為是他用了cornuta這個拉丁字，給摩西加了兩隻角。

從那天晚上開始，我成了保羅的傭兵，是他對抗《尋愛綺夢》的秘密武器，而他自己則興高采烈地承接了所有的工作重擔。我想，這樣的地位還可以勉強接受，畢竟由保羅擔任中間人，我跟那本書還是保持一定的距離。

於是保羅又回到總圖書館，如火如荼地尋找我們可能發現的解答；而我則照舊過我的日子，探索生命中的另外一個發現。

不過當時我還沈浸在跟法蘭契斯科・柯羅納交手成功的得意之中，很難想像在她心目中會留下什麼印象。

＊　＊　＊

我們初識是在長春藤社，雖然兩人都不是社員，卻都熟門熟路。對我來說，我在長春藤的時間跟我在自己社團裡的時間差不多；而她早在大二學生參加比評會之前的好幾個月，就已經是吉爾內定的人選之一，其實也是他最早想到要撮合我們兩人。

『這是凱蒂，』那個星期六晚上，他把我們兩人都邀到社團裡之後，替我們介紹，『這是我的室友湯姆。』

我漫不經心地笑了一笑，覺得沒有必要為一個大二學生牽動太多的臉部肌肉。結果她一開口說話，我就覺得自己像一隻飛進了豬籠草的蒼蠅，滿心以為會找到花蜜，沒想到卻是死亡陷阱；這時候我才知道究竟是誰捕到了誰。

『喔，原來你就是湯姆，』聽她的語氣好像我符合貼在郵局牆上追捕通緝犯的告示，『查理跟我提過你。』

聽過查理描述某人之後，最大的好處就是真人永遠比他說的好。顯然幾天前他在長春藤見過凱蒂，而且聽說吉爾有意居中作媒，他就迫不及待地提供一些細節資訊。

『他跟妳說了些什麼？』我盡量擺出一副漠不關心的樣子。

她想了一會兒，思索他到底用的是什麼字眼。

『好像跟天文學有關，跟星星有關。』

『白矮星，』我跟她說，『是個跟科學有關的笑話。』

凱蒂皺起眉頭。

『我也聽不懂，』我老實說，試圖扭轉她對我的印象，『我對那些東西也沒什麼興趣。』

『你主修英文啊？』她問道，好像一眼就可以看得出來似的。

我點點頭。吉爾跟我說過，她喜歡哲學。

她有點狐疑地看著我：『你最喜歡的作家是誰？』

『這個問題不可能回答。妳最喜歡的哲學家是誰？』

『卡繆，』她說，即使我不是真的要知道答案，『我最喜歡的作家是雷㉖。』

這對話聽起來像是考試。他的名字聽起來像是現代主義作家，例如不出名的艾略特，或是大寫的康明思㉗。

『他是詩人嗎？』我亂猜一通，因為我可以想像她就著火光讀法文詩的情境。

她眨眨眼，笑了一下，這是我們見面以來的第一個微笑。

『他寫《好奇喬治》。』她說著大笑了起來，而我則滿臉通紅。

我猜，這就是我們相處的模式吧！我們總是給對方一些意想不到的東西。我進普林斯頓之後沒多久，就學會了一件事：千萬別在女孩子面前討論自己的本行；吉爾跟我說過，如果誤把行話當對話，那麼連吟詩都浪漫不起來。凱蒂也聽說了同樣的道理，可是我們都不以為然。她在大一時跟一名曲棍球隊的選手交往，我在一堂文學講座上見過這號人物；他很聰明，對品瓊和德里洛㉘有獨到的見解，都是我所不及的。可是他在課堂之外，絕口不提文學，這是他在生活中畫定的

㉖譯註：雷（H. A. Rey），德國作家，著有故事書《好奇喬治》。

㉗譯註：艾略特（T. S. Eliot，1888-1965），英國詩人，著有《荒原》。康明思（e. e. cummings，1894-1962），美國現代主義詩人，主張人名不應該大寫。

㉘譯註：Thomas Pynchon 和 Don DeLillo 都是美國二十世紀著名的小說家。

界線，是他在工作與娛樂之間築起的高牆，這一點讓她很受不了。那天晚上在長春藤，我們聊了二十分鐘，發現彼此都喜歡的一件事：不願意在生命中築起這座牆或說不願意讓這堵牆繼續存在。吉爾也很高興，因為作媒成功。

不久之後，我就發現自己會期待週末到來，會希望在下課後巧遇她，會在上床之前、洗澡甚至考試的時候想到她。不到一個月，我們就開始正式交往。

由於我是學長，所以有好一陣子我都覺得不管做什麼，我都應該要運用我的經驗和智慧；我們只去熟悉的場所約會，只跟友善的朋友聚在一起，因為我從過去交女朋友的經驗中得知，隨著狂戀之後而來的就是彼此熟悉習慣，但是兩個自以為相愛的人，到了兩人獨處的時候，往往會驚覺對彼此的認識有多淺薄。因此我堅持只在公共場所約會——週末在餐飲社團，平常則在學生活動中心——偶爾才會在臥室或圖書館的隱密角落幽會，但是那只限於我從凱蒂的聲音裡偵測到一點不一樣的訊息時；我總是往自己臉上貼金，說我可以聽到那種召喚我過去的聲音。

結果跟往常一樣，最後還是凱蒂跨出了第一步。

『走吧，』有一天晚上她跟我說，『我們一起去吃飯。』

『去誰的社團？』我問。

『去餐廳，由你選。』

我們才開始交往兩個星期，她還有好多事情我都不知道。兩人單獨長時間用餐，聽起來有點危險。

『妳要不要找凱倫或崔夏一起去？』我問道。那是她在好德樓的兩個室友，都是絕對不會出錯的選擇，尤其是崔夏，她好像幾乎不必吃飯，光說話就飽了。

凱蒂背對我說：『你把吉爾也一起找來算了！』

『好啊！』雖然我也覺得這種組合有點奇怪，但是人愈多愈安全。

『還有查理呢？』她問，『他老是叫肚子餓。』

我終於發現她在諷刺我。

『湯姆，你到底是怎麼了？』她轉過身來面對我，『你怕別人看到我們在一起嗎？』

『不是。』

『我太無聊了？』

『當然不是。』

『那到底是怎麼回事？你認為我們會發現對彼此的了解不夠深？』

我遲疑了一會兒說：『對。』

看到我不像在開玩笑，她倒是吃了一驚。

『我姊姊叫什麼名字？』她終於開口。

『我不知道。』

『我信不信教？』

『我不確定。』

『我沒有零錢的時候，會不會從裝小費的罐子裡偷錢？』

『也許會。』

凱蒂靠過來，說：『你瞧，你過關了。』

我從來沒有碰過任何人這麼有自信地對我瞭若指掌，好像她從來就不曾質疑我們不相配。

『現在我們可以去吃晚餐了吧！』她拉起我的手說。

此去，就再也沒有回頭。

＊　＊　＊

在我夢見半人半獸怪物的八天之後，保羅帶來了新消息。『我說得沒錯，』他得意地說，『這本書確實有一部分是用密碼寫成的。』

『你怎麼知道的？』

『Cornuta——聖傑若姆用來替摩西長角的字——就是柯羅納想要的答案。平常用一個字作為密碼的技巧，大多都不適用於《尋愛綺夢》。你看……』

他拿出事前準備好的一張紙，上面寫了兩排平行的字母。

a b c d e f g h i j k l m n o p q r s t u v w x y z

C O R N U T A B D E F G H I J K L M P Q S V W X Y Z

『這是基本的密碼字母，』他說，『上面這排稱為明碼文，底下這排就是暗碼文。有沒有發現暗碼文的起頭就是我們的關鍵字 CORNUTA？之後就是按照正常的英文字母排序，只不過少了

CORNUTA 這幾個字母，所以沒有重覆。』

『然後呢？』

保羅從桌上拿起一枝鉛筆，開始圈字。『假設你要用cornuta密碼來寫「hello」這個字，首先要從上面這排的明碼文找到「ｈ」這個字母，然後再對應到底下這一排，找出跟「ｈ」對應的字母「Ｂ」；接著用同樣的方法找出其他的字母，因此「hello」就成了「BUGGI」。』

『這就是柯羅納用cornuta的方法？』

『不是。到了十五、六世紀，義大利的宮廷已經發展出更精緻的系統。上個星期，我指給你看的建築論文，作者亞伯第也發明了一套多重字母的密碼系統；每隔五個字母，密碼字母就要變換一次，那可艱深得多了。』

我指著他手上的那張紙說：『可是柯羅納不可能用這樣的東西寫作啊！這個字根本沒有意義嘛！不就變成整本書都是像「BUGGI」這樣的字！』

保羅的眼睛為之一亮。『沒錯，複雜的編碼系統不能寫出可以閱讀的文本，但是《尋愛綺夢》不一樣，即使是暗碼文，唸起來也像一本書這樣通順。』

『所以柯羅納用的是謎語，而不是密碼。』

他點點頭。『這個稱之為「隱字術」，就像用隱形墨水寫字一樣，重點就是沒有人知道這裡有字。柯羅納結合了密碼學與隱字術，把謎語藏在表面上看起來完全正常的故事裡，這樣就看不出任何異狀；然後再用這個謎語作為解碼技巧，如此一來，他要傳達的訊息就更難解了。以這本書來說，你只要數一數cornuta這個字有幾個字母，答案是七個，因此你必須在文本挑出所有的第七個字母，然後串連起來。這就跟把每一章的第一個字母串連起來沒什麼兩樣，只不過你必須知道其中的間隔是多少。』

『這個方法有用?整本書裡的所有第七個字母?』

保羅搖搖頭。『不是整本書,只是其中一部分。而且剛開始的時候還不管用,我一直拼出一些沒有意義的字。問題是要找出從哪裡開始算起;如果你從第一個字母算起,每隔七個字母挑出一個,最後得到的答案,跟你從第二個字母開始算起的結果完全不一樣。這時候,謎語的謎底就派上用場了。』

他從資料堆中抽出另外一張紙,是從《尋愛綺夢》書裡某一頁印下來的影本。

『cornuta這個字就在這裡,在這一章的中間,書裡的文本就已經拼出來了。如果你從這個字的「C」開始算起,每隔七個字母選出一個;連續三章都這樣如法炮製,這樣就可以解出柯羅納的明碼文了。原文是拉丁文,不過我已經翻譯出來了。』他遞給我另外一張紙:『你看。』

親愛的讀者,過去這一年是我經歷過最艱困的一年。我與家人分隔兩地,唯有人類的善意撫慰我的心靈;但是我在海上航行,又看到如此的善意會有多大的缺陷。皮科㉙說人類的潛力無窮,賀爾梅斯㉚也號稱是偉大的奇蹟,這些如果為真,證據何在?在我周遭,一邊是貪婪無知之徒,只想跟著我發財;另外一邊的人則是妒忌猜疑,信仰虔誠卻走上歧路,一心想置我於死地。

但是讀者啊,你必然忠於我的信念,否則不會發現隱藏於此的謎語。你必然不會假上帝之名行毀滅之實,因為我的文字是他們的仇人,他們則是我的宿敵。我四海雲遊,尋找足以保存秘密的工具,期使不受時光摧殘。

我生為羅馬人，長在萬代不朽之城；羅馬帝王興建的城牆橋樑，矗立千年不墜；古老同胞著書立說不輟，及至今日仍有阿杜思及其同僚出版重印。受到古代創作者的啟示，我也選擇相同的工具：一本書及一座偉大的石雕。讀者啊，你若了解我的用意，就能從二者身上找到我將送給你的東西。

想得知我將說的話，你必須對我們所知的世界瞭若指掌，研究過我們這個時代大部分的人；你必須證明自己愛智又有潛力，如此我才能確定你不是敵人。因為海外有惡魔，即使我們貴為皇冑，也會心生恐懼。

好吧，讀者，請繼續看下去，運用你的智慧尋找我的用意。普力菲羅的旅程愈來愈苦，我的旅程亦然，但是我還有話要說。

我把紙翻過來，還想繼續看：『其他的部分呢？』

『就只有這些，』他說，『我們必須解決更多的謎語，才會有更多的解答。』

我看著手上的那張紙，抬起頭來驚奇地看著他。從我腦海深處某個思緒洶湧的角落，傳來輕輕打著拍子的聲音，正是我父親一高興就會弄出的聲音：他總是一邊聽著柯瑞里的〈聖誕協奏曲〉，隨著比任何快板都要快上兩倍的節奏，在任何手邊找得到的表面跟著打拍子。

『你現在要做什麼？』我儘可能務實地問。

㉙譯註：Pico della Mirandola（1463-1494），義大利文藝復興時期哲學家，人文主義的代表人物之一。
㉚譯註：Hermes Trismegistus，古羅馬時期的占星學家、預言家。

但是我的思緒卻不受控制，忍不住從另一個角度來看待這個新發現：阿肯基羅·柯瑞里在古典音樂發展初期就已經完成了他的協奏曲，比貝多芬的第九交響曲還要早一百多年；可是即使在柯瑞里的那個時代，柯羅納的訊息也已經隱藏了兩百多年，等著第一位讀者來發現。

『跟你一樣啊，』保羅說，『我們要一起去找柯羅納的下一個謎語。』

13

吉爾跟我從停車場朝北走了好長一段路才回到宿舍，兩個人都凍僵了；多德樓的走廊上空無一人，整棟樓裡有一種空曠冷清的寂靜。裸體奧運再加上復活節的活動，想必所有的人都出去了。

我打開電視看新聞有沒有報導剛剛發生的事。夜間時段的地方新聞還在播裸體奧運，應該是剛剛才剪輯完成的畫面：好德樓庭院裡裸奔的人這會兒在一片雪花白的電視螢幕上飄來飄去，隔著玻璃透出閃光，就像是困在罐子裡的螢火蟲。

最後，新聞女主播終於又回到螢光幕上。

『我們現在要插播一條突發新聞。』

吉爾從他的房裡跑出來聽。

『今晚稍早我們報導了在普林斯頓大學裡發生的意外事故，有目擊者形容這樁在迪金遜大樓發生的意外，是兄弟會安排的特技表演出了差錯。目前這個事故確定以悲劇收場，普林斯頓大學醫療中心的官員證實，發生意外的人已經死亡。據指出，他是大學裡的學生。市警局長丹尼爾・史道特在書面聲明中重申，調查人員會繼續追查是否可能有人為因素造成這起死亡意外。在此同時，校方行政人員要求學生今天晚上留在自己房裡；如果必須出門，最好結伴同行。』

攝影棚裡的主播轉過頭去跟她的搭檔說：『顯然是個棘手的情況，尤其是我們剛剛才看到好德樓裡的狂歡。』說畢，她又轉向面對鏡頭：『稍後在這節新聞中，我們還會有更詳盡的報導。』

『他死了？』吉爾不敢置信地重複了一句，『可是我以為查理……』他沒有繼續說下去。

『是大學裡的學生。』我說。

經過好長一段沉默，吉爾抬起頭來看著我。『湯姆，不要胡思亂想。如果真有什麼事，查理會打電話回來。』

我買給凱蒂的照片斜靠在防火牆上，是個很不舒服的角度。我撥電話到塔夫特的辦公室，而吉爾則回到房裡又出來，手裡多了一瓶酒。

『這是做什麼？』我問。

電話一直響，但是沒有人接。

吉爾走到房間角落裡他暫時用來當吧台的櫃子，拿出兩個酒杯和開瓶器，『我們要放鬆一下。』

塔夫特的辦公室電話還是沒有人接聽，我心不甘情不願地掛上電話，正要跟吉爾說我覺得不舒服，可是看了他一眼，這才發現他看起來甚至還要更糟糕。

『你怎麼了？』我問。

他斟滿兩個酒杯，然後拿起其中一個，對著我舉杯，啜了一口。

『喝一點吧，』他說，『很不錯呢！』

『好啊。』我心想，他該不會只想找人喝酒吧？可是想到酒就讓我反胃。

他等著，於是我也喝了一小口。勃艮地火辣辣地刺激我的胃，但是在吉爾身上的效果卻完全不同：他喝得愈多，氣色就愈好。

『老大，慢慢喝。』我儘可能地放緩口氣。『你可不希望明天到了舞會還宿醉未醒吧？』

『對噢，說得也是，』他說，『明天早上九點，我還得去外燴那裡跑一趟。早知道就跟他們說，我連上課都沒有這麼早起。』

酒比想像中的烈，但是吉爾卻好像突然醒了過來，從地板上撿起電視遙控器說：『看看有什麼別的。』

三個不同的電視網都在校園裡現場直播，但是好像又沒有提供什麼新的資訊，於是吉爾起身，換上錄影帶。

『「羅馬假期」。』他邊說邊坐下來，臉上有一種朦朧的安適。又是奧黛麗‧赫本。他放下酒杯。

電影播得愈久，我就愈覺得吉爾說得沒錯：不管我的心思多沈重，早晚都會回到奧黛麗‧赫本。我的眼光根本離不開她。

過了一陣子，吉爾視線似乎有些失焦，我猜是酒精的作用；但是他抬起手來揉一揉額頭，然後又盯著自己的手看了好一會兒，我這才發現他的心裡有別的事情。或許他在想安娜，在我回家的那段時間，安娜跟他分手；查理跟我說，是論文繳交期限和籌備舞會的工作導致兩人分手，但是吉爾卻隻字不提。打從一開始，安娜對我們來說就像個謎，他幾乎從未帶她回宿舍，但是我卻聽說他們在長春藤裡是形影不離。在吉爾的眾多女友之中，她是第一個在電話裡始終搞不清楚接電話的人是誰，也是第一個忘記保羅叫什麼名字的人；如果她知道吉爾不在家，就絕對不會過來打聲招呼。

『你知道誰看起來有點像奧黛麗‧赫本嗎？』吉爾突然問了一句，讓我猝不及防。

『誰？』我說著又開始撥電話到塔夫特的辦公室。

他讓我大吃一驚：『凱蒂。』

『你為什麼會這樣想？』

『我也不知道。今天晚上，我看著你們兩人在一起，真的很登對。』

他這番話好像是提醒自己還有一些可靠的事情值得信任。我想跟他說，我和凱蒂之間也有高低起伏，情路坎坷的人並不只他一個，可是這些話不適合現在說。

『湯姆，她正是你喜歡的型，』他接著說，『她很**聰明**。有一半的時間，我都聽不懂她在說什麼。』

還是沒有人接電話，於是我放下話筒。『他跑到哪裡去了？』

『他會打回來啦！』吉爾深呼吸一口氣，好像要暫時遺忘發生意外的可能性。『你跟凱蒂在一起多久了？』

『到下星期三就四個月了。』

吉爾搖搖頭。自從我認識凱蒂以來，他已經跟三個女友分手了。

『你有想過她就是你的真命天女嗎？』

這是第一次有人問我這個問題。

『有時候會想。我希望我們能有更多的時間，我擔心明年畢業後不知會怎樣。』

『你應該聽聽她是怎麼形容你的，她說得好像你們從小一起長大似的。』

『這是什麼意思？』

『有一天我去長春藤，看到她在樓上替你錄電視轉播的棒球賽；她說因為你跟你老爸一起去看過密西根州大和俄亥俄州大的球賽。』

我並沒有叫她幫我錄影，她在認識我之前，根本就不看棒球。

『你真幸運。』他說。

我點頭稱是。

我們聊了凱蒂一會兒，吉爾又逐漸把話題轉移到奧黛麗身上；他講得神采奕奕，但是我終究還是看到他放不下的心思：保羅、安娜、舞會。不久之後，他又伸手去拿酒瓶，我正要說他喝得夠多了，這時門外走廊傳來沈重的腳步聲。我打開房門，就看到查理站在走廊微弱的燈光裡。他看起來很狼狽，袖子上都是血跡。

『你還好嗎？』吉爾站起來問道。

『我們得談一談。』查理的口吻有點急。

吉爾把電視關成靜音。

查理從冰箱裡拿出一瓶水，一口氣灌了大半瓶，然後又倒一些在手上，抹了一把臉。他的視線游移不定，最後終於坐定，說：『從迪金遜大樓掉下來的人是比爾‧史坦。』

『我的天哪！』吉爾輕呼一聲。

我覺得全身發冷。『我不懂。』

查理臉上嚴峻的神情，證實了這個消息。『他在歷史系的研究室裡，有人射了他一槍。』

『誰？』

『他們還不知道。』

『你說他們還不知道是什麼意思？』

沈默了好一會兒，查理看著我說：『呼叫器上的訊息跟什麼事情有關？比爾‧史坦找保羅要做什麼？』

『我跟你說了，他要把他找到的一本書交給保羅。查理，我真的不敢相信。』

『他沒有說別的事？他到什麼地方去？去看什麼人？』

我搖頭不語，然後逐漸想起一件事，原來我以為他只是妄想猜疑：比爾接到的電話，還有別人借走的書。我把這些事情告訴他們的時候，心中恐懼油然而生。

『該死！』查理低聲罵了一句，伸手就拿起電話。

『你要做什麼？』吉爾問。

『警方要找你問話，』查理跟我說，『保羅在哪裡？』

『老天爺，我不知道，但是我們一定得找到他才行。我一直打去塔夫特的辦公室，可是都沒有人接。』

查理很不耐煩地看著我們。

『他沒事啦！』吉爾說，可是我覺得是酒精在替他說話，『先冷靜下來再說。』

『我不是跟你說話啦！』查理忍不住大罵。

『也許保羅去塔夫特的家裡，』我揣測道，『或者塔夫特在學校裡的辦公室。』

『警察要找他的時候，自然就會找到他。』吉爾說著，臉上有一種頑強的表情，『我們應該不要介入。』

查理轉身跟他說：『我們有兩個人**已經**介入了。』

吉爾嘲諷道：『查理，拜託好嗎？你又是怎麼介入了？』

『不是我啦，你這個笨蛋！是湯姆和保羅。**我們**不只是**你一個**，好嗎？』

『你不要故作神聖啦！到處去管別的閒事，讓人看了就煩。』

查理身子往前傾，從桌上拿起酒瓶，隨手丟進垃圾桶。『你喝得夠多了。』

我一度擔心吉爾會口不擇言，說出一些讓人隔天就後悔的話；還好，他只是瞪了查理一眼，然後從沙發上站起來。『老天爺，我要去睡覺了。』

我看著他一言不發地回房，不久之後，門縫底下的燈光就熄了。

短短幾分鐘，讓人覺得好像過了幾個鐘頭。我又試著撥學院那邊的電話，還是沒有人接。在這段時間，查理跟我坐在交誼廳裡，兩個人都沒有說話。我的思緒飛快流轉，根本無法釐清到底在想什麼；看著窗外，我的腦子裡突然響起比爾的聲音。

我接到一些電話，接起來……咔嚓，就斷線了；接起來……咔嚓，又斷線了。

最後，查理站起來，從櫃子裡拿出一條毛巾，開始整理他的沐浴用品。不一會兒，他一言不發，穿著短褲開門走出去。男生浴室在走廊的另外一邊，跟我們這一邊之間還住了六、七個高年級的女生，可是查理不管三七二十一，脖子上圍著浴巾、像套著牛軛一樣，手裡拎著盥洗用具，就這樣大步走出去。

我坐在沙發裡，拿起今天的《普林人日報》，翻開報紙的最下端——低年級學生的作品多半出現在這裡——搜尋署名凱蒂的相片，藉以分散心思。我一直對她拍的照片感到很好奇，想知道她選擇什麼樣的題材，又有哪些東西是她認為不值得一提的；你跟一個人相處久了，就開始以為她看事情的角度跟你一樣，而凱蒂的照片就有矯正的效果，因為這是她眼中所看到的世界。

沒多久，門外又傳出聲響，我以為是查理洗完澡回來，但是聽到鑰匙轉動的聲音，我知道是別人。門一推開，保羅走了進來；他的臉色蒼白，嘴唇也凍成藍紫色。

『你沒事吧？』我問。

查理也及時回來。『你到哪裡去了？』他開口就問。

保羅的情況不好，我們花了十五分鐘才慢慢拼湊出所有細節。他在離開演講廳之後，去學院的電腦室找比爾。等了一個小時，比爾始終沒有出現，於是保羅決定先回宿舍再說。他開車回來，但是在距離學校大約一哩遠的地方，遇到紅燈暫停，結果車子就拋錨了，所以他只好冒著風雪走路回來。

他說，整個晚上其他的事情都一片模糊。他到了學校北側，看到警車把比爾在迪金遜大樓的研究室團團圍住，他們問了一大堆問題之後，把他送到醫療中心，有人要他去認屍。不久之後，塔夫特趕到醫院，又去認了一次，但是他跟保羅並沒有講到話，警方把他們分開來偵訊。

警察想要知道保羅跟比爾與塔夫特之間有什麼關係、他最後一次看到比爾是在什麼時候、還有謀殺案發生時他在什麼地方等等。保羅睡眼惺忪地一一回答他們的問題，最後他們終於放他回來，但是要求他不要離開學校，還說他們會再來找他。好不容易回到多德樓，他又在門外台階上坐了一會兒，純粹想一個人靜一靜。

後來我們也討論到我們跟比爾在善本藏書室裡的對話，保羅說警方都一五一十地記錄下來了。保羅講到比爾，講到比爾在圖書館裡表現得多麼焦躁不安，講到他失去的這個朋友時，幾乎不帶任何情緒；他還沒有從驚嚇中恢復過來。

『湯姆，』我們回到臥室之後，他終於跟我說：『我要請你幫我一個忙。』

『沒問題，』我說，『你只管說。』

『我要你跟我一起過去。』

我遲疑了一下：『去哪裡？』

『藝術博物館。』

保羅換上一套乾的衣服。

『現在？做什麼？』

他揉揉額頭，舒緩頭痛。『我在路上跟你解釋。』

我們回到交誼廳的時候，查理看著我們，好像我們兩個瘋了似的。『這個時候去？』他問，『博物館早關門了。』

『我知道我在做什麼。』保羅說著已經向門外走去。

查理凝重地看了我一眼，但是沒有說話，只是看著我跟在保羅身後走出房門。

＊　＊　＊

藝術博物館坐落在多德樓的對面，隔著庭院遙遙相望，像是一座古老的地中海型宮殿。從博物館的正前方看去——也就是我們在幾個小時前進去的地方——這只是一棟矮胖的現代建築，館前草坪上矗立一座畢卡索雕像，好像是過度美化的餵鳥池。但是如果你從側面走近，古老的元素就蓋過了現代感，羅馬式的小拱門上有美麗的窗戶，紅磚砌成的尖頂，指向今夜有如雪幕般的天空。如果不是今夜，這樣的景致會讓人神馳；如果不是今夜，這會成為凱蒂捕捉的美景。

『我們要做什麼？』我問。

保羅穿著舊工作靴，拖著沈重的步伐，走在我前面。

『我發現了柯瑞在日記裡找的東西。』他說。

這句話聽起來沒頭沒腦，好像只有他自己知道事由。

『藍圖？』

保羅搖搖頭。『進去了再給你看。』

我踩著他的腳印向前走，以免積雪沾濕了我的褲腳，所以我的眼光一直盯著他的靴子。保羅大一那年暑假曾經在博物館工作，負責搬運和裝卸展覽品上下貨車，那個時候工作靴是必需品，不過現在卻只是在月牙白的庭院裡，留下一道污漬的腳印。他看起來像是小孩穿著大人的鞋子。

我們來到博物館西面的入口，門邊有個小小的鍵盤，保羅輸入他的密碼，看看是否還能通行；他曾經在藝術博物館擔任導覽員，但後來還是去投影片圖書室工作，因為導覽員是義工，沒有薪水。

出乎我意料之外，密碼鎖竟然嗶一聲開了，接著門後又傳出一聲細微的咔答聲響；我太習慣我們宿舍大門那種中古世紀的門閂發出的巨響，所以幾乎沒有聽到這個聲音。保羅帶著我走進小小的前廳，這裡有安全警衛室，一名警衛隔著塑膠玻璃窗監視一切，讓我突然有一種受困的感覺。我們在訪客名單上簽了名，然後又把學生證貼在玻璃窗上給他看，這才得以走到隔壁的導覽員圖書室。

『就這樣啊？』到了這個時候，我還以為會有更震撼的事情發生。

保羅指牆上的監視攝影機，一句話也沒有說。

導覽員圖書室看起來平淡無奇，只有寥寥幾個書架上擺了幾本其他導覽員捐贈的藝術史書籍，供他們準備導覽行程。不過保羅卻直直走向角落裡的電梯。電梯的金屬門上貼著一張大告示：**僅供教職員、警衛使用，學生及導覽員除有相關人員陪同外，不准使用**；其中學生和導覽員兩個字還用紅筆加了底線。

保羅四處張望一下，從口袋裡拿出一串鑰匙，把其中一支插入牆上的鑰匙孔，然後向右一轉，金屬門就緩緩滑開。

『你怎麼會有這裡的鑰匙？』

他帶頭走進電梯，然後按了一個鈕。『我的工作。』他說。

投影片圖書室的工作讓他可以隨時進入博物館的檔案室，因為他的工作態度認真謹慎，所以幾乎贏得所有人的信賴。

『我們要去哪裡？』我問道。

『上去影像圖書室，塔夫特的投影片匣有些存放在這裡。』

電梯帶我們到博物館的主樓層，保羅領著我走過展覽室。以前每次經過這裡，他都會指出一些作品給我看，不下十數次——巨幅的魯本斯畫作以及眉毛粗黑的丘比特，還有未完成的『蘇格拉底之死』，畫著這位老哲學家伸手拿他的那杯毒藥——但是今天保羅卻彷彿視而不見，只有在經過柯瑞為了信託人展覽所帶來的那些畫作時，他才瞄了一眼。

我們來到投影片圖書室的門口，他又拿出那串鑰匙，其中一把插入鑰匙孔，沒有發生一點聲音，然後我們就走進了一片黑暗。

『在這裡。』他指著一條走道說。走道兩旁的架子上放著塵封的箱子，每個箱子都是一個投影片匣。在另外一道上鎖的門後是一間大儲藏室，我只去過一次；普大收藏的藝術投影片，大部分都收藏在這裡。

保羅發現了他在找的那堆紙箱，從其中搬出一只，放在他面前的架子上；箱子側面貼了一張字條，上面草率地寫著『地圖：羅馬』。他打開箱蓋，然後把箱子抱到門邊的小空地，又從另外一個架子上拿出一台投影機，把插頭插在地板上的電源插座，咔啦一聲地打開電源；對面牆上立刻出現一片模糊的圖像，保羅調整焦距，直到影像變得清晰可辨。

『好啦，』我說，『現在可以告訴我了吧？我們到底在做什麼？』

『如果柯瑞說得沒錯呢？』保羅說，『如果三十年前，塔夫特真的是從他那裡偷走日記？』

『好吧，就算是他偷的，現在又有什麼關係呢？』

保羅很快地把情況跟我說一遍。『現在假設你是塔夫特；柯瑞一直跟你說這本日記是理解《尋愛綺夢》的關鍵，但是你卻從來不把他當一回事，畢竟他只不過是一個主修藝術史的大學生。然後又有一個人出來，另外一個學者。』

保羅以尊崇的語氣提到這號人物，我猜他是指我父親。

『你突然變得勢單力薄，因為他們兩個人都說這本日記就是問題的解答，但是你已經把話說得太滿，把自己逼到死角。你跟柯瑞說這本日記根本沒有用，說那個守港人只是在吹牛皮。而更重要的是，你痛恨自己犯錯的感覺。在這種情況下，你要怎麼辦？』

保羅好像是在說服我：塔夫特可能作賊；其實我向來認為這不無可能，不用他多費唇舌。

『這我知道，』我說，『你繼續說下去。』

『所以你就想辦法把這本日記偷過來，但是也看不出個所以然，因為你是用錯誤的角度在看《尋愛綺夢》。沒有柯羅納的密碼訊息，就不會知道這本日記有什麼用。好啦，那接下來你要怎麼辦？』

『我也不知道。』

『就算你看不懂這本書，』他自顧自地說下去，『也不會輕易地把書丟掉。』

我點頭認同。

『所以你就留著，放在一個安全無虞的地方。也許就藏在研究室的保險箱裡。』

『或是放在家裡。』

『沒錯。這樣過了幾年之後，突然出現了這麼一個小鬼。他跟朋友一起研究《尋愛綺夢》，而且成果卓著，完全超出你的預期；事實上，他們的成就遠超過你在盛年時的成績，因為他開始發現柯羅納藏在書裡的訊息。』

『於是你開始想：或許這本日記還真的有用也說不定。』

『沒錯。』

『但是你也不能直接跟這個小鬼說，因為這樣一來，他就知道這本日記是你偷來的。』

『**但是**，』保羅接下去說出他的重點，『假設有一天，有人發現了這本書。』

『比爾。』

保羅點點頭。『他一天到晚待在塔夫特的研究室或家裡，幫塔夫特做各種瑣事；而且他也**知道**這本日記的重要性，一旦發現了這本日記，就絕對不會輕易地放回去。』

『他會拿給你看。』

『對，然後我們又拿給柯瑞看，所以柯瑞才會去演講廳鬧場，跟塔夫特起正面衝突。』

我心存質疑。『可是在此之前，難道塔夫特都不知道這本書不見了嗎？』

『當然他**一定**知道比爾拿了那本日記，但是你想，一旦他知道柯瑞也得知這本日記的事，他會有什麼反應？他腦子裡想到的第一件事，一定就是去找比爾。』

我終於搞懂了。『你認為他在演講之後去了比爾的研究室？』

『塔夫特有參加酒會嗎？』

我本來以為他這句話只是反問，並不是真的在問我，後來才突然想到保羅也沒有參加酒會，那時候他已經去找比爾了。

『至少我沒有看到他。』

『迪金遜大樓和演講廳之間有走廊相連，』保羅說，『塔夫特甚至不需要走出演講廳就可以過去。』

保羅讓思緒沈澱一下。我還無法完全接受這樣的可能性，有太多細節需要進一步釐清。『你真的認為塔夫特殺了他？』我問。房間的窗子裡出現了奇怪的身影；埃普把小狗埋在樹下。

保羅凝視著投射在牆上的黑色輪廓，說：『我認為他做得出來。』

『因為憤怒？』

『我不知道，』可是他似乎已經在腦子裡把各種可能的情境都想過一遍。『你聽我說，』他說，『我在學院等比爾的時候，更仔細地讀了這本日記，尤其是每次提到柯羅納的部分。』

他翻開日記，夾在封面底下的是一張學院用的便條紙，上面有他做的筆記。

『我發現守港人記載了一組方向，是那個小偷從柯羅納的文件上抄錄下來的。熱那亞人說，這是寫在一張空白的小紙片上，一定是某種航行的方向，也許就是柯羅納的船隻航行的途徑。守港人利用這組方向，從熱那亞倒回去計算，試圖找出貨船是從哪裡出發的。』

保羅掀開便條紙，我看到上面畫了好幾個箭頭，旁邊還有一個羅盤。

『這就是那組方向，是用拉丁文寫的：**南四，東十，北二，西六**；然後又寫了一個「De Stadio」。』

『「De Stadio」是什麼？』

保羅面露微笑。『我想這就是關鍵所在。守港人拿著這組方向去找他表兄，他表兄跟他說「De Stadio」就是這些方向的度量單位。原來的拉丁文可以譯成「Of Stadia」，代表「跑場的」；也就是說，這些方向以「跑場」（Stadia）作為計量單位。』

『我還是聽不懂。』

『「跑場」（stadium）是古希臘人用來計算距離的單位，是以奧林匹克賽跑場的長度為基礎。我們現代人說的體育場，也就是從這個字源來的。一跑場大約六百呎；所以一哩大約是八到十跑場。』

『所以**南四**就是指向南走四跑場的距離。』

『然後向東十跑場，向北兩跑場，再向西六跑場。四個方向俱全，有沒有讓你想到什麼東西？』

的確有：在柯羅納的最後一個謎語中，提到了一個他所謂的『四的法則』，是引導讀者進入秘密墓窖的設計。不過因為文本裡絲毫沒有提到任何跟地理有關的東西，所以我們也就沒有追根究柢下去。

『你認為這就是「四的法則」？這四個方向？』

保羅點頭道：『但是守港人找的是規模更大的東西，是橫越數百哩的航程。如果柯羅納的方向是以跑場為單位，那麼貨船就不可能是從法國或荷蘭出發的，而是以熱那亞東南方約半哩遠的地方為起點，所以守港人知道這其中一定有錯。』

我看得出來，保羅的心情很亢奮，想必他發現了守港人沒有注意到的事情。『你是說這些方向代表其他的意義？』

他幾乎沒有停下來。『「De Stadio」不只可以譯成「Of Stadia」，「De」同時也是「from」的意思。』

他滿心期待地看著我，可是我一點也看不出來這個新的翻譯有什麼高明之處。

『也許這些數字並不只表示有多少跑場或是以跑場為單位來測量距離，』他說，『這同時也可能表示「從」賽跑場所測到的距離，這個賽跑場就是測量的起點。所以「De Stadio」就有雙重意涵——「從」某個實際存在的賽跑場出發，根據方向指示，「以」跑場為單位所測得的距離。』

投射在牆上的羅馬城地圖逐漸變得清晰，城裡到處都是古老的競技場遺跡，柯羅納對這個城市的瞭解，遠勝過世界上的其他城市。

『如此一來，守港人遭遇到的規模問題就解決了，』保羅繼續說道，『國與國之間的距離不可能用跑場為單位來測量，但是這種方式卻**可以**用來測量一座城市裡的距離。蒲林尼㉛說，西元七十五年，羅馬城牆的圓周有十三英里，整座城市的直徑大約是二十五或三十跑場。』

『你認為這可以帶我們找到墓窖？』我問。

『柯羅納提到，要在沒有人看得到的地方建造，因為他不想讓任何人知道這裡面有什麼東西，這也許是找到地點的唯一方法。』

幾個月來的猜疑又回到我的腦海裡。我們花了好幾個晚上的工夫，思索柯羅納避開家人和朋友，選在羅馬森林裡興建墓窖的原因。但是保羅跟我的結論不一樣。

『說不定墓窖不像我們所想的那麼單純呢？』他說，『如果地點**正是**這個秘密呢？』

『那麼墓窖裡有什麼東西？』我又提出進一步的問題。

保羅的神情突然黯淡下來。『我不知道，湯姆，我還沒有找出答案。』

『我只是說，難道你不覺得柯羅納至少會——』

『告訴我們墓窖裡有什麼東西嗎？當然會。但是整本書的後半部都得靠解開最後一個密碼才能看得懂，而我卻解不開，至少我一個人解不開。所以這本日記就是謎底了，你懂嗎？』

我退縮了一步。

『所以我們現在要做的事情，』保羅接著說，『就是看看這些地圖。我們從主要的賽跑場區域開始——圓形大競技場——往南走四個跑場，再往東走十個，往北兩個，往西六個。如果這些地點當中，有任何一個在柯羅納的時代是一片森林的話，那麼我們就找到了。』

『那我們來看看吧。』我說。

保羅按了一個往前鍵，十五、六世紀製作的地圖一張又一張呈現在我們眼前；這些地圖都有一種建築漫畫的特質，建築物及其周圍環境都不成比例，一棟棟房子擠在一起，根本無法判斷彼此之間的距離有多遠。

『我們要怎麼測量距離呢？』我問。

㉛譯註：蒲林尼（Pliny，23-79），羅馬學者。

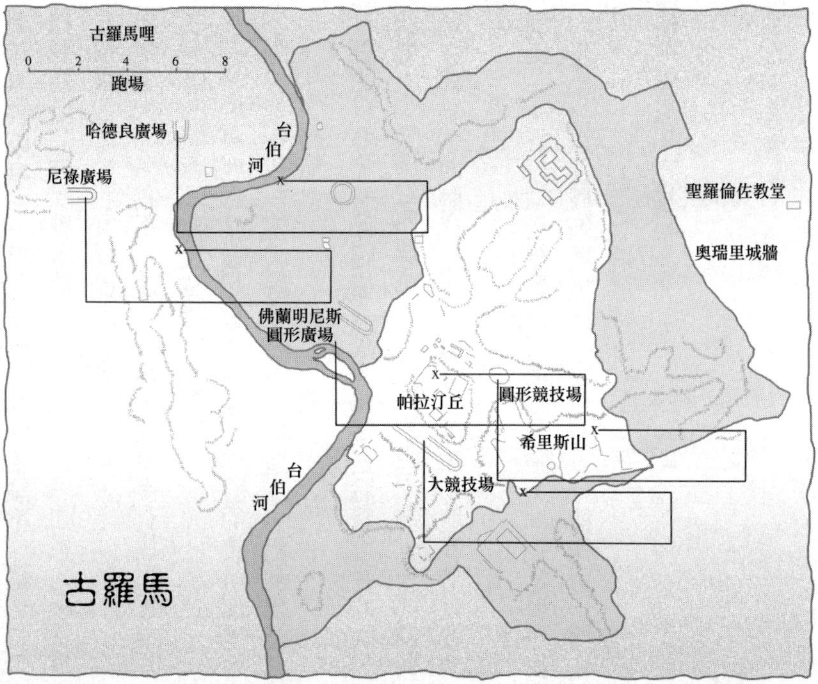
古羅馬哩
0 2 4 6 8
跑場
哈德良廣場
台
伯
河
尼祿廣場
聖羅倫佐教堂
奧瑞里城牆
佛蘭明尼斯
圓形廣場
帕拉汀丘
圓形競技場
希里斯山
台
伯
河
大競技場
古羅馬

保羅沒有回答我的問題，只是連續按了幾次遙控器，跳過了三、四張文藝復興時期製作的地圖之後，終於有一張比較現代的地圖出現，看起來也比較像是我記憶中在旅遊書上所看到的城市，那些書都是我們在出發前往梵諦岡之前，父親拿給我看的。奧瑞里城牆圍繞在北東南三邊，和西面的台伯河連在一起，形成一個老婦人的側面圖像，面向義大利的其他地方；聖羅倫佐教堂，也就是柯羅納讓兩個人殉命的地方，正好位在這個老婦人的鼻梁上方，像是一隻揮之不去的蒼蠅。

『這一幅地圖上有正確的比例尺，』保羅指著左上方角落的量尺說。一條線上標示著八個跑場，名為『古羅馬哩』（Ancient Roman Mile）。

他走向牆上的影像，把手放在量尺的旁邊；從他手掌底部到中指尖，正好覆蓋了整整八個跑場。『我們從圓形競技場（Coliseum）開始，』他跪在地板上，把手放在地圖中央一個黑色的橢圓形旁邊，也就是靠近老婦人臉頰之處。『南四，』他說著移動大約一個手掌的距離，『然後是東十。』他向旁邊移動了一整隻手的長度，然後再加上半個食指。『接著是北二和西六。』

他手停下來的位置，正好指著地圖上一個標示著希里斯山（M. Celius）的地方。

『你覺得就在這裡？』

『不在這裡，』他有點洩氣地說。他指著地圖上就在終點西南方附近的一個黑色圓圈說，『就在這裡有座教堂，聖史蒂芬諾・羅登多。』接著手指頭又向西北方挪了一下。『這裡還有另外一座，聖凱特羅・柯羅娜提；還有這裡，』他的手指又向東南方挪了一點，『是聖約翰・拉特蘭，是教宗在十四世紀以前的居所。如果柯羅納在這裡蓋墓窖，就等於是距離三座教堂不到四分之一哩的地方，絕對不可能。』

他又從頭開始。『佛蘭明尼斯圓形廣場（Circus Flaminius），』他說，『這幅地圖是舊的，我覺得蓋提（Gatti）畫的位置比較接近這裡。』他說著把手指頭移到比較靠河的地方，然後按照方向指示重來一次。

『是好還是壞？』我看著終點的位置問道。這一次是停在帕拉汀丘（M. Palatinus）上頭。

他皺起眉頭。『不好。這幾乎就在聖提歐多洛的中間。』

『又是另一座教堂？』

他點點頭。

他看著我，好像我忘了什麼基本法則似的。『每一個訊息都說他害怕被狂熱份子捉走，你以為這些「神的人馬」指的是什麼？』

他又試了兩個地方——哈德良廣場（Circus of Hadrian）和舊的尼祿廣場（Circus of Nero），也就是後來興建梵諦岡的地方——但是這兩次的結果，卻是在畫了二十二個跑場的長方形之後，落在台伯河裡；他開始感到不耐煩。

『這幅地圖的每個角落都有一座競技場，』我跟他說，『我們為什麼不反其道而行？先想一想這個墓窖可能在什麼地方，然後倒過來走，再看看終點附近是不是有什麼賽跑競技場？』

他左思右想。『我還得查一查我放在長春藤的其他地圖。』

『我們明天還可以再來。』

保羅向來欠缺樂觀的思維，他又看了地圖一會兒，這才點頭表示同意。柯羅納又再一次擊敗他，就連包打聽的守港人都是他的手下敗將。

『現在怎麼辦？』我問。

他扣上外套的鈕釦，關掉投影機。『我要去樓下圖書館，看看比爾用的那張桌子。』他說著把投影機放回架子上，盡量一切物歸原位。

『為什麼？』

『去看看有沒有日記裡的東西留在那裡。柯瑞堅稱日記裡夾了一張藍圖。』

他拉開門讓我出去之後，又檢查了一下才鎖起來。

『你有圖書館的鑰匙嗎？』

他搖搖頭說：『比爾把樓梯間的密碼告訴我了。』

我們又回到黑漆漆的走廊上，保羅在前面帶路。安全警示燈在黑暗中閃爍著橘紅色的燈光，像是橫越夜空的飛機；我們來到通往樓梯間的門，門把下方有個小箱子，上面是五個號碼的鎖。保羅想了一下，開始輸入一小串數字。當門把在他手中打開時，我們兩人都愣了一下；在黑暗中，我們聽到了有什麼東西在裡面走動。

14

快走，我用嘴型跟保羅示意，並輕輕推著他往圖書館大門的方向走。

門上有一塊用安全玻璃做成的小窗，我們從小窗窺視漆黑一片的室內。

有個黑影在私人書桌上游移，一道手電筒射出的光束掃過桌面，我看到一隻手伸到抽屜裡去摸索。

『**那是比爾的書桌**。』保羅悄悄地說。

他的聲音在樓梯間裡回響，手電筒的光束驟然停頓下來，然後朝我們的方向移動。

我拉著保羅蹲下，躲藏在小窗下。

『**那是什麼人**？』我問。

『**我看不到**。』

我們等著，聽著腳步聲漸行漸遠，這才又從小窗窺視，但是房間裡已經空無一人。

保羅推門而入，整個區域都浸沒在書架的修長陰影之中，月光從北面那扇平板玻璃窗投射下來。比爾個人使用的書桌抽屜依然敞開著。

『**還有另外一個出口嗎**？』我們走近時，我小聲地問道。

保羅點點頭，指著一排高及天花板的書架後方。

突然間，我們又聽到腳步聲，窸窸窣窣地朝著出口的方向移動，然後就是咔啦一聲，門鎖輕輕地扣上。

我往聲音的方向走去。

『你在做什麼？』保羅小聲地叫我回到書桌旁邊。

我從門上的小窗看出去，但是樓梯間裡什麼也看不到。

保羅拿著筆型手電筒掃過比爾桌上的筆記和書信，把他的文件翻過一遍；光束指向原本上了鎖現在卻被撬開的抽屜，抽屜裡的紙張文件全都拉出來，散落在桌面上；紙張的邊緣翻捲起來，像是乏人照料的草坪。看起來，歷史系裡每一位教授在這裡都有屬於自己的一個文件匣。

推薦信：渥欣頓主任

推薦（A—M）：包姆、卡特、嘉佛烈、李

推薦（N—Z）：紐曼、羅西尼、薩克勒、渥欣頓（升主任之前）

推薦（其他系所）：康納、迪佛塞、路克、梅遜、昆恩

舊信：賀葛雷夫／威廉斯、牛津

舊信：艾波頓，哈佛

我看得不明就裡，但是保羅卻一目了然。

『有什麼不對嗎？』我問。

保羅的手電筒在桌上晃了一圈。『比爾為什麼需要這麼多推薦信？』

另外兩個文件匣也已經打開了。一個標示著**推薦／書信：塔夫特**，另外一個則是**列佛雷吉／里茲**。

塔夫特的信被推擠到角落，保羅用袖口包裹著手指，輕輕地捏起紙張來看。

比爾·史坦這個年輕人辦事能力強，他跟著我工作了五年，主要協助行政和一般事務，我相信他不管到哪裡做同樣的事情都一樣能幹。

『我的天哪！』保羅輕呼一聲，『塔夫特在背後搞他。』他再看了一次。『他把比爾寫得好像秘書一樣。』

保羅攤開信紙捲曲起來的角落，發現這封信的日期是上個月。他拿起來，發覺底下有一張手寫的立可貼便條紙。

比爾：儘管有諸多不滿，我還是替你寫了這封推薦信，這是你應得的。塔夫特。

『你這個混蛋，』保羅悄聲說，『比爾想要離開你。』

他的手電筒掃過一個標示著『列佛雷吉／里茲』的檔案夾，上面放著一堆比爾用不同顏色的筆起草的信件草稿，信上的文字一再修改插入，劃掉又重寫，幾乎讓人難以理解。保羅看著這些信件，我發現他手中的光源開始顫抖。

賀葛雷夫教授，第一封信上寫著，**我欣然告知，《尋愛綺夢》的研究已經完成已近完成，結果最遲會在四月底公布，也許還會更早；我可以保證，研究結果一定不會辜負您的期待。我在一月十七日去函，至今尚未收到您和威廉斯先生的回覆；請來信確認我們所討論的教授職位仍然懸**

缺未補。牛津是我心中的首選，不過一旦我的論文發表，屆時其他大學會有新的邀約讓我無法抗拒。

保羅又翻翻底下幾封信，這時我可以聽到他沈重的呼吸聲。

艾波頓主任，我要向您報告佳音。我對《尋愛綺夢》的研究已近尾聲，誠如我的保證——其結果在今年或明年就會發表，定然會令其他的文藝復興時期史學研究——甚至所有的史學研究——都為之失色。在我發表研究成果之前，我希望確認助理教授一職仍然懸缺。哈佛是我心中的首選，不過一旦我的論文發表，屆時其他大學會有新的邀約讓我無法抗拒。

保羅唸了第二次、第三次。

『他想偷我的研究。』他小聲地說著，向後退了一步，整個人靠在牆上好像要暈倒了。

『這怎麼可能？』

『也許他認為沒有人會相信這是一個大學生做出來的成果。』

我又看了那封信一眼。『他是在什麼時候主動說要幫忙你謄打論文？』

『上個月吧！』

『他想偷你的研究，已經籌畫了那麼久啦？』

保羅瞪了我一眼，雙手在書桌上面揮舞著。『**顯然是這樣**！他從一月份就開始寫信給這些人了。』

所有的信件都在桌上擺好之後，又有一張信紙從牛津和哈佛的檔案夾後面冒出來；保羅看到信紙角落的標誌，就把它抽出來。

『李察，』信上寫道，『收信平安。也許你在義大利的運氣會比在紐約的時候好，如果沒有的話，那麼我們兩人都知道你的處境如何。我們也都知道塔夫特的為人，我認為不管這件事的結果如何，他都會有利用這些成果的盤算，我想這樣說並不為過；因此我有個提議，希望你加以考慮。此事由我們兩人瓜分還綽綽有餘，我有彼此如何分工的計畫，我想你應該會覺得公平。請盡速跟我聯絡以便討論細節，同時也請告知你在佛羅倫斯和羅馬的電話——那裡的郵政不太可靠，而且我想盡快解決這件事——B。』

回信也在同一張紙上，不同的字跡，不同的筆，就直接寫在原信的下方，然後又寄回來；上面有兩個號碼，其中一個前面有英文字母F，另外一個則有R的字樣，接著則是一行簡短的回覆：

遵照所囑，請於下班時間撥打，這裡的時間。保羅怎麼辦？——李察。

保羅啞口無言，又翻翻信件，但是並沒有下文。我想安慰他兩句，但是他卻揮揮手，不讓我說下去。

『我們應該去跟院長說。』我終於開口道。

『跟他說什麼？說我們跑來偷看比爾的信件？』

突然間，一道強烈的白光掃過對面的牆壁，緊接著，彩色的閃光就從玻璃窗穿透進來。一輛警車停在博物館前的庭院裡，警笛暫時停止，兩名員警出現；第二輛警車抵達的時候，紅藍兩色的閃光才停下來，又有兩名員警下車。

『一定有人通風報信，說我們在這裡。』我說。

保羅手裡握著李察．柯瑞的短信，微微地顫抖，動也不動地站在原地，看著黑色的人影走向博物館的大門。

『快走吧！』我拉著他往後門旁邊的書架走去。

說時遲那時快，圖書館的前門拉開，一道手電筒的光束掃過室內。我們蜷縮在角落裡，兩名員警都走了進來。

『在那邊！』第一名員警指著我們所在的方位說。

我握住門把，用力一壓，打開後門；第一名員警走近時，保羅也及時逃到走廊上。我們彎著腰爬出來，然後站起來，背貼著牆走。保羅在前面帶路走到樓梯間，奮不顧身地往一樓急奔。等我們回到大廳的空地，還可以看到手電筒的光束在附近牆上游移。

『往樓下走，』保羅說，『那裡有員工專用電梯。』

我們走進博物館的亞洲館藏室，雕像、花瓶都安坐著鬼影幢幢的玻璃牆後，中國紙軸並未攤開，跟其他的墓窖人偶並肩掛在展示櫃裡；整個房間籠罩在一種昏暗的綠影之中。

『往這邊走。』保羅聽到腳步聲逼近，催促地說。

他領著我繞了一個轉角，又回到死巷，唯一的出口就是通往員工電梯的兩扇大金屬門。

聲音愈來愈響，我聽得出來有兩名員警站在樓梯底下，在黑暗中摸索方向。驀然間，整層樓都亮了起來。

『**我找到燈了……**』第三個聲音喊道。

保羅拿著鑰匙用力地往牆上的鑰匙孔插進去，電梯門開了，他把我拉進去。雜沓的腳步聲緊追在後，朝著我們的方向而來。

『快一點，快一點……』

電梯門一直沒關，我一度還以為他們切斷了電梯的電源。終於，就在第一名員警轉過轉角之際，金屬牆緊緊閉合起來；員警趕上來之後用力拍打電梯門，但是隨著電梯車廂開始移動，打門聲也愈來愈微弱。

『我們去哪裡？』我問。

『到裝卸貨區。』保羅幾乎喘不過氣來。

我們來到一個像是暫時存放貨物的區域，保羅強行扳開一道門，走進一個空曠寒冷的房間。過了好一會兒，我的眼睛才適應這裡的光線；裝卸貨物台的大門就在我們眼前，門外的風震得鐵門微微作響。我想像著會有腳步聲往我們這個方向狂奔下樓，但是隔著厚重的門，什麼也聽不到。

保羅衝到牆上的開關旁邊，轉動旋鈕，卸貨台的鐵捲門開始捲動。

『這樣就夠了。』我喊道，因為鐵捲門上昇的高度已足以讓我們兩人從底下鑽出去。

可是保羅卻搖搖頭，鐵門繼續往上昇。

『你在做什麼？』

地板與鐵門底部的間隙愈來愈大，最後整個南校區的景緻都映入眼簾，眼前的美景空曠遼闊，讓我一度停步不動。

此時，保羅立刻將旋鈕往反方向轉，鐵捲門開始緩緩下降。

『快跑！』他喊道。

我笨手笨腳地躺下，他則像箭一般從牆邊往鐵門這裡射過來，很快地超前，從鐵門底下滾過去，然後在鐵捲門接觸到地面之前，一把將我也拉了出去。

我站起來，喘口氣，正準備要往多德樓的方向走，保羅又從背後把我揪回去。

『他們在樓上會看到我們。』他指著大樓西面的窗戶說。接著他看一看在我們東邊的小徑，『從這邊走。』

『你還好嗎？』我跟在他身後問。

他輕輕晃了晃腦袋。我們步履沈重地走進夜色中，遠離追趕在後的警察及其視線。我感到冷風鑽進大衣領口，頸後的汗水剎時冰涼。驀然回首，多德樓、布朗樓和其他的宿舍大樓幾乎都沒入一片漆黑，夜幕已經降臨校園的每一個角落，只有藝術博物館緊閉的窗戶還透出燈光。

＊　＊　＊

我們繼續向東行，穿過了展望花園，這裡是校園中央的植物天堂：幼小的春季植物綴著白雪，藏在腳下幾乎看不到，但是美國山毛櫸和黎巴嫩杉木卻有如守護天使般展開雙臂，替它們擋住風雪。有輛警車沿街巡邏，於是我們加快腳步。

我的思緒翻騰難平，滿腦子想著我們所看到的事情：在比爾書桌旁翻閱文件的那個人或許就是塔夫特，企圖湮滅他們兩人彼此關聯的證據。或許也是他向警方舉報我們潛入圖書館。我看著保羅，不知道他腦子裡是否也有同樣的想法，但他的表情卻是一片空白。

音樂系的新系館就在不遠處，終於有點生命的跡象。

『我們可以到那裡去躲一下。』我建議。

『躲在哪裡？』

『練琴室在地下室，我們可以在裡面躲到警察收隊為止。』

還沒到伍華茲音樂中心，就聽到跳躍的音符在空中飄揚，一些夜貓族音樂家利用這個時候私下練琴。又有一輛校警巡邏車經過，往展望花園的方向駛去，把泥濘和粗鹽都濺到人行道上。我強迫自己再走快一些。

伍華茲音樂中心才剛完工，拆除鷹架之後，露出的是一棟奇特的建築：從外面看來像一座碉堡，從內部往外看卻像玻璃屋一樣脆弱。中庭的線條像一彎河流穿過一樓的音樂圖書館和教室，挑高三層樓直達頭頂上的天窗。強風繞著這棟建築，發出嫉妒的怒吼。保羅掏出學生證打開大門，然後拉著門等我進去。

『往哪邊走？』他問。

我帶他走到最近的樓梯。這個中心落成揭幕之後，吉爾跟我已經來過兩次，都是在星期六晚上喝了酒之後，無所事事才來玩的。他父親的第二任妻子堅持讓吉爾學習一些由艾靈頓公爵㉜創作的曲子，就像我父親堅持要我學習阿肯基羅·柯瑞里的音樂一樣；我們兩人學彈琴的時間加起來差不多有八年，但卻幾乎彈不成調。我們拿著酒瓶敲打一架老舊的小型平台式鋼琴，吉爾笨手笨腳地敲著艾靈頓的『A號列車』，我則像殺豬似地彈著柯瑞里的『瘋狂變奏曲』，假裝彈著我們都不曾學習過的曲調節拍。

我跟保羅沿著地下室的走廊前進，發現只有一架鋼琴有人在彈，遠處的練琴室裡傳來『藍色狂想曲』的樂聲。我們溜進一間有隔音設備的小練習室，保羅從直立式的鋼琴後面擠出來，坐在琴凳上，看著琴鍵卻沒有彈，彷彿這些琴鍵和電腦鍵盤一樣神秘難解似的。頭頂上的燈閃了一秒鐘就熄了，這樣正好。

『我真不敢相信！』他深呼吸一口氣，終於開口說話了。

『他們為什麼會做出這種事？』我問。

保羅伸出食指劃過鍵盤，摳著黑色的琴鍵，好像沒有聽到我在問什麼，於是我又問了一次。

『湯姆，你要我說什麼？』

『也許這正是比爾主動要幫忙的原因。』

『你是說什麼時候？今天晚上拿日記給我的事嗎？』

『幾個月前。』

『你是說，你不再幫我研究《尋愛綺夢》之後嗎？』

翻舊帳總是會砸到自己的腳。我又讓保羅想到，比爾加入的原因可以歸咎到我。

『你覺得是我的錯？』

『不是，』保羅小聲地說，『當然不是。』

㉜譯註：艾靈頓公爵（Duke Ellington，1899-1974），爵士樂大師。

然而責備的意味卻揮之不去。羅馬地圖和那本日記一樣，在在讓我想起自己所放棄的東西以及在此之前我們倆同心所獲致的進展，當然也讓我回想起自己是多麼喜歡那段時光。我看著抱拳放在腿上的雙手，想起父親曾經說過我有一雙懶惰的手——學了五年，卻始終彈不出一首像樣的柯瑞里奏鳴曲——從那個時候起，他就不再逼我練琴，而是督促我打籃球。

湯瑪斯啊，強者勝於弱者，但智者更勝於強者啊！

『寫給柯瑞的那封信該怎麼說？』我盯著鋼琴背面說。直立式鋼琴原本應該靠著牆擺，所以這一整面都是沒有打光的木材原色；我突然覺得這種省錢的方法很奇怪，就像是教授因為在鏡子裡看不到後腦勺就不梳腦後的頭髮一樣——我父親以前就是那樣。我始終覺得這是視野的盲點，如果只用單一的方式來看這個世界，就會犯這樣的錯誤；只要他一轉過身來，他的學生一定跟我一樣常常發現他從來不梳後腦勺的頭髮。

『柯瑞絕對不會想從我這裡偷任何東西，』保羅咬著指甲說，『我們一定漏掉了什麼東西。』

室內一片沈寂。練琴室裡很暖和，一旦我們兩人都不說話，就聽不到任何聲息，只有偶爾從走廊遠處傳來共鳴：此刻，貝多芬的奏鳴曲已經取代了蓋希文。這個情景讓我想起小時候的夏日暴風，我們坐在停電的屋子裡，周遭一片靜寂，除了遠方的雷鳴，聽不到任何聲音；母親就著燭光唸書給我聽——通常是卡賓斯㉝或是有插圖的福爾摩斯——但是我滿腦子卻只想著：為什麼好聽的故事裡，主角永遠都戴著可笑的帽子？

『我想剛剛那個人應該是塔夫特，』保羅說，『他在警察局的時候說謊。他跟警方說，比爾是他近年來指導過最優秀的研究生。』

我們也都知道塔夫特的為人，比爾在信裡說，**我認為不管這件事的結果如何，他都會有利用這些成果的盤算，我想這樣說並不為過。**

『你認為塔夫特想把成果據為己有？』我問，『可是這幾年來，他從來不曾發表過任何跟《尋愛綺夢》有關的文章。』

『湯姆，這件事跟發不發表**沒有關係**。』

『那跟什麼有關？』

保羅沈默了一會兒才說：『你聽了塔夫特稍早的演說，他過去從未承認柯羅納是羅馬人。』

保羅低頭看著鋼琴的踏板，像是從木架子底下伸出來的小金鞋。『他想從我身上偷走。』

『偷走什麼？』

可是保羅又遲疑了一會兒。『算了！別再提了！』

『萬一在博物館裡的人是柯瑞呢？』我在他轉過頭去之後又加了一句。比爾寫給柯瑞的那封信，讓我對這個人有了另一番看法；我想到他對《尋愛綺夢》的狂熱比任何人都有過之而無不及。

『湯姆，他跟這件事無關。』

『你把日記拿給他看之後，他有什麼反應你也看得一清二楚；柯瑞到現在都還認定日記是他的。』

㉝譯註：指蘇斯博士所著的童書繪本《The 500 Hats of Bartholomew Cubbins》。

『湯姆，他不會這樣做的。我**知道**他的為人，好嗎？你不了解他。』

『這話是什麼意思？』

『你向來就不信任柯瑞，即使在他想助你一臂之力的時候。』

『我不需要他幫忙。』

『而且你痛恨塔夫特，純粹只是因你父親的緣故。』

我訝異地看著他：『他讓我父親——』

『讓你父親怎麼樣？意外翻車？』

『讓他**心神不寧**。你到底是怎麼了？』

『他不過是寫了一篇書評而已，湯姆。』

『他毀了他的一生。』

『他毀了他的**事業**。這是不一樣的。』

『你為什麼替他說話？』

『我沒有替他說話，我是替柯瑞說話。但塔夫特從來沒有做過傷害你的事。』

我正準備要好好研究保羅，卻發現這段談話已經讓他心神不寧；他用掌根揉擦著臉頰，弄得一臉髒兮兮。這時候，我看到路上投射過來的車燈，有人按了車上的喇叭。

『柯瑞對我一直都很好。』保羅說。

在我記憶中，父親始終都沒有出聲：開車的時候沒有，就連車子翻到路邊之後也沒有。

『你不了解他們，』他說，『他們兩個人，你都不了解。』

我不確定從什麼時候開始下雨——是我們開車去書展看母親的時候，還是我躺在救護車上送往醫院的途中？

『我曾經在塔夫特家看過一篇剪報，是討論他主要著作的書評，』保羅接著說，『那是七〇年代的書評，那時候他還是哥倫比亞大學的當紅炸子雞——也就是在他到這個學院、事業開始走下坡之前。那篇書評把他捧上了天，是所有教授都夢寐以求的讚揚；書評最後說：「文森・塔夫特已經展開下一個研究計畫：義大利文藝復興史的定本。從他現有的作品來看，這必然又是一本鉅著，是那種罕見的成就，讓**書寫**歷史成了**創造**歷史。」我還一字不漏地記得。我是在大二那年春天看到這份剪報，那時候我還不太認識他，從此之後我才開始了解他是怎麼樣的一個人。』

一篇書評。他也曾經寄過一篇書評給我父親，只是為了確保父親看到這篇書評：塔夫特所寫的〈顛茄騙局〉。

『湯姆，你也知道，他確實是一顆明星；系上大部分教授的成就加起來，還沒有他高。但是他失去了燃燒的動力，並沒有像星星一樣亮起來，他就是失去了那種光芒。』

一字一句似乎都在凝聚一種動力，形成一種壅塞的氛圍，彷彿保羅外在的寧靜和內在的壓力之間有一種平衡的力量。我覺得自己好像在這種凝重的氛圍泅泳，浪頭一個接著一個打來，讓我喘不過氣。保羅又開始講塔夫特和柯瑞，我告訴自己說，他們無非是另一本書裡的兩個角色，戴著可笑帽子的男人，在停電的夜晚裡憑空虛構的想像。然而他愈說愈多，我也逐漸開始從他的角度來看這兩個人。

＊　＊　＊

在他們因為守港人的日記發生歧見之後，塔夫特離開了曼哈頓，搬到學院裡一棟用白色木板搭建的房子，就在普林斯頓校區西南方約一哩遠的地方。也許是因為離群索居，也許是因為缺乏同僚腦力衝擊，總之在短短幾個月內，學術圈裡就開始有傳聞說他酗酒，而他計畫中要完成的文藝復興定史，也在截稿期限過後無疾而終。他對學術的熱情，對本身天賦的掌控，都在一夕之間消失無蹤。

三年後，他終於又有另外一本新書發表——一本薄薄的小書討論文藝復興時期藝術中象形文字所扮演的角色——這時候大家就已經心知肚明：塔夫特的事業完全停滯。又過了七年之後，他才在一本次要的期刊上發表一篇文章，有位評論家說他的衰微是一齣悲劇。據保羅的說法，塔夫特失去了他跟柯瑞和我父親共同擁有的東西之後，始終無法釋懷；從進學院以來一直到他遇見保羅，二十五年間，塔夫特只發表了四篇文章。似乎他比較喜歡以撰文批評別人度日，尤其是批評我父親，不過年少時的才華洋溢，卻再也不復見。

直到我們大一那年春天，保羅出現在他的門前，《尋愛綺夢》才又回到他的生命中。保羅跟我提過，自從塔夫特和比爾開始幫他蒐集論文資料，他的精神導師就不斷爆發出令人驚艷的火花；有好幾次，保羅在圖書館裡遍尋文本而沒有著落的時候，這個老傢伙不辭辛勞地在保羅身邊，徹夜背誦隱晦的文字。

『就在那年夏天，柯瑞出錢讓我去義大利。』保羅說著用手掌磨蹭著鋼琴椅的邊緣，『我們都好興奮，就連塔夫特也是。他跟柯瑞還是不講話，但是他們都知道我已經有了線索，開始看出一些眉目。

『我住在柯瑞擁有的一間公寓裡，在一棟文藝復興時期的古老宮殿頂樓；真是美呆了，美得令人難以置信！牆上、天花板上，到處都是畫；連樓梯間的神龕也是。丁托雷多斯、卡拉契斯、貝魯吉諾斯㉞，湯姆，我跟你說，那裡簡直就是天堂，真的是美不勝收，令人驚艷。有時候他早上起床之後，就用公事公辦的口吻跟我說：「保羅，我今天得去辦點事。」接著我們開始聊天，半個小時之後，他就扯開領帶，說：「去他的吧！我們休假一天！」然後我們出門逛廣場，一邊散步一邊聊天，就我們兩個人，可以走走聊聊幾個小時都不會倦。

『他就是在這個時候跟我說起他在普林斯頓的歲月，談到了長春藤和其他各種瘋狂冒險的行徑，還有他在學校裡認識的人；當然，談得最多的就是你父親。一切都如此生動，彷彿就在眼前；我是說，他口中的一切跟我所看到的普林斯頓完全不一樣，讓我徹底著迷，就像是一場夢似的，一場完美無缺的夢——連柯瑞也這麼說。我們在義大利那段時間，他都像是騰雲駕霧一般；他和一個來自威尼斯的雕塑家約會，說總有一天要向她求婚。我甚至以為經過那個夏天之後，他會跟塔夫特談和。』

『但是沒有。』

『沒有。我們回到美國之後，一切都回復原狀。他跟塔夫特還是不說話，而他交往的女人也決定跟他分手。柯瑞開始經常返回校園，重溫他和你父親一起跟隨麥克比做研究的那段光輝歲月；從那時候開始，他就一直活在過去，而且愈來愈嚴重。塔夫特一直要我離他遠一點，但是後來我想離遠一點的人卻是**塔夫特**；我盡量留在長春藤工作，避免到學院去。除非萬不得已，我不

㉞譯註：丁托雷多斯（Tintorettos）、卡拉契斯（Carraccis）、貝魯吉諾斯（Peruginos）：三人皆為文藝復興時期的義大利畫家。

想跟他說我發現了什麼東西。

『這時候塔夫特開始逼我把結論交給他看，要求我每週寫進度報告。也許他認為這是奪回《尋愛綺夢》的最後機會，』保羅的十指插在髮間，『我早就應該看出來了。我應該隨便寫篇乙等的論文，然後滾出這個鬼地方。**最大的房子和最高的樹才會遭到上帝的雷擊電劈，因為上帝喜歡讓那些比其他人突出的人受到挫折，因為驕傲而受苦的是他們自己而不是別人**。這是希羅多德㉟所說的話；這幾句話我八成看過五十遍，卻從來不曾深思。是塔夫特讓我看到這些話的真義，因為他知道箇中深義。』

『你才不信這一套哩！』

『我再也不知道自己相信什麼了，我應該更注意塔夫特和比爾的。若不是我太注意自己，應該可以預見這種結果。』

我盯著從門縫底下透進來的燈光，走廊另外一頭的鋼琴也悄然無聲。

保羅起身，往大門的方向走。『我們走吧！』他說。

15

我們離開伍華茲音樂中心時都沒有交談，保羅走在我前面兩步，讓彼此有足夠的空間沈思。我可以看到遠處的教堂尖塔，警車就蹲踞其下，彷彿是藏身在橡木樹下躲避暴風雨的蟾蜍。警方在現場拉起了隔離線，在漸息的風中晃動。比爾在雪地留下的痕跡，這會兒早就消失無蹤，雪白的地面連一點波紋都看不出來。

我們回到多德樓時，查理還醒著，但是已經準備就寢；他把交誼廳收拾乾淨，散落的報紙堆成一疊，尚未開封的信件也分門別類地整理妥當，似乎想要藉此遺忘他在救護車上看到的情境。他看看手錶，又不以為然地看了我們一眼，但是已經累到不想再多說什麼。

我站在一邊，聽保羅跟他說我們在博物館裡看到的事情。以查理的個性，他一定會堅持要我們去報警，但是在我解釋我們是在偷看比爾的私人物品時才發現那些信件之後，似乎連查理也同意我們的做法。

我跟保羅回到自己的房間，一言不發地換衣服，各自爬上床鋪。我躺在床上，回想保羅在提到柯瑞時的語調和聲音都很激動，這讓我想起過去從來不曾理解的一件事。他們兩人之間有一種沈穩的完美關係：柯瑞從未徹底了解《尋愛綺夢》，直到保羅走進他的生命，才解開了他無法解答的難題，因此他們可以一起分享；而對保羅來說，他一生匱乏，直到柯瑞走進了他的生命，給

㉟譯註：希羅多德（Herodotus，484B.C.-420B.C.），希臘史學家。

予他從未擁有過的一切，所以他們可以一起分享。他們就像歐亨利筆下的德拉與詹姆斯㊱——詹姆斯賣了金錶替德拉的秀髮買了一把梳子，而德拉卻賣掉了頭髮為詹姆斯買了錶帶——他們的奉獻和犧牲完全吻合，完美無缺；只不過這一次的轉折卻有圓滿的結局，因為他們所奉獻的正好符合對方所需。

我不會因此嫉妒保羅有這樣的運氣，因為他理所當然地應該得到這一切。保羅從小孤苦無依，沒有照片可以憑弔，沒有親人在電話的另一端聽他傾訴；而我雖然失怙，卻至少還有這些可以依賴——雖然未盡完美。

然而現在牽涉到的事情卻更複雜：守港人的日記可能證明我父親對《尋愛綺夢》的論點正確；他在語言的叢林裡披荊斬棘，踩過遍佈枯木落葉的林地，穿越時空，看到真相。我一直不相信他，懷疑他對這樣一本老舊古書會有什麼特殊意義的念頭，根本就是荒謬、虛榮、短視。我也一直責怪他的看法謬誤，結果到頭來，真正謬誤的卻是我自己。

『湯姆，不要這樣。』躺在上舖的保羅突如其來地開口，低沈嗓音讓我幾乎聽不到。

『不要怎樣？』

『不要自怨自責。』

『我想到了我父親。』

『我知道。想點別的事吧！』

『比方說什麼？』

『我也不知道，比方說想想我們啊。』

『我聽不懂。』

『想想我們四個人哪！對我們現在擁有的心存感激啦！』他語氣遲疑地說，『還有明年要做什麼啊？你想到哪裡去之類的。』

『我也不知道。』

『德州嗎？』

『也許吧，但是凱蒂還在這裡。』

他翻了個身，床單窸窸窣窣作響。『如果我跟你說，我可能會去芝加哥，你會怎麼樣？』

『去芝加哥幹嘛？』

『唸博士啊，你收到信的第二天，我也收到通知了。』

我啞口無言。

『你以為我明年要去哪裡？』他問。

『去耶魯跟平托做研究啊。為什麼選芝加哥？』

『平托今年就要退休了，而且芝加哥的課程比較好，梅洛帝也還在那裡。』

梅洛帝也是研究《尋愛綺夢》的學者，是少數我還真的記得父親提過的名字。

『更何況，』保羅又說，『如果你父親都覺得芝加哥夠好，我也應該會覺得夠好才對，不是嗎？』

我在申請的時候也想過同樣的問題，不過當時我所想的是：如果我父親可以申請上，那麼我一定也可以。

㊱譯註：歐亨利（O Henry，1862-1910），美國著名短篇小說家，德拉與詹姆斯為其〈聖誕禮物〉故事中的角色。

『我想是吧。』

『所以啦，你覺得怎樣？』

『覺得什麼？你該不該去芝加哥嗎？』

他又遲疑了一下，顯然我沒有抓住重點。

『**我們**一起去芝加哥。』

我們頭頂上的樓板嘎吱作響，彷彿來自另外一個世界的聲音。

『你為什麼不跟我說？』

『我不知道你會怎麼想。』他說。

『你會跟他唸同一個系所。』

『我誠心所願。』

我不確定自己能不能再忍受五年，讓父親的陰影一直圍繞在我身邊。我總是在保羅的身上看到他的影子，現在如此，未來還會更嚴重。

『這是你的第一志願嗎？』

我等了很久才聽到他的回應。

『塔夫特和梅洛帝是碩果僅存的兩個選擇了。』

我知道他指的是研究《尋愛綺夢》的學者。

『當然我也可以選擇留下來，跟其他不是這方面的專家做研究，』他說，『像巴塔利或陶德斯可。』

但是寫一本關於《尋愛綺夢》的論文給非專家的學者看，無疑是對牛彈琴。

『你應該去芝加哥。』我極力讓自己的聲音聽起來真心至誠，也或許真的是我肺腑之言。

『你是說你要去德州了？』

『我還沒有決定。』

『你知道，並不是所有的事情都跟他有關。』

『我知道。』

『好吧，』保羅決定不再繼續施壓，『我想我們回覆的最後期限都是同一天。』

我把兩個信封並排放在他的書桌上，不禁又想到：他就是在這張書桌上解開《尋愛綺夢》的謎底。我一度幻想著父親的靈魂從一開始就在書桌上方徘徊不去，每天晚上像守護天使般，引導著保羅邁向真相；而我就躺在咫尺之遙的床上，幾乎從頭睡到尾，想到這裡，連我自己都覺得奇怪。

『多少睡一會兒吧！』保羅說著。我聽到他在上鋪輾轉反側，還長嘆了一口氣，剛剛發生的事情好像又重返心頭。

『你早上要做什麼？』我心想不知道他願不願意談論此事。

『我要去問柯瑞有關這些信的事情。』他說。

『你要我一起去嗎？』

『我應該自己一個人去。』

當天晚上，我們再也沒有交談。

＊＊＊

從保羅的呼吸聲聽起來，他應該很快就睡著了；我希望自己也能跟他一樣，但是腦子裡有太多事情，根本無法成眠。我一直在想：如果父親知道我們在這麼多年之後發現了守港人的日記，心裡作何感想？或許會加重他內心的寂寥吧！我一直覺得他心裡應該會感到孤單寂寞，畢竟他花了這麼長的時間，研究一個沒有人關心、在乎的題目。如果他知道自己的兒子最後終於讓步，情況一定會完全改觀。

『你為什麼遲到了？』在我生平最後一場籃球賽的中場休息時間，他終於出現在球場上，我忍不住問他。

『對不起，』他說，『我沒想到會花這麼長的時間。』

我們一前一後走回停車的地方，準備要開車回家，他走在前面，我的視線則盯著他腦後總是忘了梳的那叢頭髮，也就是他在鏡子裡看不到的地方。那時候是十一月中旬，但是他卻穿著春天的薄外套；他太專注工作，連出門時都拿錯了外套。

『什麼事花那麼長的時間？』我追究道，『工作？』

工作是我對那本書比較委婉的說法，我不願意提到書名，因為那本書讓我受到朋友的奚落。

『不是工作，』父親低聲地說，『是路途時間。』

在回家的路上，他始終維持超過速限兩、三哩的車速，就跟平常一樣；這種小小的違規，具體而微地表現出他不想墨守成規的叛逆，但是卻又不敢真的違法亂紀，讓我感到很不悅，尤其是在我自己也拿到駕照之後愈演愈烈。

『我覺得你打得很好，』他轉過頭來對著副駕駛座上的我說道，『我看到你罰球兩次都進了。』

『我在上半場投籃五次全槓龜。我已經跟艾米斯教練說，不想再打球了。』我想他已經預料到這個結果了，因為他沒有停車。

『你不想打啦？為什麼？』

『因為智者勝於強者，』我知道他接下來要說什麼，所以就先發制人，『但是高的人永遠勝過矮子。』

經過這件事之後，他似乎很自責，好像籃球是壓垮我們父子關係的最後一根稻草似的。兩個星期後，我放學回家，發現車道上方的籃框和籃板都拆了下來，送給附近的慈善機構。母親說她也不知道為什麼他要這樣做，她只能說：或許他覺得這樣會好一點吧！

想到這件往事，我忍不住揣想自己能送給父親最好的禮物是什麼？隨著睡意漸濃，答案似乎也愈來愈明顯：相信他所信仰的偶像。這是他一直希望擁有的東西——希望感受到一種永恆的事物可以將父子倆永遠結合在一起；只要他和我都相信同樣的東西，那麼我們就永遠不會分離。

但瞧我做的好事！竟然竭盡所能地確保這樣的事情絕對不會發生。《尋愛綺夢》和鋼琴課、籃球、還有他梳頭髮的方式沒有什麼兩樣，反正都是他的錯。於是正如他所預見的，一旦我對這本書失去信心，我們之間的距離也就愈來愈遠，即使同桌進餐也無濟於事。

父親盡一切力量打了一個不會鬆開的繩結，而我卻親手解開了這個結。

保羅曾經跟我說過，在潘朵拉的盒子揭開之後，所有其他的疾病災厄憂傷全都逃逸出來，只剩下希望是最好也是最終的珍藏；如果沒有希望，世界上就只剩下時間，像離心器一樣在背後推著我們不斷向前走，直到我們都被世人遺忘為止。我想，這可能是唯一的解釋吧！所有發生在我們父子倆身上的事情，還有塔夫特和柯瑞之間的恩怨糾葛，甚至我們在多德樓共處一室的這四個人之間，看起來似乎密不可分，但是終究會風吹雲散，各奔前程。這是動力定律，查理會說是物理學上不可否認的事實，就跟白矮星和紅巨星一樣；我們和宇宙萬物皆然，從一出生就注定要分流，時間只不過是標示著分離的碼尺。如果我們是距離之海中的細小分子，從原本完整的實體爆裂成四散的離子，那麼我們的孤獨就有了科學的解釋——活得愈久就愈孤寂。

16

六年級結束的那個夏天，父親把我送進一個夏令營，這是專門為那些任性調皮而被踢出童軍團的男孩子所設立的訓練營，時間長達兩個星期，其目的——我現在終於知道了——是讓那些領到優良獎章的同學能夠重新接納我。在前一年，我因為在威利．卡爾森的帳篷裡放沖天炮而遭到童軍團除名；講得更白一點，我是因為知道威利體弱多病而且膀胱無力，受到驚嚇就會溺尿之後，還覺得這樣的惡作劇很好玩才遭到開除的。經過一段時間之後，我父母寄望這種莽撞行為也會為人淡忘；畢竟跟十二歲的傑克．佛格森相比——他在童軍團裡販售色情漫畫，把原本枯燥無味、呆板教條的童軍團變成獲利優渥、大開眼界的企業——我還算不上是罪不可赦。我父母似乎以為在伊利湖南岸度過十四天之後，我就會變得循規蹈矩。

結果不到九十六個小時，我就證明他們的想法大錯特錯。第一週才過了一半，童軍團長就開車送我回家，然後一言不發地開車走人。我再度遭到開除，這一次的罪名是教導同梯隊友唱一首淫穢邪惡的歌曲。營區主任還寫了一封長達三頁的信，用各種管訓假釋的苛刻用詞，把我說成大俄亥俄州中央地區最無藥可救的童軍慣犯。我也不知道慣犯是什麼意思，只是向父母坦白我到底做了什麼事。

有一天，我們跟一隊女童軍一起划獨木舟，她們嘴裡一直唱著一首歌，我記得姊姊在女童軍團爭取獎章的那段黑暗時期也唱過同一首歌；歌詞裡說『朋友結交，有新有老；一個金銀，一個財寶。』

於是我把歌詞稍微改了一下，跟其他隊友一起分享：

朋友不交，踢走老友，

我只要金銀與財寶。

其實這兩句歌詞本身並不足以讓我被逐出童軍團門牆，但是威利·卡爾森卻機靈地採取了報復行動，趁著年紀最長的營區輔導員彎下腰去點營火的機會，狠狠地踹了他一腳，然後把責任推到我身上，說他的腳是受到我的歌詞影響，才會不由自主地踢到老輔導員的屁股上。短短幾個鐘頭之內，童軍團啟動了懲治機制，我們兩個人雙雙捲舖蓋走路。

這件事除了讓我終生不得重返童軍團之外，還有兩個結果。第一，我跟威利·卡爾森結成莫逆之交，而且還因此得知原來膀胱無力是他對童軍團長撒的另外一個謊，目的只是要讓我被童軍團開除——你說，這傢伙要人不喜歡他還真難！第二，母親狠狠數落了我一頓，但我卻一直到即將從普林斯頓畢業時才知道她的用意。她對改編的第一句歌詞倒沒有什麼意見，雖然嚴格說起來，我是因為踢老人的那段話才遭到懲罰的；不過她對第二句歌詞卻別有一番狂熱的解析。

『為什麼要說金銀與財寶？』她把我叫進書店後面的小房間裡，坐定之後便開口問道。她在這裡堆放庫存書和舊資料櫃。

『什麼意思？』我問。房間牆上掛了一幅哥倫布藝術館發行的舊日曆，正好翻到五月，是愛德華·霍伯（Edward Hopper）的作品，畫的是獨坐在床上的女子，讓我忍不住盯著看。

『為什麼不是沖天炮，』她問道，『或是營火什麼的？』

『因為那些字都不合用啊，』我記得當時很惱，因為答案似乎顯而易見嘛，『最後一個字得跟**交**押韻才行啊！』

『湯姆，你聽我說，』母親把一隻手放到我的臉頰，用力把我的頭轉到面對她的方向，她的頭髮在這樣的光線下呈現金色光芒，跟霍伯筆下的女子一模一樣，『這樣不自然。像你這樣年紀的男孩子，不應該只想到金銀財寶。』

『我**沒有啊**！而且這有什麼關係？』

『因為每一種慾望都會有適當的目標。』

這話聽起來好像我在主日學聽到的教誨。『這是什麼意思？』

『這表示說，人們終其一生都在追求他們不應該得到的東西。這個世界讓人感到迷惑，所以他們把愛放在不該放的目標。』她調整一下衣服的肩帶，然後在我身邊坐下來，『生活要快樂，唯一的條件就是要適度地愛上正確的東西。不是錢，不是書，而是**人**。成年人若是不能理解這一點，就永遠不會覺得滿足。我不希望你長大後變成一個無法滿足的人。』

我的熱情必須瞄準正確的目標，為什麼這件事對她來說如此重要呢？我始終無法理解，只是鄭重其事地點頭，保證以後絕對不會再唱任何與貴重金屬有關的歌，這才感覺到母親鬆了一口氣。

然而貴重金屬根本就不是重點；我到現在才體會，原來我母親是在打一場規模更大的戰爭，希望能夠拯救我，不至於像我父親一樣淪為戰俘。對她來說，父親沈迷於《尋愛綺夢》就是一種錯置熱情的體現，她為此奮戰不懈，直到父親死亡為止。我認為，她相信父親對於這本書的熱情，無非只是一種變態扭曲，轉移了他對妻子、家人的愛，再大的力量或道德勸說都無法挽回。

我想，她知道自己已經輸了這場戰爭，無法扭轉父親的生命之後，就把目標轉到我身上，替我好好地打這場仗。

我不敢說自己是否守住了這個承諾。女人學習循規蹈矩的速度向來比天使還要快，對她們來說，男孩子那種幼稚的固執，簡直是一種奇觀。我小時候家裡有個犯錯的大富翁，而我正是那個洛克斐勒㊲；我始終無法想像母親一再警告我不要犯的錯誤，到底能有多嚴重，等到我自己終於犯了這樣的錯誤才知道後果有多糟，只不過這時遭殃的不是家人，而是凱蒂。

＊＊＊

到了一月份，柯羅納的謎語一個接著一個解開了；保羅在《尋愛綺夢》中找到了一種模式，知道該如何找出下一個謎題：依循固定的周期，每一章的長度愈來愈長，從五到十頁，一直增加到二、三十頁，甚至還有四十頁。篇幅較短的章節總是連續出現，一次有三、四章，至於較長的章節則孤伶伶地穿插其間；碰到有插圖的情況，總是在連續好幾個較短的章節之後，突然出現一個篇幅很長的章節，形成一種視覺上的變化輪廓，我們兩人一致認為這就是《尋愛綺夢》的脈搏跳動。這種固定的模式一直延續到本書前半部結束為止，在此之後就是一連串怪誕無規則可循的章節，每一章的長度都不會超過十一頁。

保羅根據我們找出摩西長角的成功經驗，很快就摸索出箇中道理：每一個孤立的長篇章都是一道謎語，謎底也就是暗號索引，則必須應用在這個長篇章之後的一連串短篇章裡，如此一來就可以解出柯羅納所要傳達的下一個訊息。至於本書的後半部，保羅揣測，應該只是填充篇幅，其目的就跟前半部的前幾章一樣：混淆視聽，讓整本書看起來像是一個完整的故事，而不是斷簡殘篇。

我們分工合作：保羅專心尋找長篇章裡的謎語，而我則負責找出謎底。第一個謎題是：**大勝裡的最小和諧是什麼東西**？

『我想到的是畢達哥拉斯㊳，』凱蒂說。我們在小小世界咖啡屋裡喝熱巧克力、吃奶油蛋餅的時候，我跟她提起這個謎語。『畢達哥拉斯最講究和諧，什麼都要協調：天文學、美德、數學……』

『我覺得應該跟戰爭有關。』我則反駁她的看法，因為我已經在總圖書館裡花了好些時間，研究文藝復興時期有關工程的文獻。達文西在寫給米蘭公爵的信上宣稱，他可以建造一輛刀槍不入的戰車，簡直就是文藝復興時期的坦克車，另外還有攜帶式的火箭與弩砲，適合在遭遇圍城時使用。哲學與科技合而為一：打勝仗也牽涉到數學，完美的戰爭機器必須比例和諧、穠纖合度。從數學到音樂也只有一小步而已。

第二天一早七點半，凱蒂把我叫醒去晨跑，因為她還要趕九點的課。

『你說跟戰爭有關，沒有什麼道理，』她開始解析謎語，只有主修哲學的人才會這樣做，『這個問題有兩個部分：最小和諧與大勝。大勝很含糊，可能是指任何事情，所以你應該專注在比較明確的部分，最小和諧的確切意義比較少。』

㊲譯註：洛克斐勒（Rockefeller，1839-1937），美國知名富豪。
㊳譯註：畢達哥拉斯（Pythagoras，569B.C.- 475B.C.），希臘哲學家、數學家、天文學家。

我們向校園西邊跑去的路上，經過丁奇火車站，我忍不住嘟囔兩句，心裡著實羨慕那些在火車站裡等候七點四十三分那班列車進站的零星旅客——太陽還沒完全升起就在跑步或動腦筋，實在是違背自然法則的事，而且凱蒂心知肚明：中午之前，我腦子裡的濃霧是不會散的。這種做法太投機，根本是在懲罰我沒有把畢達哥拉斯當一回事。

『所以妳有什麼想法？』我問。

她似乎連大氣都不必喘。『我們回程的時候在圖書館停一下，我告訴你去哪裡找答案。』如此這般，持續了兩個禮拜：一大早起床做柔軟體操和頭腦運動，我得把一些有關柯羅納但是半生不熟的想法告訴凱蒂，這樣她才會放慢腳步來聽我的說法；然後我又得強迫自己加快速度，這樣她才不會有太多時間來跟我說我錯得有多離譜。

有太多個夜晚，我們是到睡前才分手，也有太多個清晨又一起共度，我猜想理性如她，早晚會發現與其回到好德樓睡覺，然後每天早晚來回奔波，還不如乾脆留在多德樓過夜要更有效率。每天早上看到她穿著緊身運動褲和運動衫出現，我總是想盡辦法讓早上的約會可以延伸到前一夜，不過她就是有辦法故作糊塗。吉爾跟我說，她的前任男友，也就是我在文學講座課上認識的那個曲棍球選手，從一開始就跟她玩遊戲，沒有利用少數幾次她喝醉酒的機會佔她便宜，為的是等她清醒之後對他心生感激。過了好一陣子，她才終於了解這是他在操縱她的模式，而其後續的影響也一直持續到她跟我交往的第一個月。

有天晚上凱蒂離開之後，我幾乎無法承受這種挫折感，於是忍不住問吉爾：『那我該怎麼辦？』每天晨跑之後，她最多只有在我的臉頰上輕輕啄一下，考量到我的付出，實在是不敷成本。而且我花在《尋愛綺夢》上的時間愈來愈長，每天晚上只能睡五、六個鐘頭，又新增了另外一筆虧損帳目。我彷彿成了伸手摘不到葡萄的坦塔羅斯㊴：我想見凱蒂的時候，眼前卻只有柯羅納；等我想要專心研究柯羅納，滿腦子又只想著睡覺；等我好不容易上了床準備睡覺，凱蒂又來敲門叫我起床去晨跑。在我的生活裡，凡事都慢一拍，宛如一場鬧劇，只不過我根本笑不出來，非得想辦法改善不可。

不過這一次吉爾和查理倒是難得地同聲一氣。『要有耐性！』他們說，『凱蒂絕對值得。』而他們也一如往常地說對了。在我們交往到第五週的某天晚上，凱蒂確實讓我們都為之失色。她去參加一個哲學講座，回家途中特地到多德樓來走了一趟，分享她的看法。

『你們聽好，』她從袋子裡拿出一本湯瑪斯．摩爾的《烏托邦》，開始唸其中一段。

烏托邦的子民有兩種遊戲很像下棋：第一種類似算術比賽，其中某些數字『勝過』其他數字；第二種則是美德與邪惡的大戰，毫無保留地顯示出邪惡固然彼此之間會有衝突，但是卻會聯手對抗美德，同時也說明最終決定勝負的關鍵何在。

她拉起我的手，把書塞到我手上，等著我自己看一遍。

我瞄了一下封底。『寫於一五一六年，』我說，『在《尋愛綺夢》之後不到二十年。』時間不算差太遠。

㊴譯註：Tantalus：希臘神話中，坦塔羅斯本是天神宙斯之子，因為殺了兒子宴客遭到懲罰，綁在湖中的果樹上，但是湖水與果實皆可望而不可及，終生受飢渴之苦。

『美德與邪惡的大戰，』她複述著，『說明最終決定勝負的關鍵何在。』

我這時才終於恍然大悟，或許真的給她說中了。

＊＊＊

我跟拉娜·麥克奈談戀愛的時候，她有一個規矩：書跟床絕對不能混為一談。在激情的光譜上，性與思想在兩個極端遙遙相望，二者都是種享受，但不能同時進行。我覺得很訝異，像她這樣一個聰慧的女孩子，為什麼一關了燈就突然變得蠢不可及，而且一穿上豹紋晨褸就真的像豺狼虎豹般地貪婪無饜，彷彿是被我一棍打昏的原始人，發出那種狼嚎犬吠，就連撫養她長大的狼群聽到了也不禁要驚惶失色。

我始終不敢告訴拉娜，如果她少呻吟一點，或許會更有意思；不過從我們第一次上床開始，我就覺得如果有人能夠同時激起我心靈與肉體的慾念，那會是多麼美好的一件事啊！或許我打一開始就應該看出凱蒂具備這種潛能，畢竟我們每天早上都同時運動肌力與腦力；然而一直到那天晚上，我才真正感受到那種靈肉合一的境界：在我們根據她的新發現，進一步引申解開謎題之際，她那個曲棍球選手前男友所遺留下來的餘緒才終於從書頁上消失，讓我們得以展開新的一頁。

至於那天晚上所發生的事，我記得最清楚的就是保羅非常善解人意，到長春藤過夜，而且凱蒂在房裡的這段時間，從頭到尾都是燈火通明：我們開著燈一起讀湯瑪斯·摩爾，試圖揣摩出他所說的遊戲是什麼，為什麼既有大勝又有和諧的美德。我們開著燈一起發現摩爾所說的遊戲稱為

『哲學家遊戲』，又名『數字戰爭』，正是柯羅納會喜歡的那種遊戲，也是中古世紀或文藝復興時期最有挑戰性的遊戲。我們也開著燈接吻，而她吻我是因為我承認她終究是對的，因為事實證明唯有創造出和諧的數字才能贏得『數字戰爭』這種遊戲，而最完美也最罕見的和諧數字組合則稱之為**大勝**；我們開著燈繼續接吻，因為我承認自己的其他想法都是錯的，而且從一開始就應該聽她的話。

最後我終於體認到，從我們第一次晨跑開始，我就有一種誤解：雖然我竭盡所能地與凱蒂齊頭並進，但是她終究還是比我快一步；她一直想證明自己不會受到高年級生的威脅，證明自己的想法應該受到尊重，可是在今天晚上之前，她怎麼樣也想不到竟然會成功。

等到我們終於一起擠到我的床上時，床墊上早就堆滿了書，到處都是陷阱。這時候我們已經不再假裝還要看書。即使我們已經開了空調，即使窗外就像復活節週末那天一樣大雪紛飛，但是房間裡可能真的很熱，讓她穿不住身上的毛衣。凱蒂的毛衣底下穿的是T恤，T恤底下則是黑色胸罩；看著她脫掉套頭毛衣，把頭髮弄得亂七八糟，甚至因為靜電還一根根站了起來像是頂著聖徒光環，我突然有一種坦塔羅斯從未有的感覺：在沈重而希望無窮的現在之後，終於有煽情的未來接踵而至，打開了電源開關，讓時間的線路變得完整無缺。

輪到我脫衣服的時候，我毫不猶豫地亮出車禍在左腿留下的遺跡與傷疤；而她看到的時候，也沒有任何遲疑。如果這幾個鐘頭在黑暗中度過，這一切就不會那麼明心見性，但是那天晚上沒有一刻是黑暗的。我們翻來滾去，壓到了湯瑪斯•摩爾爵士，輾過他的《烏托邦》，在床上變化位置，也為我們的關係找到新的定位；一整夜，燈火始終通明。

＊＊＊

到了下個星期，卻出現了第一個徵兆，顯示我低估了工作在我生活中的影響力。那個星期一和星期二，保羅和我絕大部分的時間都在爭辯新謎語的意義：

從你的腳到地平線有幾個手臂長？

『我認為應該跟幾何學有關。』保羅說。

『歐幾里德㊵嗎？』

可是他搖頭。『地球的大小。埃拉托斯尼斯㊶在夏至當天正午，利用陽光在西奈和亞歷山大城兩地所投射的陰影，形成不同的角度，據此估算出地球的圓周。然後他再用這些角度……』他解釋到一半，我才知道他是從語源學的觀點使用幾何學這個字眼，也就是最原始的意義，指的正是他所說的『地球的大小』。

『因此，只要知道兩個城市之間的距離，他就可以利用三角測量，計算出地球的曲度。』

『這個跟謎語有什麼關係？』我說。

『柯羅納問的是你和地平線之間的距離，因此只要計算出從地球上任何一個地點到地球曲線盡頭的距離，就可以解開這個謎題。你去查一查物理學教科書，也許是個常數。』

言下之意，好像謎底是個已知的結論，不過我卻懷疑事情沒有這麼簡單。

『為什麼柯羅納要用手臂的長度來問呢？』我問。

保羅靠過來，交叉**雙臂**，放在我的影印資料上，然後用義大利文翻譯這句話。『也許應該是指braccia，』他說，『跟手臂是同一個字，但是 braccia 同時也是佛羅倫斯人用的度量單位，一個braccia 大約是手臂的長度。』

我生平第一次睡得比保羅還少。生命中突如其來的興奮狀態，讓我忍不住一再地賭手氣，一再酣醉暢飲生命的美酒，因為這杯雞尾酒裡參了凱蒂與法蘭契斯科・柯羅納，似乎正是醫生開給我的處方。重拾《尋愛綺夢》，竟然也為我所生存的世界帶來新的架構，我認為這是一個好兆頭，於是我開始步上父親的後塵，陷入了母親一再告誡我不要輕易踏入的陷阱。

星期三早上，我跟凱蒂說我夢見了父親，結果她竟然停下腳步——這是我們慢跑這麼多天以來從未發生過的事。

『湯姆，我不想再繼續討論這個話題了。』她說。

『哪一個話題？』

『保羅的論文。我們聊點別的吧！』

『我在說我父親啊！』

我已經習於跟保羅交談的模式，不管在任何情況下，只要搬出我父親的名字，就可以抵禦所有的批評。

『你父親的工作不就是研究保羅在看的那本書嗎？』她說，『還不都一樣。』

我誤認為她這番話的背後隱藏著恐懼的情緒，害怕自己無法像解答上一個謎題一樣繼續解謎，害怕我對她會失去興趣。

㊵譯註：歐幾里德（Euclid，330B.C.- 275B.C.），希臘數學家，著有《幾何原本》等書。
㊶譯註：埃拉托斯尼斯（Eratosthenes，276B.C.-194B.C.），希臘天文學家、數學家、地理學家，他估算地球的周長是四萬公里。

『好啊，』我自以為是在拯救她，『我們聊點別的。』

於是，愉悅的幾個星期終告結束，我們從誤解出發，所有的一切也全都建立在誤解之上：從我們開始約會一直到凱蒂在多德樓過夜的第一個月，她為我塑造了一個假面，以為那就是我想要的她；到了第二個月，我則投桃報李，完全不在她面前提到《尋愛綺夢》的事，並不是因為這本書在我生命中的重要性銳減，而是因為我以為柯羅納的謎語讓她感到不安。

如果凱蒂知道事實真相，那麼她的焦慮也就不算是杞人憂天了。《尋愛綺夢》逐漸佔據了我所有的心思，讓我再也無暇兼顧其他的思緒及興趣。我自以為在保羅和我自己論文之間達成的平衡——在我的想像中，這是瑪麗·雪萊和法蘭契斯科·柯羅納搭檔的雙人華爾滋，而且我跟凱蒂交往愈久，這種意象就愈鮮明——也慢慢地變成了拔河角力，而且柯羅納逐漸贏得勝利。

然而就在我和凱蒂都沒有注意到的情況下，我們共同的生活經驗逐漸在生命中留下了雪泥鴻爪：每天早上都在同一條路徑上晨跑，上課前在同一家咖啡館停留，用同樣的方式把她偷渡到我的餐飲社團吃飯（如果我辦的賓客通行證過期的話）。

每週四晚上，我們跟查理去修道院社跳舞；每週六晚上則跟吉爾去長春藤社打撞球。至於週五晚上，在展望大道上的各個社團都偃兵息鼓之際，我們則到校園各個不同的場地看朋友演出莎翁喜劇、樂團演奏或是教堂裡的表演。

戀愛初期的奇遇，逐漸開花結果，變成意想不到的收穫：一種我從未有過的感覺，不論是拉娜或是在她之前的任何女朋友都沒有給我這樣的感覺，那種感覺只有回家的情緒才能相提並論，好像生命到達某種平衡點，再也不需要任何調適，彷彿我生命的天平一直空著等待她的出現。

凱蒂發現我無法成眠的第一個晚上，她唸了一段她最喜歡的作者所寫的作品給我聽，於是我跟著好奇猴子喬治來到世界的盡頭，眼皮才終於有如千斤重般地闔上。此後，又有無數的夜晚我輾轉反側，而凱蒂總是有辦法解決：深夜播出的『外科醫生』電視影集、朗讀卡繆的冗長文字、收聽她在家鄉常聽的廣播節目，不過是透過沿海岸傳送過來的微弱電訊。有時候我們開著窗，傾聽二月末的雨聲或是喝醉酒的大一新生在窗外交談。

我們甚至還發明了一種押韻遊戲來填補空白的夜晚，當然在法蘭契斯科・柯羅納眼中不值一哂，畢竟不如『數字戰爭』那麼精密細緻，不過我們也甘之如飴。

『從前有個人名叫卡繆。』我靠在她身上說。

凱蒂在夜裡微笑時，看起來好像《愛麗絲夢遊仙境》裡那隻會笑的貓。

『從阿爾及爾大學輟學，只因為感冒。』她接著說。

『他有無限潛力。』

『但是**不相信**存在主義。』

『讓老沙特覺得大大不妙。』

儘管凱蒂想方設法助我成眠，但《尋愛綺夢》還是常常讓我徹夜清醒。我已經知道大勝中最小的和諧是什麼了：在『數字戰爭』這個遊戲中，最終目標就是找到一組數字，不論在算術、幾何或音樂上都是臻至和諧，而且只有三組數字能夠同時達成這三種和諧，也就是獲得大勝的條件。這三組數字裡最小的一組——也就是柯羅納所要的謎底——正是3-4-6-9。

保羅很快地利用這一組數字作為密碼，從適當的章節中找出第三、第四、第六、第九個字母拼湊一段文字，不到一個鐘頭，我們就看到柯羅納的另外一段留言了：

我的故事從告白開始。很多人為了保持這個秘密犧牲性命，有些人是在建造我的墓窖時亡故。這個墓窖由布拉曼特設計，由我的羅馬弟兄特拉格尼負責監造，以目的而言堪稱舉世無雙的設計，不受任何物質的損害，尤其不受水的侵蝕。興建過程犧牲不少人命，其中不乏經驗老到的工匠：三人在搬動石塊時喪生，兩人遭樹倒擊斃，五人在動工過程中死亡；至於我沒有提到的其他人，則是因為不名譽的原因死亡，應該受人遺忘。

在此我要說明我所面臨的對頭是什麼樣的人，他們的力量愈來愈強盛，也是促使我採取行動的主要原因。讀者啊，也許你要問：為什麼我要註明這本書寫於一四六七年，比我實際動筆的時間早了三十年呢？原因如下：這場戰爭是從那一年開始的，直到現在都還沒有結束，但是我們敗象已露。三年前，教皇保祿二世開革了教廷的記錄員，目標擺明了是針對我的兄弟會；然而我叔伯那一輩的人依然大權在握，影響力也未曾削減，於是遭到教廷驅逐的弟兄群聚到老好人雷托創辦的羅馬學院。保祿眼見我們的弟兄不肯屈服，怒火更盛，於是在一四六七那一年，以武力鎮壓學院，向世人展現他的決心與力量。他逮捕雷托，以雞姦的罪名起訴；至於其他成員則飽受凌虐，至少有一人死亡。

如今，我們又遭逢突然重生的宿敵威脅，這個新人的力量漸強，聲音也愈來愈大，因此我別無選擇，只有藉助比我更有智慧的朋友，設計了這樣的一個建築物來保存這個秘密。就連教士，儘管他也是哲學家，都望塵莫及。

讀者啊，請繼續看下去，我還有更多話要說。

『教廷記錄員就是人文主義份子，』保羅解釋道，『教皇認為人文主義導致道德淪喪，甚至不讓小孩子唸古詩人所寫的文字。保祿教皇用雷托來殺雞儆猴，不知道為什麼，柯羅納認為這樣就是宣戰。』

那天晚上，柯羅納的文字在我腦海中縈繞不去，連著好幾天都睡不安穩，有一天實在累得起不來，竟然誤了跟凱蒂晨跑的時間，這是我們交往以來的頭一遭。我始終有一種直覺，覺得保羅對新謎語的詮釋錯了——**從你的腳到地平線有幾個手臂長？**——所以埃拉托斯尼斯與幾何學都派不上用場。查理證實到地平線的距離會因觀測人的身高而有所差異，而且我發現，就算我真的找到答案，並且換算成braccia的單位，也會是一個天文數字，根本不能拿來做密碼。

『埃拉托斯尼斯是在什麼時代計算地球圓周？』我問。

『大約是西元前兩百年。』

這就對了！

『我覺得你錯了，』我說，『到目前為止，所有的謎語都跟文藝復興時期的知識或新知有關，他在考驗我們對十五世紀人文主義的知識了解有多少。』

『摩西和cornuta都跟語言學有關，』保羅試著提出新點子，『修正錯誤的翻譯，就像華拉㊷揭穿《君士坦丁獻羅馬詔書》是偽作一樣。』

『「戰爭遊戲」的謎語則是跟數學有關，』我接著說，『所以柯羅納應該不會再用數學來考我們，他應該每次都用不同的學科。』

我的思路清晰，讓保羅感到訝異，忍不住抬頭看了我一眼，我這才驚覺自己的角色已經改變

㊷譯註：華拉（Valla，1407-1457），文藝復興時期學者，利用語言學與邏輯學，判定《君士坦丁獻羅馬詔書》為偽作。

了；如今我們平起平坐，是創業的合夥人了。

我們兩人開始每天到長春藤碰面，那個時候吉爾還不時會過來檢查，因此保羅還常常會收拾社長辦公室。我在樓上跟吉爾和凱蒂吃飯，然後再下樓找保羅，一起跟法蘭契斯科·柯羅納奮戰。我以為留下凱蒂一個人無所謂，因為再過幾個星期，她就要面臨『比評』，必須爭取現有會員的支持才能獲准入會，有各種儀式要參加，似乎也忙得不在乎我是否消失了。

然而，當我第三次錯過了晨跑時間之後，一切都改觀了。當天晚上，就在我自以為快要解出謎題之際，她突然發現我們在一起的時間愈來愈少。

『這個給你。』她不請自來地走進我在多德樓的寢室。

吉爾又忘了鎖門，而凱蒂如果知道只有我一個人在家，就不會敲門。

她在附近熟食店替我買了一杯湯。她以為我這一陣子閉關是為了寫論文。

『你在做什麼？』她問，『還在搞《科學怪人》啊？』

接著她看到攤在我旁邊的書，每一本書名都跟文藝復興有關。

我向來都覺得一個人說謊絕對是心知肚明，沒有不知不覺的。幾個星期以來，我在木筏上載滿了各種託辭，拖著她在後面團團轉——瑪麗·雪萊、失眠、我們兩人都面臨很大的壓力，導致相聚的時間愈來愈短等等——沒料到最後反而是我自己在木筏上漂流，慢慢地遠離事實，每天都漂流得更遠一點，只不過速度極緩，看起來跟前一天沒有什麼兩樣。

我想，她應該知道我在幫保羅做論文，只是不想說而已；這是我們之間的默契，甚至不必開口說。

接下來，兩個人都不作聲，她用眼神出招，我則試著接招。最後她把湯杯放在衣櫃上，默默地穿上外套，環視這個房間，好像在做最後的巡禮，要記得每件事物的位置，然後轉身出門，離去前還不忘把門鎖好。

我原本在當天晚上就要打電話給她——我知道她一定期望我會打這通電話；事實上，她的室友後來跟我說，她一個人回到房間之後，的確就一直守在電話旁邊——只不過後來又有別的事情。火辣的情婦，也就是那本書，總是在最關鍵的時刻露出一雙美腿；凱蒂才剛離開，我就解開了柯羅納的謎語，於是就像聞到一抹香水或是看到一絲乳溝，讓我對其他事情完全視而不見。

謎底是**繪畫**裡的地平線：透視畫法中的視線交會點。這個謎語跟數學無關，反倒跟藝術有關；這也符合其他謎語的一貫特色，都得靠文藝復興時期的某一學科才能解開謎題，而促使這個學科蓬勃發展的正是柯羅納要保護的人文主義份子。我們需要以『braccia』為單位來測量的距離，是從畫中人物所站立的前景，到想像中地球與天空交界的那條地平線。

此外，我還想到柯羅納在建築學上對亞伯第情有獨鍾，保羅在解第一道謎語的時候也是利用他所寫的《建築十書》，因此我第一個找的就是亞伯第。我從保羅的書架上找出亞伯第的論文，他在其中寫道：在我準備繪圖的表面上……

> 我必須決定在畫面前景的人物有多大，然後把這個人的高度分成三個部分，以通稱『braccia』的單位做比例；因為從四肢之間的關係可以看得出來，一個人身體的平均高度大約只有三個braccia。而中央點的適當位置，絕對不能高於畫中人物在基底線的身高；接著我沿著中央點畫一條線，這就是我的界線或邊界，沒有任何事物可以超過這條線，這也是站在遠景的人物會比近景的人物小很多的原因。

從書中所附的插圖可以看得很清楚，亞伯第的中央線就是畫中的地平線；根據他的體系，這條線的高度跟前景站立的人物身高一樣，也就是三個braccia，因此這個謎語的解答——從一個人的腳底到地平線有幾個手臂？——正是三個。

保羅只花了半個小時，就猜出要如何運用這個數字：在接下來的幾個章節，找出每隔三個字的第一個字母，然後拼湊出柯羅納的下一個留言。

現在，讀者啊，我要告訴你這本書的編撰方式。在弟兄的協助之下，我詳讀了阿拉伯人、猶太人和老祖宗留下來的密碼書。我學會了猶太教卡巴拉教派的數字解經法，我們根據這個方法，知道〈創世紀〉裡雖然說亞伯拉罕帶了三一八個僕傭來協助羅得，其實只帶了亞伯拉罕的管家伊萊瑟（Eliezer），因為伊萊瑟的希伯來文姓名字母總和正是這個數字。我也學會了希臘人的密語編碼，有如眾神以謎語交談，或是如同創造神話的人在其筆下歷史中所形容的眾將官，巧妙地隱藏了他們的真意。又或者像是希斯泰亞斯用刺青在奴隸的頭皮上留言，因此阿里斯塔戈拉斯必須剃掉信差的頭髮才能看到訊息[43]。

現在我要告訴你，有哪些博學鴻儒運用智慧替我創作謎語。雷托——羅馬學院的院長，華拉的生徒，也是我們家族的多年好友——在語言和翻譯上給予指點，因為我自己的耳目不夠靈光。至於在藝術與數目和諧方面，我則受教於來自埃塔普勒的法國人拉菲維（Jacques Lefevre d'Etaples），他景仰羅傑·培根[44]和博埃修斯[45]，也嫻熟數字計算，是我智慧遠不能及。還有偉大的亞伯第，他師事大師馬薩奇奧[46]與布魯涅萊斯基[47]——但願他們的才華讓人永世不忘

——他從很早就開始教我透視繪畫的方法，讓我永遠稱頌。埃及首位預言家海爾梅斯（Hermes Thrice-Great）後裔所撰寫的聖典相關知識，則仰賴睿智的費奇諾（Ficino），這位語言與哲學大師在柏拉圖信徒中無人能出其右。最後還要感謝尊崇高貴的伊本・納菲斯（Ibn al-Nafis）一手訓練出來的高徒安德里亞・艾爾帕戈（Andrea Alpago），我尚未披露他對我的協助何在，但是他的貢獻遠比其他學科更值得重視，因為人類對自身的研究才是所有其他學門的源頭，而這正是他靜觀沈思、至臻完美的領域。

讀者啊，這些就是我睿智的朋友，他們的智慧高深遠非我所能及，他們的學識淵博更是前所未聞；我個別訪求，他們也一一首肯給予協助。他們彼此互不相識，但是都為我設計了謎語，只有我知道謎底，也只有另外一個熱愛知識的人才能解開這些謎語。最後我再拆解這些謎語，片片段段地藏在我的文本裡，隱藏的模式也只有我一人知曉。解開這些謎語的謎底，就知道我要說的真心話。

讀者啊，我這般大費周章，不只是為了保護我的秘密，也是為了讓你在發現我寫的這段話之後，能夠將這個秘密傳遞給你。再解開兩道謎語，我就會披露墓窖的秘密。

㊸譯註：希斯泰亞斯（Histaeus）是古希臘城市米利都的國王，為了傳遞秘密訊息給朋友阿里斯塔戈拉斯（Aristagoras），他把信賴的奴隸剃光頭，把訊息刺青在他的頭皮上，等頭髮再長回來再派他出去。

㊹譯註：羅傑・培根（Roger Bacon，1214-1294），英國哲學家、科學家。

㊺譯註：博埃修斯（Boethius，470-524），古羅馬數學家，著有《算術入門》及《幾何學》。

㊻譯註：馬薩奇奧（Masaccio，1401-1428），義大利文藝復興時期畫家。

㊼譯註：布魯涅萊斯基（Brunelleschi，1377-1446），義大利文藝復興初期建築先鋒。

第二天早上，凱蒂沒有叫我起床晨跑；事實上，一整個星期，我都找不到她的人，只能跟她的室友和答錄機講話。我跟保羅的工作進展順利，讓我變得盲目，完全沒有發現自己生命的景觀已經遭到侵蝕。

我們漸行漸遠，晨跑路線和咖啡店也離我愈來愈遠。凱蒂再也沒有跟我去修道院社吃飯，但是我幾乎沒有發現，因為連我自己也有好幾個星期都沒有去那裡吃飯了：我和保羅像老鼠一樣在地道中穿梭，往返於多德樓與長春藤之間，終日不見陽光，也無視於頭頂上比評會的喧囂。我們常常到校外全年無休的華華便利商店買咖啡和現成的三明治果腹，因為這樣我們才可以按照自己的規律工作吃飯。

其實在這段時間，凱蒂跟我只隔著一層樓，穿梭在社團的各個派系之間，有時要堅定地展現自我，有時又得表現出聽話合群的乖巧模樣，只為了爭取高年級學生支持她入會。箇中分寸如何拿捏，常常讓她緊張地忍不住要啃指甲。我從一開始就認定，她在這個時候不會希望我介入她的生活，於是我也就以此為藉口，成天沒日沒夜地跟保羅一起工作。

我從來不曾想過：也許她會希望有人陪在身邊，晚上有一張熟悉的臉孔迎接她回來，或是在白日將盡，氣溫漸低的時候有人陪伴——當然我更沒有想到，這是她在普林斯頓面臨的第一個重大的十字路口，也許在這個時候她更需要我的全力支持——沒有，我完全沒有想到，因為我滿腦子都在想別的事情。我從來沒有想到，這個比評會對她來說竟然成了一種考驗，評量的不是她的魅力，而是耐力與韌性。總之，我在她眼中成了陌生人，對她那些日子在長春藤的遭遇全然無知。

一個星期之後，吉爾告訴我說長春藤接受她的入會申請。那一整個晚上，他打起精神來跟每一位申請人聯繫，不論好壞，都個別告知結果。凱蒂的申請過程倒也不是一路順遂，派克・海塞特就特別刁難，拿她當出氣筒，或許是因為他知道凱蒂是吉爾最中意的人選吧！不過就連派克最後也不得不讓步。

接下來的那個星期是新會員的入社儀式，經過新生訓練之後，一年一度的長春藤舞會就預定在復活節那個週末舉行。吉爾鄭重其事地跟我列舉這些活動，讓我覺得他好像意在言外：這些活動是我跟凱蒂重修舊好的機會，是我復活重生的行事曆。

果真如此，那麼我非但不是好童軍，更不是好男友了。偏離方向的愛情總是會找到新的目標。在接下來的那幾個星期，我看到吉爾的次數愈來愈少，至於凱蒂，則根本沒有見到。我聽到謠傳說她跟長春藤的一位高年級學生走得很近，是原來那個曲棍球選手的新翻版，也是好奇猴子喬治眼中另外一個戴黃色帽子的人。然而在那個時候，保羅又找到了一個新的謎語，我們也開始揣測柯羅納的墓窖裡究竟藏了什麼秘密：古老的符咒經過漫長的冬眠之後，終於從沈睡中清醒，準備展開另一季的新生。

朋友不交，踢走老友，
我只要金銀與財寶。

17

電話鈴聲把我從夢中驚醒，窗外已經天光大白。時鐘顯示時間是九點半，我掙扎著起床，一把攫起無線電話，以免吵醒保羅。

『你還在睡覺嗎？』這是凱蒂說的第一句話。

『算是吧。』

『我不敢相信是比爾·史坦。』

『我們也不敢相信。有什麼事嗎？』

『我在編輯室，你能過來一趟嗎？』

『現在啊？』

『你在忙嗎？』

她的聲音令人感到有些不安，感覺距離很遙遠，讓我一下子清醒過來。

『我去沖個澡，十五分鐘就到。』

她掛電話時，我已經開始脫衣服了。

等一切準備妥當，我腦子裡只有兩件事：比爾和凱蒂。他們輪流盤踞我的心思，就像有人在測試燈泡，一會兒開燈，一會兒關燈似的：燈亮時，我看到凱蒂；燈滅後卻看到迪金遜大樓的庭院，覆蓋著厚厚的白雪，在救護車急駛而去之後留下一片靜寂。

回到我們的寢室，我到交誼廳去穿外套，以免吵醒保羅。我在找手錶時，赫然發現交誼廳好像比我昨天晚上睡覺前還要更乾淨，有人把地毯扯正，還清了垃圾桶。這不是好現象，顯然查理一夜沒睡。

接著我又看到白板上的留言：

湯姆——

我睡不著，先去長春藤工作，你醒來後打電話給我。

——P

我回到臥房，這才發現保羅的床是空的，再回頭看看白板，發現他的訊息最後有個數字：『2:15』。他幾乎一整晚都不在。

我拿起話筒，正準備要撥社長辦公室的號碼，卻聽到有電話留言的訊號。**星期五**，我按下密碼，聽到自動語音系統的回覆，**晚上十一點五十四分**。接著就是我沒有接到的電話，一定是我跟保羅還在博物館的時候打來的。

湯姆，我是凱蒂。停了一會兒。**我不知道你在哪裡，也許已經在路上準備要過來了。凱倫和崔夏要切蛋糕了，我叫她們等你**。又停了一下。**好吧，等你來了再說吧**。

電話在我手裡熱得發燙。我買給她的黑白照片鑲在框裡看起來好呆板，看起來比昨天更不堪。那些名攝影師，我總共也只叫得出安瑟·亞當斯（Ansel Adams）和馬修·布萊迪（Mathew Brady）這兩個人的名號；我對凱蒂的過去知道得太少，根本無從判斷她的品味。再三思索之後，我決定不帶照片過去了。

＊＊＊

在往《普林人日報》辦公室的路上，我盡量讓腳步放輕鬆。凱蒂在門口等我，立刻領著我往暗房走，一路鎖門、開門。她身上還是在好德樓穿的那套衣服：T恤和舊牛仔褲；頭髮往後梳挽起來，好像準備見客似的，不過T恤的領口卻已經變形。我從側面可以看到一條金項鍊繞過她的鎖骨，另外在牛仔褲靠近大腿的部位破了一個洞，雪白的皮膚露出來見人，讓我的視線流連不去。

『湯姆，』她指著在角落打電腦的人說，『我來介紹一下，這是珊·費登。』

她衝著我笑了笑，好像認識我似的。她穿著一條草地曲棍球選手的運動褲，上身則是一件長袖T恤，上面印著：做新聞太簡單，交給**新聞週刊**就行了。她伸手在旁邊的小型錄音機上按了一個鍵，然後從耳朵裡拉下一隻耳機。

『今天晚上的舞伴啊？』她問凱蒂，只是確定自己沒有聽錯。

凱蒂說對，但是沒有加上一句我想聽的話：**這是我男朋友**。只是說：『珊正在寫比爾·史坦的新聞。』

『到舞會好好玩吧！』她對我說著，又伸手去操作錄音機。

『妳不去嗎？』凱蒂問。

我猜到她們是在長春藤認識的。

『我想不會。』珊說著轉向電腦，螢幕上有幾行小字，像是玻璃螢幕後的螞蟻農莊。她讓我想起在實驗室裡的查理：永遠都在想著還有多少事情沒有做，永遠有寫不完的新聞，證明不完的理論，觀察不完的現象。對那些成就超凡的人來說，永遠都做不完的工作就像貓草一樣讓貓兒興奮不已。

凱蒂同情地看了她一眼，珊又回過頭去繼續抄寫錄音內容。

『妳要跟我說什麼？』我問。

凱蒂又帶我走進暗房。

『這裡面有點熱，』她打開一扇門，推開厚重的黑色門簾。『你要不要把外套脫掉？』

我照做了，她則把外套掛到藏在門邊的衣架上。打我認識她開始，我就一直避免到這裡來，生怕毀了她的底片。

凱蒂走到牆邊，沿著牆拉了一條曬衣繩，一張張照片就用曬衣夾夾著掛在繩子上。『這裡不應該超過七十五，』她說，『否則藥水就會讓負片龜裂。』

她簡直在說外國話。姊姊曾經教我一條老規矩：跟女孩子約會時，一定要約在你熟悉的地方。到了法國餐廳如果連菜單都不會唸，再怎麼樣也酷不起來；去看藝術電影如果連情節也看不懂，那肯定會有副作用。如今到了暗房，出醜鬧笑話看來是免不了。

『你等我一下，』她像蜂鳥似地從暗房的一邊忙到另外一邊，『就快好了。』

她打開一個小水槽的蓋子，從裡頭拿出底片，然後放在水龍頭底下沖水。

我開始覺得擁擠，暗房裡空間小，東西又多，枱子上堆滿了各式盆盤，架子上全是停影液和定影劑；凱蒂在這裡倒是顯得靈敏輕巧，讓我想起她剛才在門口整理頭髮的時候，靈活地把頭髮纏繞在髮夾上，好像背後長了眼睛似的。

『我要關燈嗎？』我開始覺得自己在這裡一無是處。
『不用，除非你想關。底片已經沖好了。』
我杵在暗房的正中央，像稻草人一樣。
『保羅還好嗎？』她問。
『還好。』
接著是一片沈寂，彷彿在默哀。凱蒂好像不知道該如何接話，乾脆去看另外一組照片。
『我在十二點半以後去了多德樓一趟，』她又開口，『查理說你跟保羅在一起。』
她的聲音裡充滿令人意想不到的同情心。
『你能陪在他身邊，真是太好了，』她說，『保羅一定覺得很難過，大家都不好受。』
我想跟她說比爾寫的那幾封信，但是這一來就得細說從頭，有太多事情要解釋。她手裡拿著照片，回到我身邊。
『這些是什麼？』
『我把我們的照片沖洗出來了。』
『在電影場拍的啊？』
她點點頭。
電影場是凱蒂帶我去看的一個地方，是在普林斯頓大學戰場公園裡的一塊空地，看起來比堪薩斯州東部任何一片平原都還要更大、更平坦；正中央矗立著一株橡樹，彷彿拒絕離開崗位的哨兵，呼應著獨立戰爭期間在樹枝下力戰而亡的將軍。凱蒂最早是在華特·馬殊㊽的電影裡看到這個地方，此後這棵樹就令她迷戀不已，而這裡也成了少數幾個她一再造訪、流連忘返的地方。這些景點就像一串玫瑰經的念珠，重返的次數愈多，就在她生命中留下不可磨滅的烙印。

她第一次在多德樓過夜之後，不到一個星期就帶我來看這棵樹，彷彿這棵老橡樹是她的親人似的，三個人都要留下重要的第一印象。那一天，我帶了毯子、手電筒和野餐籃；凱蒂則帶了相機和底片。這些照片成了我意想不到的工藝品，我們都有一小部分被鎖在琥珀裡，留傳後世。我們一起看著這些照片。

『你覺得如何？』她說。

看著這些照片，讓我想起冬天有多暖和：一月漸淡的天光宛如蜜色，我們穿著薄毛衣，根本不需要外套、帽子和手套。身後的樹幹滿佈縐紋，呈現出年邁的紋理。

『拍得很棒。』我跟她說。

凱蒂笑得有點不知所措，她還是不知道該如何接受別人的讚美。我發現她指尖有點污漬，是報紙印刷的顏色，多半是牆上那一排瓶瓶罐罐裡的某種暗房用品所殘留下來的吧？她的手指修長，但是摸起來卻像工人，是浸泡在太多化學物質中、沖洗太多底片的後遺症。**這就是我們**，她說著，其中彷彿有千言萬語，**還記得嗎**？

『對不起。』我說。

我鬆開手裡的照片，但是她用另外一隻手抓著我的指頭。

『不是因為我生日的關係。』她擔心我沒有聽到重點。

我等著。

㊽譯註：華特・馬殊（Walter Matthau），美國喜劇電影明星。

『昨天晚上你離開好德樓之後，跟保羅到哪裡去了？』

『去看比爾·史坦。』

她停了一下，回味著這個名字。『跟保羅的論文有關嗎？』

『是緊急事件。』

『那過了午夜之後，我到你的寢室你又不在，是去了哪裡？』

『藝術博物館。』

『做什麼？』

我知道她要說什麼，心裡隱隱覺得不安。『對不起，我沒有到妳那裡去。保羅認為他可以找到柯羅納的墓窖，但是他必須去找一些老地圖。』

凱蒂似乎並不訝異。她沈默了一會兒才又開口，但是我知道她心中已有定論。

『我以為你不再幫保羅做論文了。』她說。

『我也以為這樣。』

『你不能指望我眼睜睜地看著你又重來一次。湯姆，上一次我們有好幾個星期都沒有說話。』她猶豫了一會兒，好像不知道該怎麼說才好。『你不應該這樣對我。』

男孩子總是強詞奪理，就算言不由衷，也要千方百計地找藉口替自己辯駁；我幾乎可以感覺到奪理的強詞就在喉間，即刻就要衝出來自我保護，可是凱蒂即時制止。

『你不要說話，』她說，『我要你好好想一想。』

其實她不用說我也知道。我們的手分開了，她把照片留在我的手裡，暗房裡的嗡嗡聲又再度嚮起。像是被我踢了一腳的狗，沈默似乎永遠站在她那一邊。

我早已有所抉擇，我想告訴她，**我不需要再多想什麼，答案很簡單：我愛妳遠勝過那本書。**

但是這些話現在不能說，因為問題不是出在口頭的承諾，而是必須以行動證明我會改過——即使二度違背諾言，我還是可以改。不過十二個鐘頭之前，我才因為《尋愛綺夢》而錯過了她的生日；現在不管我承諾什麼，連自己聽起來都是空話。

『好。』我說。

凱蒂伸手到唇邊，開始啃指甲，不一會兒意識到自己在做什麼，立刻就停下來。

『我該去工作了，』她輕觸著我的指頭說，『我們晚上再說。』

我看著她光禿禿的指甲，期盼我能有更多信心。

她推著我走向黑色門簾，把外套遞給我，然後一起回到大辦公室。『我必須在學長來用暗房之前，把其他的底片也沖洗出來，』她邊走邊說，不過說給珊聽的成分更大過跟我講，『你在這裡會讓我分心。』

不過這番作態是白費工夫，珊的耳機仍然塞著，只是專心地打字，壓根兒就沒有注意到我走了。

走到門邊，凱蒂抽回一直放在我腰際的手，好像有話要說，但是終究沒有開口，只是靠近在我臉頰上輕吻了一下，就像我們剛開始談戀愛的時候一樣，是我每天晨跑後得到的獎賞。然後她拉開門讓我出去。

18

愛情征服一切。

七年級的時候，我在紐約一個販售紀念品的小攤子上買了一只銀手鐲，送給一個叫做珍妮·哈露的女孩子，手鐲上就刻了這幾個字。

那個時候，我以為這個禮物足以刻劃出她想要交往的男孩子：有都會風格，因為出身曼哈頓；有浪漫情調，因為刻著如詩一般的題辭；有高雅格調，因為銀飾的光芒比較收斂。到了情人節當天，我把手鐲放在珍妮的書櫃裡，沒有留下隻字片語，心想她一定可以猜出是誰送的禮物，於是就癡癡地等了一整天，等待她的回應。

結果很不幸的，都會風格、浪漫情調、高雅格調都沒有留下足夠的線索讓她找到我，反倒是另外一個名叫朱利斯·墨菲的八年級學生——顯然他擁有這三種特質，至少比我更符合這個形象——在那一天下課後獲得珍妮·哈露的一個香吻，而我卻什麼都沒有，讓我懷疑這趟紐約之行的全家旅行根本一無所獲。

這次的事件和童年大多數的經驗一樣，全部都是一場誤會。我到很久以後才想到：那個手鐲根本不是在紐約做的，也不是真的銀製品。

不過那個情人節晚上，父親倒是跟我解釋了這整件事裡最明顯的一個誤解，也就是手鐲上銘刻的字完全不如珍妮、朱利斯和我想像的那麼浪漫。

『這個錯誤的印象也許是從喬叟㊾那裡來，』他面露微笑地說道，笑容裡帶著那種為人父母的睿智，『所謂「愛情征服一切」，指的不只是故事中的女修道院長的胸針而已。』

我意識到這段談話一定跟多年前他跟我說小貝比是送子鳥叼到家門的對話雷同：立意雖佳，卻沒有想到這完全牴觸我在學校裡學到的東西。

接著是他的長篇大論，解釋維吉爾㊿的第十首田園牧歌和『愛情征服一切』的意義，中間還離題去講了西索尼亞的雪[51]和伊索匹亞的羊。

但是講了這麼一大堆，我心裡想的卻是為什麼珍妮・哈露覺得我不浪漫？還有我為什麼會用這麼一無是處的方法花掉十二塊錢？

我心裡認定，如果愛情真的能征服一切，那麼愛情肯定沒有碰到像朱利斯・墨菲這樣的對手。

然而我父親不愧是個聰明人，眼見我根本沒有聽進他所說的話，乾脆翻開一本書，讓我親眼看看他的論點。『阿戈斯蒂諾・卡拉奇[52]做了這幅版畫就叫做「愛情征服一切」，』父親說，『你看到了什麼東西？』

[49]譯註：喬叟（Chaucer，1342- 1400），英國詩人、小說家，著有《坎特伯雷故事集》。
㊿譯註：維吉爾（Virgil，70B.C.- 19B.C.），羅馬偉大詩人，著有史詩《埃涅阿斯紀》。
[51]譯註：西索尼亞（Sithonia）是位在希臘東北部的一個半島。
[52]譯註：阿戈斯蒂諾・卡拉奇（Agostino Carracci，1560 -1609），義大利畫家。

這幅畫的右邊有兩名裸女，左邊則是一個小男孩痛打一個體型比他大得多，也更肌肉糾結的人頭羊身怪物。

『我不知道。』我不知道要看畫的哪一邊。

『這個，』父親指著男孩說，『就是愛情。』

他停頓一下，讓我想一想。

『他本來就不應該跟你站在同一邊，你必須跟他奮戰，摧毀他在別人身上所做的事情。但是他的力量太強，因此維吉爾說，不管我們受多少罪，都無法讓他心軟。』

我不敢說自己是不是完全理解父親傳授的這番教訓，但是至少體會到最簡單的部分：我若是想讓珍妮・哈露對我神魂顛倒，就得跟愛情廝殺搏鬥，但是從我那只便宜手鐲的經驗來看，一切都是白費工夫。

不過即使在那個時候，我都意識到父親只不過是利用珍妮和朱利斯為例，真正的目的是傳授我一些生命的智慧，這是他自己吃盡苦頭之後才學到的教訓，因此希望我在還沒有摔個大跟頭之前就先學會這一點。

母親曾經警告我，什麼叫做方向錯誤的愛，因為父親跟《尋愛綺夢》之間的愛戀糾葛，讓她始終無法忘懷；如今父親卻用維吉爾和喬叟的謎語，提出反駁的論點。他想說的是：他完全能夠體會她的心情，甚至感同身受，但是他又怎麼能夠阻止呢？如果愛情能夠征服一切，他又有什麼力量來跟愛情抗衡？

我始終不知道他們兩人誰對誰錯；我覺得這個世界就像是珍妮・哈露，得不到手的永遠最好，就像漁夫最留戀的一定是漏網的那條大魚。直到今天，我還是不知道喬叟筆下的女修道院長如何詮釋維吉爾，也不知道維吉爾如何詮釋愛情；我唯一記得的就是父親給我看的那幅畫，而且是他沒有提到的那個部分：兩名裸女看著愛情欺凌人羊怪物。我始終不解，為什麼卡拉奇的畫裡有兩個女人？不是一個就夠了嗎？

於是我從其中悟出了一個道理：在愛情幾何學裡，凡事都是一個三角形——每一個湯姆與珍妮都會有一個朱利斯；每一個凱蒂與湯姆也都會有一個法蘭契斯科·柯羅納。慾望的舌尖總是分叉，同時親吻兩個人，心中卻只愛一個。愛情在我們之間畫線，就像天文學家連結星星畫成星座圖一樣，毫無根據地就把幾個點連成一個圖形；每個三角形的頂點都是另外一顆心，如此心心相連，直到現實生活的夜空全都星羅棋布，結成一張愛情的網。而我猜想，在背後撒網的人就是愛情。

愛情正是完美的漁夫，撒下漫天的愛戀網，所有的魚群無一倖免。至於他的報酬則是獨坐在生命的酒店裡，永遠是個長不大的小男孩，希望有朝一日會有一條漏網之魚可以讓他回味留戀。

＊＊＊

謠傳凱蒂有了新戀情，新人是三年級的學弟唐納·摩根，長得又高又壯，像座鐵塔似的，即使只需要穿襯衫的場合，他也要加件西裝外套，而且據說他已經立志要做吉爾的接班人，擔任長春藤的社長。二月底的一個晚上，我在小小世界咖啡館裡碰到他們——也就是三年前第一次見到保羅的地方——彼此冷淡地打了聲招呼。

唐納原本還講了兩三句無關痛癢的客套話，後來發現我根本不是長春藤的會員，也沒有投票權，立刻就護送凱蒂走出咖啡館，坐上他停在路邊的福特跑車。

我看著他轉動鑰匙三次才發動引擎；不知道是作態或者只是虛榮心作祟，他在原地停留了一會兒，等到路上淨空，這才呼嘯上路——這一切對我而言，有如凌遲之刑。我只注意到凱蒂根本沒有正眼瞧我，就連他們開車離去之際也沒有；更糟糕的是，她對我視而不見，是出於憤怒而不是尷尬，好像我們今天走到這一步完全是我的錯，跟她一點關係也沒有似的。

我覺得心痛有如傷口化膿，決定除了放手之外，已經沒有別的選擇。我心想：讓她去找唐納‧摩根吧！讓她去長春藤過好日子吧！

當然，凱蒂沒有錯，一切都怪我。幾個星期以來，我一直在跟第四道謎語奮戰不懈——**盲眼甲蟲、貓頭鷹、歪嘴老鷹之間有什麼共通點？**——我覺得好運已經用光了。文藝復興時期有關動物的知識，向來是棘手的題目。在卡拉奇創作版畫『愛情征服一切』的同一年，有位名叫烏立茲‧亞德若望蒂（Ulisse Aldrovandi）的教授，出版了他十四冊的自然史鉅著中的第一冊。在最著名的分類方法案例中，他只花了兩頁的篇幅討論不同的雞隻品種，但是接下來卻有三百多頁在講雞的神話、雞的相關料理食譜，甚至以雞為基礎的美容治療方法。

就連古代動物權威老蒲林尼，也把獨角獸、巴西力斯蛇妖[53]、人面獅身龍尾怪獸等，都視為真實生物，歸類在犀牛與狼之間。而且他還提供如何用雞蛋來判斷孕婦生男生女的妙方。

我盯著這個謎語看了十天，覺得自己就像蒲林尼筆下的海豚，為人類的音樂所惑，卻無法發出自己的聲音。

顯然柯羅納這個謎語有其高明之處，只是我自己笨得看不出來而已。

三天之後，我錯過了第一個論文繳交期限，這才在桌上一堆從亞德若望蒂書中影印下來的資料底下，找出尚未完稿的最後一章。我的指導教授蒙特羅斯博士是老資格的英文系教授，他看到

[53]譯註：Basilisk：傳說中以眼神或吐一口氣即可致人於死地的怪蛇。

我雙眼佈滿血絲，以為我在寫什麼曠世巨作，完全沒有想到讓我多日廢寢忘食的根本就不是瑪麗·雪萊，於是讓我展延期限。

很快地，第二個期限也過去了，於是我悄悄地展開大四這一年最低潮的一段時間，沒有人注意到我漸漸退縮到自己的世界裡。

早上的課一律都在睡覺，下午的課則滿腦子都在解謎語。好幾天晚上，我看到保羅還不到十一點就提前從辦公室回來，還跟查理一起出去買三明治當消夜；他們總是問我要不要一起去或是帶什麼東西回來給我吃，而我也總是拒絕。

一開始，我是以這種近似修道院的生活為榮，後來則是覺得他們這種生活型態有怠忽職守之嫌。有一天晚上，保羅又跟查理出去吃冰淇淋，而沒有留下來研究《尋愛綺夢》，讓我第一次感覺到他在我們的合夥關係之中沒有盡到全力。

『你不夠專心噢！』我說。我的視力愈來愈差，因為我總是在黑暗中看書，真是屋漏偏逢連夜雨。

『我什麼？』保羅正準備爬到上舖睡覺時，回過頭來問了一句，以為自己聽錯了。

『你一天花多少時間做這件事？』

『我不知道，也許八個鐘頭吧。』

『這個星期我每天都花十個鐘頭做研究，結果你還去吃冰淇淋？』

『我只不過出去十分鐘而已，湯姆。而且我今天的進度不錯啊，這有什麼問題嗎？』

『都快要三月了，再過一個月就是繳交期限了。』

他不為所動：『我會申請延期。』

『也許你應該更用功一點。』

或許這是生平第一次有人在他面前講這種話。我有好幾次看過他發脾氣，但是從未像現在這麼嚴重。

『我已經很用功了！你以為你在跟誰說話？』

『我就快要解開謎語了，你呢？』

『快要？』他搖頭說，『你才不是快要解開謎語，你是根本就解不開。這個謎語不應該讓你花這麼長的時間，沒有那麼難，可是你失去耐性了。』

我瞪著他。

『沒錯，』他好像這幾天一直在等著說這些話的機會，『我已經快要解出下一道謎語，而你還在搞上一個。我不想干擾你，因為我們有不同的步調，但是你也不要我幫你。好吧，既然這樣，你就自己去搞吧，可是不要拿我出氣。』

那天晚上，我們彼此不再交談。

＊　＊　＊

如果我肯聽他的話，可能早就學到教訓；但是我卻一心想證明保羅錯了，於是每天更晚睡、更早起，還固定把鬧鐘往回撥十五分鐘，希望他發現我即使在沒有人注意的時候也是如此戒律嚴明。我每天都找新的藉口多花一點時間在柯羅納身上，每天晚上像守財奴數鈔票似的，記錄工作時數：星期一是八個小時、星期二是九個小時、星期三和星期四則是十個小時、星期五則幾乎到十二個小時。

盲眼甲蟲、貓頭鷹、歪嘴老鷹之間有什麼共通點？蒲林尼寫道：長角的甲蟲如果掛在嬰兒脖子上可以預防疾病；金色的甲蟲會分泌有毒汁液，而且在色雷斯附近一個叫康撒羅勒斯的地方無法存活；黑色的甲蟲聚集在陰暗的角落，最常出現在浴室。那麼，**盲眼**甲蟲呢？

我發現不去修道院社吃飯，可以節省很多時間：去展望大道來回一趟就要花半個鐘頭，如果遇到同伴，不是一個人吃飯的話，又得多花半個鐘頭。我也不再去長春藤的社長辦公室工作，一方面避免看到保羅，另一方面也節省往返時間。講電話的時間也盡量壓縮，洗澡、刮鬍則是能免則免；門鈴響了，讓吉爾或查理去開門。我放棄了生活中的一切舊習慣，發展出一種節省時間的科學。

盲眼甲蟲、貓頭鷹、歪嘴老鷹之間有什麼共通點？亞里斯多德寫道，在沒有血而能飛的生物裡，有一些是有鞘翅的，例如甲蟲；在夜晚飛翔的鳥類裡，有一些會有鉤爪，例如夜鷺或貓頭鷹；有些老鷹的上喙隨著年紀增加而逐漸增長，以致愈來愈彎曲，例如那些逐漸餓死的鳥類。但是三者之間有什麼共通點呢？

我認定凱蒂已經是遙不可及了。不管過去她對我有什麼意義，現在她都是唐納·摩根的人。我現在幾乎足不出戶，但是為什麼還到處都看到他們的身影呢？我不斷在腦海裡和睡夢中尋找解答，而他們也一直在我的腦海和睡夢中出現，做些蠢事；在巷弄角落、在陰影雲端，他們幾乎無所不在：牽手親吻、甜言蜜語，好像全都是做給我看似的，炫耀著膚淺的心易碎也容易修補。

我房裡還有一件黑色胸罩，是凱蒂很久以前留下來的，我一直忘了還給她；對我來說，這東西成了一種戰利品，象徵凱蒂還有一部分留在我這裡，是唐納永遠無法擁有的。記憶成了我僅有的紀念品：我依稀看到那一天她全身赤裸地站在我的房裡，相處得太愉快，讓她渾然忘我，拋棄所有的束縛，全然忘了我是另外一個人。她身體的曲線、臉上的雀斑，甚至乳房下的陰影層次，也深深烙印在我的腦海中；她隨著鬧鐘的音樂起舞，一隻手撫著秀髮，一隻手假裝拿著麥克風放在唇邊高歌，而我是唯一的觀眾。

盲眼甲蟲、貓頭鷹、歪嘴老鷹之間有什麼共通點？牠們全都會飛——但是蒲林尼說甲蟲有時會挖洞；牠們全都會呼吸——但是亞里斯多德說昆蟲不會吸氣，不會從錯誤中學習，因為『很多動物都有記憶力……但是除了人類之外，其他生物都不能隨心所欲地回想過去。』

然而就算是人，也常常忘了過去的教訓；從這一點來看，我們其實都是盲眼甲蟲和貓頭鷹。

三月四日星期四，我創下了研究《尋愛綺夢》的最高紀錄，花了十四個鐘頭重新研讀文藝復興時期六位自然史學家的作品，寫下了二十一頁單行間距的筆記。我沒有去上課，三餐都在書桌上解決，晚上只睡了三個半鐘頭。我已經有好幾個星期沒有碰《科學怪人》，除了《尋愛綺夢》之外，唯一讓我想到的人或事就只有凱蒂了；但是想到凱蒂，徒然讓我的生活更混亂。這種全然的操縱自我一定會讓人上癮，一定有什麼令人上癮，因為我在這個謎題上幾乎毫無進展。

『把書闔上，』那個星期五晚上，查理終於忍不住站出來講話，他抓著衣領把我揪到鏡子前面，『你看看自己成了什麼樣子？』

『我很好——』我無視於鏡子裡那個七分不像人、三分倒像鬼的傢伙：兩眼佈滿血絲、鼻頭通紅、滿臉鬍碴。

連吉爾都跟查理一個鼻孔出氣。『湯姆，你看起來跟鬼一樣。』他一腳走進我的寢室，這是幾個星期來的頭一遭。『她想跟你談談，別那麼頑固。』

『我不是頑固，我只是有其他的事情要做。』

查理冷笑一聲：『什麼其他的事？保羅的論文啊？』

我皺起眉頭，等保羅挺身出來為我辯護，但他只是靜靜地站在他們背後，一言不發。這一個多星期來，他一直期望謎底就在眼前，期望我能有所進展，解開這個謎語，痛苦的進展。

『我們要去布萊爾大樓參加拱門演唱會。』吉爾說。這表示星期五的無伴奏演唱會要在戶外舉行。

『我們**四個人**都要去！』查理加了一句。

吉爾輕輕地闔起我旁邊的書，說：『凱蒂會在那裡。我跟她說你也會去。』

可是當我又翻開書，說我不想去的時候，吉爾臉上出現了一種表情，我到現在都還記得：他從沒有給我看過那種臉色，只保留給派克·海塞特或是偶爾給其他一些不知適可而止的小丑。

『你要去！』查理向前跨了一步說。

但是吉爾揮揮手說：『算了，別理他，我們走吧！』

於是他們留下我一個人走了。

＊＊＊

讓我不想去布萊爾大樓的原因，不是固執、不是驕傲，更不是對柯羅納的全心投力，而是心痛與挫敗感；我愛凱蒂，也用一種奇怪的方式愛《尋愛綺夢》，但是卻一個也沒有得到。保羅在離開之前的表情，宣判我已經失去了解開這道謎語的先機，不管我自己知不知道；而吉爾在離開之前的表情，則意味著我已經失去了凱蒂。

我盯著《尋愛綺夢》書裡的一組木刻版畫——正是一個月之後塔夫特在演講中提到的作品，也就是丘比特駕著火戰車，戴著女人到森林的那幾幅畫——聯想起卡拉奇的版畫；我在此遭到這個小男孩飽以老拳，而我的兩個摯愛卻袖手旁觀。這正是我父親希望我學到的教訓：**不管我們受多少罪，都無法讓他心軟；愛情征服一切**。

柯瑞曾經跟保羅說，生命中最令人難以承受的兩件事就是失敗與年華老去；其實是同一件事。完美本來就是永恆的自然結果：只要時間夠久，任何東西都可以充分發揮潛能——煤礦可以變成鑽石，沙粒可以變成珍珠，猿猴可以變成人類——但是人類的生命苦短，無法看到這種圓滿的結局，於是一次又一次的挫敗，只是徒然讓我們想起自己生命的短促。

但是我覺得失戀又是一種特別的挫敗，讓人想起某些圓滿結局永遠都不會出現，無論你多虔誠地祈求也都沒有用，就像某些猿猴就算經過再長的時間也永遠不會變成人類。猴子就算擁有永恆無盡的時間和一個打字員，也永遠比不上莎士比亞，這還有什麼好說的呢？從凱蒂嘴裡聽到她親口證實我們之間已經徹底結束，無疑是一手掐死所有希望的幼苗；看到她在布萊爾拱門下，依偎在唐納・摩根的臂彎中取暖，等於是剝奪了我未來的鑽石與珍珠。

然而意想不到的事情卻發生了：就在我自怨自憐到了極點的時候，門外有人敲門，接著是轉動門把的聲音，然後就像以前出現過一百次的情況一樣，凱蒂不請自來了。我看到她在大衣底下穿著我最喜歡的那件毛衣，琥珀色最配她的眼睛。

『妳不是應該去拱門演唱會嗎？』這是我好不容易說出來的第一句話。在所有猴子能夠想得出來的話裡，這八成是最糟糕的一句。

『你也是。』她上下打量著我說。

我知道自己現在的尊容如何，查理已經讓我看到鏡子裡的狼人模樣，凱蒂看到的也是一樣。

『妳到這兒來做什麼？』我說著，眼神飄到門口。

『他們沒有回來，』她站到我面前，強迫我看著她，『我到這裡來接受你的道歉。』

我一度以為是吉爾騙她來的，跟她說我心裡有多過意不去，但是卻又不知道該說些什麼之類的話；可是再看她一眼，我就知道情況並非如此，她顯然知道我沒有要說對不起的打算。

『怎麼樣呢？』

『妳認為應該怪我？』我問。

『每個人都這樣想。』

『什麼每個人？』

『快點，湯姆。快點道歉。』

跟她吵架只會讓我更氣自己而已。

『好吧。我愛妳。我希望事情有圓滿結局，結果卻沒有，我很抱歉。』

『如果你希望事情有圓滿結局，為什麼你不採取任何行動？』

『妳看看我，』我跟她說，四天沒刮鬍子、沒梳頭髮，『**這個**就是我的行動。』

『那是為了那本書的行動。』

『還不都一樣。』

『我跟那本書一樣嗎？』

『是啊。』

她瞪著我，好像我自己挖了一個墳墓往下跳。不過她知道我要說什麼，只是無法接受罷了。

『我父親一輩子都在研究《尋愛綺夢》，』我跟她說，『我在研究這本書的時候，也是我這輩子最興奮的時候，我為它廢寢忘食，日思夜夢。』我四處張望，不知道用什麼字眼來形容。『我不知該怎麼說才好。就像到戰場去看妳那棵樹一樣，只要靠近它就讓我覺得渾身舒暢，好像不再迷失似的。』我避開她的眼神。『所以對我來說，妳跟那本書是不是一樣？答案是一樣的，當然一樣，妳是唯一跟那本書一樣的東西。』

我犯了一個錯誤，我以為可以同時擁有你們兩個，但是我錯了。

『湯姆，我到這裡來做什麼？』

『來翻舊帳。』

『為什麼？』

『要我道歉——』

『湯姆，』她用眼神阻止我繼續說下去，『我到這裡來做什麼？』

因為妳跟我有同樣的感覺。

對。

因為這件事太重要，不能由我一個人來決定。

對。

『那妳要我怎麼辦？』我說。

『我希望你不要繼續研究那本書了。』

『就這樣。』

『**就這樣？就這樣？**』

突然間，她的情緒爆發開來。

『你放棄了我們的關係，跟邋遢鬼一樣活在那本書裡，所以我就應該替你覺得難過嗎？你這個混球。我把自己鎖在房裡四天，緊閉窗簾，足不出戶。凱倫打電話給我媽，她還特地從新罕布夏州飛來看我。』

『對不——』

『**你閉嘴！**還沒有輪到你說話。我想去戰場看我的老樹，但是我**看不到了！**我看不到，因為那已經變成我們的老樹了。我不能聽音樂，因為每一首都是我們在車上、在我房裡或是在這裡唱過的歌。我每天要花一個鐘頭準備才能去上課，因為我覺得有一半的時間都在發暈。我找不到襪子，找不到我最喜歡的黑色胸罩。唐納一天到晚問我：「親愛的，妳怎麼啦？親愛的，妳怎麼啦？」**我沒有怎麼樣啦**，唐納！』她把袖子拉到手腕，抹一抹眼睛。

『那不值——』我才要說話，可是還沒有輪到我。

『跟彼得分手，我至少知道為什麼，我們在一起的時候就有問題，我知道他愛曲棍球更勝過愛我；他想跟我上床，但是上了床之後就沒有興趣了。』她伸手梳理一下頭髮，抹掉臉上一些沾了淚水的髮絲。『但是**你呢**？你是我**爭來的**！我等了一個月才讓你吻我，我們上床的那一天我哭了一整夜，以為我會失去你。』她停頓一下，這個念頭讓她感到焦慮。『現在我還是失去你了，還輸給了一本書，**一本書耶**！湯姆，至少你跟我說你不是為了一本書才離開我的，你跟我說你一直都跟另一個大四的女生交往，跟我說她不會像我一樣淨做蠢事，不會以為你喜歡聽她唱歌就像個傻瓜一樣在你面前光著身子跳舞，不會在早上六點半就叫你起床晨跑，只是為了確定每天早上你都還在這裡。你跟我說呀！』

她看著我，心碎失意，我知道她因此感到羞愧，而我卻想到另外一件事。有一天晚上，就在車禍發生後不久，我指責母親沒有好好照顧父親。**如果妳愛他的話**，我跟她說，**妳就會支持他的工作**。

我到現在都無法形容當時母親臉上的表情，但是那個表情好像在跟我說：世界上再也沒有什麼比我說出口的那番話更可恥的了！

『我愛妳！』我說著向凱蒂跨了一步，讓她的臉可以熨在我的襯衫上，暫時隱身不見，『我對不起妳！』

我想，一切都是在那個時候發生變化的。我以為自己與生俱來的愛情絕症，從那一刻開始慢慢痊癒；三角形也逐漸崩潰，原來的地方只留下兩顆相對的星星，而且彼此之間幾乎沒有距離。緊接著是一大段的沈默。她知道所有要說的話，現在都不應該說；而我想說的話，卻又不知道如何開口。

『我會跟保羅說，』這是我唯一想到而且最誠懇的話，『我不想再研究這本書了。』

懺悔贖罪。凱蒂知道我不再做無謂的掙扎，知道我終於了解怎麼做才是為了我自己的快樂著想，這樣她就於願已足了。我以為她要等很久，確認我真的回心轉意之後才會做這件事：她吻了我。在四唇接觸的那一刻，就像雷電給了科學怪人重生的機會，又有了一個新的開始。

當天晚上我一直都跟凱蒂在一起，並沒有見到保羅；我是到第二天才在多德樓跟他說了這個決定。

他似乎也不太訝異，畢竟我為了柯羅納受了這麼多苦，一旦有解脫的機會當然立刻就棄守。

就連吉爾和查理也都跟他說，也許這樣最好，所以他並沒有因此對我產生不滿。

或許保羅認為我總有一天會回頭，或許他覺得已經有足夠的資料可以獨力解開所有的謎語，但是無論如何，當我告知理由時——珍妮·哈露和卡拉奇版畫中得到的教訓——他似乎也完全同意。

我從他臉上的神情可以看得出來，他對卡拉奇知道得比我多，但是並沒有糾正我的觀點；儘管保羅比任何人都更有理由相信某些詮釋比其他的好，而且正確的詮釋可以讓一切改觀，但是他對於我滿嘴胡謅總是特別寬容，就跟平常一樣。我覺得這不僅是他表現尊重，更是表現友誼的方式。

『愛上一個能夠以愛回報的東西總是比較好。』他跟我說。

這是他唯一需要說的話。

＊　＊　＊

於是，保羅的論文再度由他自己掌控。乍看之下，他似乎可以獨力完成這項工作，不到三天，就解開了讓我棄子投降的第四道謎語；我懷疑他老早就知道解謎的關鍵，只是一直密而不宣，因為他知道我不會聽從他的建議。

結果謎底是一本叫做《象形文字集》的書，作者是賀拉波洛；這本書是一四二〇年代在文藝復興時期的義大利出土，主旨是解開埃及象形文字的千年之謎。人文學者以為賀拉波洛是古埃及的賢人，其實他是在西元五世紀以希臘文寫作的學者，對埃及象形文字的知識就跟愛斯基摩人對夏天的理解差不多。

《象形文字集》書中有些關於動物的符號，其實跟埃及根本就八竿子也打不著，然而，對於新知充滿狂熱的人文學者還是趨之若鶩，至少在他們的小圈子裡，這本書還廣為流傳：在這個圈子裡，流行熱潮與死去的語言並不是彼此矛盾。

根據賀拉波洛的說法，貓頭鷹是死亡的象徵，**因為貓頭鷹在夜裡突然凌空而降，攫獲烏鴉的幼鳥，就像死神突然降臨一般**。至於歪嘴老鷹，賀拉波洛寫道，代表逐漸餓死的老人，**因為老鷹逐漸年老之後，就會扭曲鳥喙讓自己餓死**。最後的盲眼甲蟲則代表中暑而死的人，**因為甲蟲若受到太陽直射眼睛而看不到東西就會死亡**。

賀拉波洛的理由雖然詭密，但是保羅很快就知道自己找到了正確的資料，並且立刻看出這三種動物的共通點：死亡。於是他利用死亡的拉丁字：mors，作為密語，解開了柯羅納的第四道留言。

凡是能走到這一步的人，已經擁有我這個時代的哲人智慧；在你的時代可能渺小如塵土，但是在我這個時代卻是知識的巨人。我很快就要將其他的負擔加諸你身上，因為我有太多話要說，但是又害怕這個秘密太輕易流傳出去。

首先，為了對你的成就表示敬意，我要細說從頭，這樣你才會知道我並非無謂地引你走了一段冤枉路。

在我們弟兄居住的地方有一位教士，為熱愛知識的人帶來極大的災厄。我們殫精竭慮與其奮戰不懈，但是此人卻號召全國百姓與我們抗爭，他在廣場和道壇上雷霆砲轟，各國民眾隨之起舞，拿起武器傷害我們。上帝出於嫉妒，讓人類在示拿搭建準備通往天堂的高塔，在一夜之間化為虛無；而他也一樣，高舉拳頭，對付我們這些做同樣事情的人。

很久之前，我就希望人類會渴望脫離無知，如同奴隸渴望掙脫束縛一樣；因為無知配不上我們的尊嚴，違背我們的天性。然而我到現在才發現，人類這個種族是多麼懦弱，跟我謎語裡的貓頭鷹一樣錯亂，以為自己喜歡陽光，其實更愛黑暗。

讀者啊，你不必再等待我完成墓窖了，就算做了這樣一群人的王子，也無非是關在城堡裡的乞丐。這本書將是我的孩子，願其長命百歲，為你所用。

保羅沒停下來思索這段文字，馬不停蹄地繼續解最後兩道謎語；當我還在跟第四道謎語奮戰的時候，他就已經解開了：**血液和靈魂在何處交會**？

我在房裡磨蹭著準備晚上要跟凱蒂出去時，他跟我說：『這是書上最古老的哲學問題。』

『什麼問題？』

『心靈與肉體的交會點，靈與肉的二元論。奧古斯汀[54]說過，《斥摩尼派異端論》裡有提到，現代哲學裡也可以找到這樣的討論。笛卡爾[55]還說靈魂的確切位置就在大腦松果腺體附近。』

我一邊收拾東西，他一邊翻閱從總圖書館裡借出來的書，口沫橫飛地講述哲學。

『你在看什麼書？』我說著從書架上拿出我的《失樂園》，準備帶在身邊。

『蓋倫（Galen）。』保羅說。

『那是誰？』

『僅次於希波克拉底（Hippocrates）的西方醫學之父。』

我想起來了。查理曾經在科學史的課堂上唸過蓋倫。可是從文藝復興的標準來說，蓋倫似乎太老了點；他在《尋愛綺夢》出版的一千三百年前就已經死了。

『為什麼要看蓋倫？』我問。

『我認為這道謎語應該跟解剖學有關。柯羅納一定是認為人體裡真的有個器官是血液與靈魂的交會點。』

查理手裡拿著吃了一半的蘋果，突然在門口出現。『你們這些業餘的人在討論什麼？』他八成是聽到我們在談論醫學。

『類似這樣的器官，』保羅不理會他，繼續說道，『「迷網」。』他指著書上的圖表。『在大腦底層由神經和血管組成的網狀結構。蓋倫認為這裡就是生命靈氣轉化成靈魂靈氣的地方。』

『這有什麼問題嗎？』我一邊看錶，一邊問道。

『我也不知道，但是這不是解題的密碼。』

『那是因為人體裡根本沒有這個東西。』查理說。

『這話怎麼說？』

查理抬起眼，又咬了最後一口蘋果。『蓋倫只解剖動物，迷網是他在牛或羊身上發現的東西。』

㉞譯註：奧古斯汀（Augustine，354- 430），羅馬神學家，著有《懺悔錄》。
㉟譯註：笛卡爾（Descartes，1596-1650），法國思想家，著有《方法導論》。

保羅的神情黯淡下來。

『他還飽餐了一頓心臟解剖呢！』查理接著說。

『所以沒有中隔？』保羅好像知道查理在說什麼似的。

『有，但是沒有細孔。』

『中隔是什麼玩意兒？』我問。

『中隔是分隔心臟兩邊的牆壁組織，』查理走到保羅身邊，翻開他手邊的書，找出一幅循環系統的圖表。『蓋倫搞錯了。他說中隔有細孔，所以血液可以在心室之間流動。』

『可是沒有？』

『沒有，』保羅打岔，開始用一種好像他研究了很久的口吻說，『可是蒙迪諾也犯了同樣的錯誤，直到維薩留和塞維提斯(56)才發現這個問題，不過那已經是十六世紀中期的事了。達文西還是用蓋倫的理論，哈維(57)也是到十七世紀才發現循環系統。查理，這個謎語是十五世紀末做的，所以一定就是迷網或中隔；那時候還沒有人知道肺部的血液和空氣是混合在一起的。』

查理輕輕笑了一聲。『在西方沒有人知道，但是早在這個傢伙寫書的兩百年前，阿拉伯人就已經知道了。』

保羅開始翻他的資料，我以為這件事到此底定，於是轉身就走：『我得走了，咱們回頭見。』

可是我才往走廊的方向跨了一步，保羅就找到了他要找的東西：他在幾個星期前翻譯的拉丁文，是柯羅納的第三個留言。

『這個阿拉伯醫生，』他說，『是不是叫做伊本·納菲斯？』

查理點頭道：『就是他。』

保羅整個人亢奮起來。『柯羅納一定是從安德里亞・艾爾帕戈那裡拿到的資料。』

『你說誰呀？』

『他在留言中提到的人。尊崇高貴的伊本・納菲斯一手訓練出來的高徒安德里亞・艾爾帕戈。』我們兩人都還來不及開口，保羅就開始自言自語起來：『拉丁文的肺是怎麼說的？pulmo？』

我走到門邊。

『你不等一下聽聽這個留言說什麼嗎？』他看著我問。

『我跟凱蒂約了十分鐘之後就要見面。』

『只要十五分鐘就好了，也許半個鐘頭。』

我想，直到這個時候他才覺悟到事情的變化有多大。

『咱們明天早上見囉！』我說。

查理非常善解人意地笑一笑，還祝我好運。

＊　＊　＊

㊻譯註：蒙迪諾（Mondino，1270-1326），義大利醫生、解剖學家，著有《解剖學》。維薩留：Vesalius（1514-1564），比利時解剖學家，著有《人體構造論》。塞維提斯（Sevetus，1511-1553），西班牙醫生、神學家，著有《論三位一體論的謬誤》。

㊼譯註：哈維：Harvey（1578 -1657），英國醫生。

我想，那天晚上對保羅來說應該具有指標性的意義；他知道永遠都失去了我這個幫手，他同時也意識到：不管柯羅納的最後一個留言說什麼，都不能解開所有的秘密，因為前面四個部分所披露的實在太少了。我們一直以為《尋愛綺夢》的後半部只是湊篇幅，現在看來，應該還有更多用密語編碼的文本才對。查理的醫學知識協助保羅解開了第五道謎語，但是興奮之情不久就煙消雲散，因為他看到柯羅納的最後一個留言，立刻知道他設想的沒錯。

讀者啊，我替你感到害怕，一如替我自己擔憂。誠如你現在親眼所見，我從一開始就想要向你披露我的真意，雖然用密碼層層包覆、深深埋藏。我一直希望你找到你所尋找的東西，也一直充作你的嚮導。

然而事到如今，我發現自己沒有足夠的信心，無法用這種方法繼續下去。就算創造謎語的人一再保證，唯有真正的哲人才能解開，但是我仍然無法判斷這些謎語到底有多難。或許這些有大智慧的人也嫉妒我，於是他們故意誤導，藉以竊取我們應得的秘密。這位教士真的很聰明，信徒遍佈各黨各派；我擔心麾下將士也為他變節。

因此讀者啊，為了保護你，我要繼續讓你猜謎。原本你都可以在我的章節裡找到謎語，但是從今以後，再也沒有謎語和謎底來指點你。此後在普力菲羅的旅程中，我只用自己的『四的法則』，但是並不會告訴你這是什麼。現在只有你的智慧指引迷津，朋友啊，但是上帝與天才會庇佑你一路平安。

過了好幾天之後，我想是自信讓保羅不至於沈溺在遭背叛的悲情之中。先是我離開他，現在柯羅納也棄他不顧，他得獨力泅泳。起先他還試圖說服我歸隊，畢竟我們合作解開了這麼多謎題，他覺得到了最後一刻不讓我參與實在太自私；此外他也覺得我們已經非常接近終點，幾乎不需要再做什麼事情了。

然而一個星期過去，接著又是一個星期過去，我跟凱蒂復合，重新認識她，而且只愛她一個。我們分開的那幾個星期發生了太多事，光是追趕進度就已經讓我應接不暇。我們輪流在修道院社和長春藤社吃飯；她有新朋友，我們也有了新的例行公事。我開始對她的家庭狀況感到好奇，意會到再次贏得她的信任之後，她應該會有些事情要跟我說。

在此同時，保羅從柯羅納謎語中所學習到的一切，似乎都派不上用場。《尋愛綺夢》就像是身體機能逐漸退化的身體，藥石罔效。『四的法則』晦澀難解，柯羅納沒有留下任何線索，指引其出處。解開第五道謎語的英雄查理陪著保羅熬了幾夜，擔心我離開之後所造成的效應；他並沒有開口要我幫忙，因為他知道這本書把我害得多慘，不過我看到他護衛著保羅，就像醫生照顧病患一樣，擔心病情惡化。黑暗降臨，愛書人的心碎了，但是保羅也無能為力；少了我的協助，他只有獨自受苦，直到復活節的那個週末。

19

在走回多德樓的路上，我翻著凱蒂在普林斯頓戰場所拍的照片；一張張照片捕捉她的動作：向著我飛奔而來、髮絲隨風飛揚、櫻唇半啟彷彿話才說了一半，可惜相機無法捕捉她的笑聲話語，只有在想像中回憶她的聲音，而這正是看照片的樂趣所在。再過十二個鐘頭，我就會在長春藤看到她，陪她參加舞會；這是我們相識以來，她一直在期盼的大事，而且我也知道她在等我開口說：我可以堅持自己的抉擇、我已經得到了教訓、我不會再回頭去找《尋愛綺夢》。

回到寢室，我以為會看到保羅坐在書桌前，但是他的床鋪仍然空著，而且現在連抽屜裡的書也不見了。房門上貼了一張字紙，用紅色的大字寫著：

湯姆——

你到哪裡去了？我特地回來找你。我知道4S-10E-2N-6W是什麼意思了！我去總圖書館借地形圖，然後去麥考許大樓，塔夫特說藍圖在他那裡。10:15。

——P

我看著字紙，逐漸拼湊出全貌。塔夫特在校區的研究室就在麥考許大樓的地下室，但是最後一句話卻讓我不寒而慄：**塔夫特說藍圖在他那裡**。我拿起電話，立刻撥到急救小組辦公室，查理很快就接到電話。

『什麼事啊，湯姆？』

『保羅去找塔夫特了。』

你說什麼？我以為他去找院長談比爾的事。』

『我們必須去找他才行。你能找到人代班——』

話還沒說完，我就聽到一個含糊的聲音打岔，然後是查理在電話另一端跟別人說話。

『保羅什麼時候離開的？』他又回到線上。

『十分鐘之前。』

『我馬上就來，還可以趕上他。』

＊　＊　＊

超過十五分鐘之後，查理開著他那輛一九七三年的福斯金龜車，出現在多德樓的後門；那輛老爺車看似一隻生鏽的鐵蟾蜍蹲踞在底盤上。我人還沒有鑽進車內，查理就迫不及待地倒車。

『怎麼搞這麼久才來？』我問。

『我要走的時候，有個記者到急救小組辦公室，』他說，『她要跟我談昨天晚上發生的事。』

『然後呢？』

『警察局那裡有人跟她說了塔夫特在偵訊時說了什麼話，』車子開上榆樹大道，高低不平的殘雪讓柏油路面看起來有些起伏，像是夜裡的海面。『你不是跟我說過，塔夫特很早以前就認識李察‧柯瑞嗎?』

『是啊,為什麼這樣問?』

『因為他告訴警察,他是透過保羅才認識柯瑞的。』

車子開進北校區,我就看到保羅在圖書館和歷史系館中間的庭院,往麥考許大樓走去。

『保羅!』我打開車窗大喊。

『你在搞什麼鬼?』查理把車子停在路邊,忍不住發飆。

『**我解開了**!』保羅看到我們也嚇了一跳,『整件事都解開了。我現在只需要那張藍圖。湯姆,你絕對不敢相信,這真是最最神奇——』

『什麼事?你跟我說。』

可是查理根本不想聽。『你不准去找塔夫特。』他說。

『你不懂,一切都**解決**——』

查理壓在汽車喇叭上,整個庭院都是喇叭聲。

『你聽我說,』查理打岔道,『保羅,快上車,我們回去。』

『他說得對,』我說,『你不應該自己一個人來。』

『我要去塔夫特的研究室。』保羅小聲地說著,開始往塔夫特的研究室走。『我知道自己在做什麼。』

查理倒車在路邊追著保羅。『你以為他這麼容易就會把東西給你呀?』

『是他打電話給我,查理。他說他會給我。』

『他承認是他從柯瑞那裡偷來的嗎?』我問,『為什麼現在突然要把藍圖交給你?』

『保羅，』查理停下車子說，『他什麼也不會給你。』

他的語氣堅定得讓保羅不由自主地停下腳步。

查理放低音量，跟保羅說了他從記者那裡聽到的事情。『昨天晚上，警方問他能不能想到有任何人可能對比爾下毒手，塔夫特說他能想到的只有**兩個人**。』

保羅的神情又黯淡了下來，發現秘密的興奮之情也消失無蹤。

『第一個是柯瑞，』查理說，『第二個人就是**你**。』他停頓了一下，更強調他所言不虛。『所以我不管他在電話裡跟你說了什麼，你現在離他愈遠愈好。』

一輛老舊的小貨車從我們旁邊呼嘯而過，車輪下揚起千堆雪。

『那你們要幫我的忙。』保羅。

『我們是要幫忙，』查理打開車門，『我們送你回去。』

保羅拉緊外套的領口。『我說的幫忙是跟我一起去，只要拿到那張藍圖，我就不需要塔夫特了。』

查理瞪著他說：『你到底有沒有在聽我們說話？』

可是這裡有查理不了解的部分，原來塔夫特這一路來始終藏著這張藍圖，查理不明白箇中意涵。

『查理，我已經這麼接近，就快要拿到手了，』保羅說，『現在我只要證明我的發現就可以了，但是你卻叫我回頭？』

『保羅，』查理說，『我只是說我們應該——』

但是我沒有讓他說下去。『保羅，我跟你一起去。』

『你說什麼？』查理說。

『走吧。』我說著打開副駕駛座的車門。

保羅轉身，完全沒料到我有這一招。

『如果他不管有沒有我們作陪都要去的話，』我靠到查理身邊，低聲跟他說，『那麼，我就要陪他去。』

保羅已經開始往麥考許大樓的方向移動，而查理還在思考他該怎麼辦。

『如果我們有三個人，塔夫特就不敢輕舉妄動，』我說，『這一點你很清楚。』

查理慢慢地吐了一口氣，熱氣在空氣中凝結成一朵白雲。最後他終於在雪地裡找了空位把車停妥，然後熄火拔出鑰匙。

＊＊＊

我們在雪地裡往那棟巨大的灰色建築前進，到塔夫特研究室的這一段路，好像永遠走不完。研究室位在麥考許大樓的底部，走道狹窄、樓梯又陡，我們只能排成一列依序下樓；很難想像塔夫特在這裡還能夠呼吸，更別說在這裡走動了。連我在這個地方都覺得自己像龐然大物，我想，查理一定覺得自己被關在籠子裡。

我回頭看，確認他還在這裡。巨大的身影在我們身後擋住了大門，也護住了我們的背脊，讓我有足夠的信心繼續前進。我現在終於體會到先前因為太過自信而不願意承認的事實：如果查理沒有跟著來，我可能沒有勇氣走過這段路。

保羅帶著我們轉入最後一段長廊，往最裡面的房間走去。因為週末假期的關係，每個房間都上了鎖，裡面漆黑一片；唯有掛著『塔夫特』名牌的門縫底下，透出一線光明。門上的漆有點剝落，門板邊緣靠近門柱的地方也有點捲曲變形，底部還隱約可以看到有褪色的部位，是很久以前蜷伏在地下室地板底下的蒸氣管坑道淹水，大水淹沒地下室所遺留的最高水位痕跡，顯示塔夫特從不知道多久之前搬進來以後，這裡就未曾再粉刷過。

保羅伸手敲敲門，裡面傳出塔夫特的咆哮聲：『你遲到了！』

保羅轉動門把時，還發出一聲怪響。我感覺到查理在背後頂我。

『走啊！』他推著我，低聲說道。

塔夫特隻身坐在一張大古董桌邊，整個人陷在皮椅裡。他把格子外套放在椅背上，袖子捲到手肘，拿著一枝紅筆在校閱手稿；那枝筆在他的巨掌中顯得格外渺小。

『**他們**跟來幹嘛？』他質問道。

『把藍圖給我。』保羅開門見山地說。

塔夫特看看查理，又看看我。『坐啊！』他說著伸出兩隻粗肥的手指頭，指著兩張椅子。

我不理他，逕自環顧這個小房間；四周都是木製的書架，遮住了白色的牆面；書架上的積塵留有拖曳的痕跡，顯示有些書被拿下來。地毯上則有一道磨損的痕跡，是塔夫特經年累月走動所留下的。

『坐。』塔夫特重複道。

保羅才要拒絕，查理就用手肘把他推到椅子上，一心只想盡快了結這裡的事情。

塔夫特把一片破布揉成一團，然後拿來擦嘴。『湯姆・蘇利文。』我和父親的相貌神似，終於讓他想起來我是何許人也。

我點點頭，但是一言不發。他頭頂的牆上掛了一副古代的刑枷，夾口是張開的。房間裡唯一的光線或顏色是精裝書的紅色羊皮書背和書頁邊緣的燙金。

『這事跟湯姆沒有關係，』保羅往前坐一點，『藍圖在哪裡？』

他的語氣堅定，倒是讓我嚇了一跳。

塔夫特輕輕嘖了兩聲，端起茶杯送到唇邊，眼神流露一種令人不悅的神情，好像他在等著我們其中一人挑釁似的。最後，他終於從皮椅上站了起來，把袖子捲得更高一點，蹣跚地走到一座書架旁，架上有個空間，可以看到書架後的牆上有個內建式保險箱。他伸出毛茸茸的手轉動轉盤，然後拉動門把，開了保險箱的門之後，伸手拿出一本皮面筆記本。

『就是這個嗎？』保羅虛弱地問。

塔夫特翻開筆記本，拿出一樣東西遞給保羅，不過卻是用學院公文信紙打好的一封信，日期是兩個禮拜之前。

『我希望你知道目前情況的進展，』塔夫特說，『你看看這封信。』

我發現保羅看了信之後臉色大變，也靠近看個究竟。

親愛的梅鐸斯：

繼三月十二日我們討論過有關保羅·哈里斯的事情之後，我現在提供進一步的訊息。如你所知，哈里斯先生已經多次申請延期，而且對於論文的內容保密到家；直到上個星期，在我的堅持之下，他交出了最後一份進度報告，我才知道箇中原因。隨信附上一份我即將出版的論文〈解開

謎題：法蘭契斯科．柯羅納與《尋愛綺夢》〉複本，全文預計在《文藝復興季刊》發表；另外我也寄上一份哈里斯先生的進度報告，以供比較參照。如有其他問題，請逕與我聯繫。

誠摯的
文森．塔夫特博士

我們都啞口無言。

這個大怪物轉過頭來看著我和查理。『我研究這個題目已經有三十年了，』他的語氣出奇的平緩，『現在有了成果卻連我的名字都沒提。保羅，你一點也不感激我，即使我介紹你認識史蒂芬．葛伯曼，即使我讓你進入善本藏書室工作，即使你在工作成效不彰的情況下，我都還三度讓你延期。但是你毫無心存感激。』

保羅震驚得不知如何回應才好。

『這一次我不會讓你搶走我的成果，』塔夫特接下去說，『我已經等太久了。』

『他們看過我其他的進度報告，』保羅結結巴巴地說，『也看過比爾的紀錄。』

『他們根本沒有看到你的進度報告，』塔夫特說著拉開抽屜，拿出一疊表格，『而且他們也絕對沒有看過比爾的紀錄。』

『他們不會相信這是你做的。二十五年來，你從未發表過任何一篇跟柯羅納有關的論文，你甚至已經沒有在研究《尋愛綺夢》了！』

塔夫特撫著鬍子。『《文藝復興季刊》已經看過我的三份初稿了，而且昨天晚上我還接到好幾通電話，恭喜我的演說成功。』

我想起比爾信上的日期，這才明白原來這個計畫已經醞釀了這麼久，幾個月來我們一直在懷疑，到底是比爾還是塔夫特會先竊取保羅的研究成果。

『他是有結論了，但是還沒有跟任何人說啊！』

保羅並不知道我會這麼說。我以為塔夫特會不知如何反應，結果他卻好像很高興似的。『這麼快就有結果啦，保羅？』他說，『我不知道成功來得這麼快，算是誰的功勞呀？』

塔夫特知道那本日記的事！

『你**故意讓**比爾發現日記的！』保羅說。

『你還是不知道他發現的結果是什麼？』我堅稱。

『還有你，』塔夫特轉移目標，『你跟你父親一樣好騙。你想，如果連一個小男孩都能解開日記的意涵，我還會不知道嗎？』

保羅目瞪口呆，眼神在房間裡亂竄。

『我父親認為你是笨蛋。』我說。

『你父親一直到死都還在等候繆思女神到他的耳邊跟他輕聲細語，』他笑道，『學術工作講究的是嚴謹，而不是靈光乍現。他始終不肯聽我的話，所以才受這麼多罪。』

『他對這本書的看法是正確的，錯的人是你！』

塔夫特的眼神裡有恨意在跳舞。『他做了什麼，我都一清二楚。孩子，你不要太得意。』

我看著保羅，不知道塔夫特意有何指，但是保羅已經離開書桌旁邊，往書架的方向走。

塔夫特傾身向前。『你能怪他嗎？事業失敗、飽嘗羞辱，他的書遭到拒絕只是致命一擊而已。』

我轉過身，有如五雷轟頂。

『而且他還挑兒子跟他一起在車上的時候，』塔夫特接著說，『意義非比尋常啊！』

『那是意外……』我說。

塔夫特笑了起來，笑容裡有千牙萬齒。

我向前跨了一步，查理立刻伸手擋在我胸口，我甩開他的手，塔夫特慢慢從椅子上起身。

『都是你害的。』我依稀感覺到自己在咆哮。查理的手又拉住我，我掙脫拉扯，又向前一步，直到桌緣壓到我腿上的傷疤。

塔夫特轉過桌角，走到我伸手可及之處。

『湯姆，他是故意激你。』保羅在房間另一端冷靜地說。

『是他**自己**害的。』塔夫特說。

接著，我只記得他臉上那抹輕蔑的笑容，然後我用盡全力推了他一把，他臃腫的身體整個倒下，我覺得腳下的樓板好像在打雷似的；一切似乎都在崩裂，耳邊有聲音在嘶吼、視線一片模糊。查理的手又放到我身上，把我架開。

『走了啦。』他說。

我試著掙開，但是查理愈抓愈緊。

『走吧！』他又對保羅說了一次，但是保羅還瞪著躺在地上的塔夫特。

可是太遲了，塔夫特搖搖晃晃地站起來，蹣跚地向我走來。

『離他遠一點！』查理伸手攔住塔夫特。

塔夫特隔著查理手臂的距離瞪著我，他們都沒有發現保羅在環視周遭，好像在找什麼東西。塔夫特終於恢復理智，伸手去拿電話。

查理臉上出現一絲害怕的神情。『我們走吧，』他說著往後退，『**馬上！**』

塔夫特撥了三個數字，那是查理看了太多次，永遠都不會搞錯的號碼。『**警察局？**』塔夫特直視我，『**請趕快過來，我在辦公室遭到攻擊。**』

查理推著我往門外走。『快走！』他說。

說時遲，那時快，保羅一個箭步衝到保險箱前面，把裡面所有的東西全都扯出來，然後開始把架上的文件紙張和書本掃到地上，書鎮也拿起來看個究竟，所有能抓到的東西全都翻過一遍。然後他抓起一疊塔夫特的文件，頭也不回地往門外衝，甚至沒有看我和查理一眼。

我們也跟著他往門外衝，我最後聽到從辦公室裡傳出來的聲音，是塔夫特在電話裡報出我們三個人的姓名；他的聲音穿過敞開的房門，在走廊裡迴盪。

＊＊＊

我們穿過長廊，來到陰暗的地下室樓梯間，突然一陣冷風由天而降，兩名校警已經來到一樓的樓梯口，就在我們頭上。

『**不要跑！**』其中一個對著狹窄的樓梯大喊。

我們急停下來。

『**這是校警！不許動！**』

保羅回頭看著我背後長廊的另外一端，左手緊握著文件。

『照他們的話做。』保羅跟他說。

我知道保羅看到什麼東西，走廊另一端有個堆放清潔用品的櫃子，裡面就是蒸氣地道的入口。

『底下不安全，』查理小聲地說著，還一面往保羅這邊擠過來，防止他突然跑掉。『他們在施工——』

校警誤以為我們要跑，於是其中一個飛奔下樓，保羅也立刻往清潔櫃的方向跑。

『**不要動！**』校警大喊，『**不要進去！**』

但是保羅已經跑到入口，拉開木板，消失在清潔櫃裡。

查理也沒有猶豫，在兩個校警都還沒有回神之際，已經迅速往地道入口的方向移動。接著我聽到他碰一聲往下跳，想要阻止保羅；然後就聽到他的聲音從地底下傳來，喊著保羅的名字。

『快出來！』校警的聲音在我身後推著我往前進。

警察彎下身來，又喊了一次，但是回覆的卻只有沈默。

『快呼叫後援——』

第一個校警才說到一半，地道裡就傳出一聲轟然巨響，我們旁邊的鍋爐房開始嘶嘶作聲，我立刻知道這是怎麼回事：蒸氣管破了！接著我就聽到查理的尖叫。

＊　＊　＊

我立刻飛奔到清潔櫃的門口，人孔裡一片漆黑，我只好閉著眼睛往下跳，著地的時候，腎上腺素在全身狂奔亂竄，像閃電一樣有活力；著地的痛楚還來不及擴散就已經開始消退。我在黑暗中摸索著，查理在遠處的呻吟聲指引我往他的方向前進，校警仍然在我們頭上咆哮，但是其中一人終於知道發生了什麼事。

『我們已經叫了救護車，』他對著地道裡說，『你聽得到嗎？』

我穿過一片濃霧，熱氣愈來愈濃，但是我心裡只掛念著查理。蒸氣管傳出的嘶嘶聲，一度讓我聽不到其他聲音。

不過現在，查理的呻吟已經清晰可聞，我繼續向前推進，最後終於在管道轉彎的地方發現他：身體彎曲，躺在地上動也不動。他的衣服破爛，頭髮也濕漉漉地貼在頭上。待我視線比較適應了之後，我看到遠處地上有條水桶一般粗的管線破了一個洞。

『哦……』查理呻吟了一聲。

我不懂。

『哦……』

我知道他想叫我的名字。

他的胸膛全都濕了，蒸氣正好擊中他胸口。

『你站得起來嗎？』我試著把他的手環繞在我肩膀上。

『哦……』他含糊地說，逐漸失去意識。

我咬緊牙根，想把他抬起來，但是他卻像一座山似的。

『加油，查理！』我一面請求他，一面把他抬起一點點，『不要在我身上昏倒。』

但是我發現他的意識愈來愈不清醒，壓在我身上的重量也愈來愈沈。

『救命哪！』我對著遠處大喊，『拜託幫幫忙！』

蒸氣的壓力撕裂了他的襯衫，讓他全身濕透。我幾乎聽不到他的呼吸聲。

『嗯……』他含糊不清地發出呻吟聲，試著在我的手裡彎曲手指。

我抓著他的肩膀，用力地搖晃他。最後我終於聽到腳步聲，一道光線像刀子般切穿濃霧，我看到急救人員——有兩個——往我這邊奔來。

他們很快就來到足以讓我看清臉孔的距離，因此手電筒的光芒掃到查理的身體時，我可以聽到其中一人說：『噢，我的天哪！』

『你受傷了嗎？』另外一個問我，同時用手檢查我的胸口。

我不解地看著他，然後低下頭，就著手電筒的光線看到我的胸口，這才驚覺原來查理胸前的液體根本不是水，而是他的血；我全身都沾滿了他的血。

兩名急救人員都全力幫他，想把他抬起來。第三個急救人員過來扶我，但是我卻掙脫他，想要留在查理身邊。我發現自己的意識也在熱氣和黑暗中逐漸模糊，失去了現實感；有一雙手引導我走出地道，然後我看到那兩名校警，他們身後又多了兩個警察，全都凝神看著救護人員把我拉到地面。

我記得的最後一件事，就是校警臉上的表情：他看著我從黑暗中出來，從頭臉到指尖都是鮮血淋漓，又看到我勉強站了起來，臉上有鬆了一口氣的表情；但是沒有多久，他的神情劇變，寬慰的眼神也立刻消失，因為他發現我身上的血不是我的。

20

幾個鐘頭之後，我從普林斯頓醫療中心的病床上清醒過來，保羅就坐在床邊，看到我醒過來顯得很高興；另外還有一名警察站在門外。有人幫我換穿紙袍，我坐起來的時候，紙袍子就像紙尿布一樣嘎吱作響。我的指甲裡還殘存著血漬，黑黑的看起來好像污泥。空氣中有一種熟悉的味道——被消毒藥水遮掩的死亡氣息，一種醫藥的味道——讓我想起以前住院的那段時光。

『湯姆？』保羅說。

我撐起身子看著他，手臂傳來一股劇痛。

『小心點，』他靠過來，『醫生說你肩膀受了傷。』

現在我的意識比較清楚，開始感覺到繃帶底下的痛楚。『你在底下怎麼樣了？』

『實在太愚蠢了，我只能憑直覺反應。蒸氣管爆裂之後，我就無法回去找查理，所有的蒸氣都朝我這個方向撲來，所以我從最近的一個出口回來，然後警察就開車送我到這裡。』

『查理呢？』

『還在急診室，他們不讓任何人去看他。』

他的語調很平，沒有什麼情緒。他揉揉眼睛，看著門外，有個老婦人坐著輪椅從門口經過，動作敏捷就像學步車裡的孩子一樣。門外的警察看著她，臉上沒有笑容。磁磚地板上放了一個黃色的三角警示牌，上面寫著：『地面濕滑，留意腳步。』

『他還好嗎？』我問。

保羅眼睛還是盯著門外。『我也不知道。威爾說，他們發現他的時候，他正好在爆裂的管線旁邊。』

『威爾？』

『威爾·克萊。查理的朋友，』保羅把手放在床邊的欄杆上，『是他把你拉出來的。』

我試著回想當時的情況，但是卻只記得地道裡，映著手電筒強光的黑色人影。

『你們來找我的時候，就是他跟查理換班。』保羅又加了一句。

他的聲音裡有極大的哀傷，好像把一切罪惡都歸咎到自己身上。

『你要我打電話給凱蒂，跟她說你在這裡嗎？』他問。

我搖搖頭，心想還是等我自己情緒穩定一點再說。『我待會兒自己打給她。』

那個老婦人又從門口經過，這一次我看到她左腿從膝蓋到腳趾頭都打著石膏。她的頭髮一團亂糟糟，褲管捲到膝蓋以上，但是眼睛卻閃閃發光。她經過的時候，對著警察露出一種反抗權威的微笑，好像她打破的是禁忌，而不是骨頭。

查理曾經跟我說過，罹患老人病的病患如果小跌一跤或是有些微恙，有時候反而讓他們更安心，因為小輸一場戰役讓他們想起自己仍然贏得整場戰爭。頓時一種空虛的感覺襲上我的心頭，原本應該聽到查理的聲音，現在卻是一片空白。

『他一定流了很多血。』我說。

保羅低頭看著自己的手，一時之間安靜得可以聽到隔壁病床上呼吸聲穿透屏風而來。這時候，醫生走了進來；門邊的警察輕輕碰觸她穿著白色醫師袍的手肘，於是她停下來，兩人低聲交談了一會兒。

『湯瑪斯？』她手裡拿著病歷，皺著眉頭，走到我的床邊。

『對。』

『我是簡森大夫，』她走到床的另外一邊檢查我的手臂，『你覺得怎麼樣？』

『還好。查理怎麼樣了？』

她輕輕戳了我的肩膀，力道正好足以讓我縮了一下。『我不知道。他送來醫院之後，一直都在急診室。』

我腦筋還不是很清楚，並沒有想到她會認識查理，但她只聽到查理的名字而沒有姓氏就知道我說的是誰。

『他應該沒事吧？』

『現在還很難說。』她連眼睛都沒抬。

『什麼時候可以去看他？』保羅問。

『一樣一樣來。』她說著把手放在我的背部和枕頭之間，然後扶我起來，『這樣有什麼感覺？』

『很好。』

『這樣呢？』

她用兩根指頭壓著我的鎖骨。

『很好。』

她接著又戳了我的背、手肘、手腕和頭，然後又掛上聽診器檢查了半天，最後才坐下來。醫生跟賭徒一樣，總是在尋找最好的組合；病患則是吃角子老虎：只要一直扭動手臂，時間久了，總有一次會中頭彩。

『你運氣很好，情況不是太糟糕，』她說，『沒有骨折，但是軟組織有些瘀傷，等止痛藥退了之後你就會有感覺。一天冰敷兩次，連續一星期，然後再回來複診。』

她身上有一種俗世的氣息，像是糅合了汗水與肥皂的味道。我等她拿出處方箋，想起我在車禍之後收集了一櫃子的藥，但是她沒有開藥，反而跟我說：『外面有個人想跟你說話。』

她說話的語氣溫柔悅耳，讓我一度以為是朋友在外面等著看我——也許是吉爾從餐飲社團回來，甚至我母親從俄亥俄州飛來——我一時無法確定，他們把我從地道裡拉出來之後，已經過了多少時間。

然而，門口出現的卻是另外一張臉孔，我從未見過的人。另外一個女人，但又不是醫生，更不是我母親。她的身材粗壯矮胖，穿著一條直到小腿肚的黑色圓裙和不透明的黑色絲襪；配上白色上衣和紅色外套，讓她看起來有媽媽的味道，不過我第一眼的印象卻以為她是大學裡的職員。

醫生和那名女子互相看了一眼，然後交換位置，一個出去，一個進來。穿著黑色絲襪的女子還沒有走到床邊就停了下來，做了個手勢要保羅過去，兩個人交頭接耳一番。

我聽不到他們在說什麼，但是保羅卻出乎意料地問我是不是還好，看我點點頭之後，他就跟另一位站在門邊的男人一起走了出去。

『警官先生，』那女子說，『可不可以麻煩你出去的時候順手關上房門？』

那男人點頭，關上房門，只留我們兩人在病房內。

那名女子搖搖擺擺地走到我的床邊，還停下來看看布簾後面的那張床。

『湯姆，你現在覺得怎麼樣？』她在保羅剛剛坐的那張椅子上坐了下來，整張椅子都消失在她身體底下。她的臉頰很古怪，說話的時候好像嘴裡含了堅果似的。

『不太好。』我謹慎地回覆道，還朝她那邊側了側身子，給她看我身上的繃帶。

『你需要我幫你拿點什麼嗎？』

『不用了，謝謝。』

『我兒子上個月也住在這裡，』她無意識地說著，伸手在外套口袋裡不知道掏什麼東西，

『他來割盲腸。』

我正想問她是什麼人，她就從上衣口袋拿出一個小皮夾。『湯姆，我是葛溫妮警探。我想問問你今天到底發生什麼事。』

她打開皮夾，亮出裡面的警徽，然後又收回口袋裡。

『保羅到哪裡去了？』

『馬丁警探正在跟他說話，我想問你幾個關於比爾·史坦的問題。你知道他是誰吧？』

『他昨天死了。』

『他是被人謀殺的，』她用沈默為這句話下了句點。『你的室友認識他嗎？』

『保羅認識。他們一起在高等研究學院工作。』

她從外套口袋裡拿出小記事本。『你認識文森·塔夫特嗎？』

『算是吧。』我意識有什麼大事要發生了。

『今天稍早，你去了他的研究室嗎？』

我覺得太陽穴的壓力愈來愈重。『問這個做什麼？』

『你跟他打架嗎？』

『我不覺得那算是打架。』

她記了一筆。

『昨天晚上，你跟你室友去了博物館嗎？』她翻閱手中的檔案資料。

這個問題似乎後患無窮。我回想昨天的情況：保羅伸手去拿比爾的信件時，用袖子包著手，而且也沒有人看到我們的臉。

『沒有。』

警探抿一抿嘴，就跟某些女人要抹勻唇上的口紅時一樣。我無法研判她的肢體語言。最後她從檔案夾裡抽出一張紙遞給我看，那是我跟保羅在警衛室簽了名的訪客名單影本，日期和時間都寫得一清二楚。

『你們是怎麼進到圖書館的？』

『保羅有門鎖密碼，』我放棄掙扎，『是比爾・史坦給他的。』

『比爾的書桌是犯罪現場的一部分，你們在找什麼？』

『我也不知道。』

警探同情地看了我一眼。『我想你的朋友保羅，』她說，『把你拉下水，惹了一個大麻煩，遠超過你的想像。』

我等著她替這個麻煩命名，像是法律上的什麼罪名，但是她沒有替我安罪名，只是接著說：『訪客名單上是你的名字，沒錯吧？』她抽回那張紙。『而且攻擊塔夫特博士的人也是你。』

『我沒有——』

『奇怪了，你的朋友查理是那個替比爾・史坦急救的人。』

『查理是急——』

『可是保羅到哪裡去了？』

霎時間，所有的偽裝都撤除了。遮著她雙眼的面紗掀了起來，溫柔的保姆已經消失無蹤。

『湯姆，你要開始為自己設想。』

我不知道這是威脅，還是忠告。

『你的朋友查理也一樣要受到偵訊，』她說，『如果他撐過這一關的話。』她等了一會，讓我沈思她所說的話。『只要實話實說就行了。』

『我說的都是實話。』

『塔夫特博士的演講還沒有結束，保羅就已經先行離開了。』

『對。』

『他知道比爾的研究室在哪裡。』

『對，他們在一起工作。』

『闖進藝術博物館也是他的主意。』

『他有鑰匙，我們不是闖進去的。』

『去翻比爾的書桌也是他的主意。』

我知道不能隨便回應，這個問題沒有標準答案。

『在塔夫特博士的研究室外面，他看到校警拔腿就跑。湯姆，他為什麼要跑？』

她無法理解，也不願意試著去了解。我知道這些問題都指著同一個方向，但是我滿腦子都在想著她剛剛說到查理的情形。

如果他撐過這一關的話。

『他是全優的學生，那是他在校園裡的身分。後來塔夫特博士發現他抄襲的事，你想是誰去跟塔夫特說的？』

就這樣一磚一瓦地在朋友之間築起一道高牆。

『是比爾·史坦，』她知道我已經跨越了協助她的臨界點，『你想保羅會作何感想？他會有多生氣？』

門外突然傳來敲門聲，我們都還來不及開口，房門就開了。

『警探？』另外一名警官說。

『什麼事？』

『外面有人要找妳。』

『什麼人？』

他低頭看看手裡的名片。『學院的院長。』

警探還是坐著不動，過了幾秒鐘才起身走到門邊。

她走了之後，有一種緊繃的寧靜。等了好一會兒，她還沒有回來，於是我從床上坐起來，開始找我的衣服；我已經受夠了醫院，手上這點小傷我自己就能照料。我要去看查理，我要知道他們跟保羅說了些什麼。我的外套掛在衣架上，所以我小心翼翼地挪動身體，試著下床。

就在這個時候，有人轉動門把，打開房門；葛溫妮警探回來了。

『你現在可以走了，』她突然說，『院長辦公室會跟你聯絡。』

我不知道外面發生什麼事。那女人給我一張名片，仔細地盯著我說：『但是湯姆，我希望你好好想想我剛才跟你說的話。』

我點點頭。

她想說的好像還不只這些，但是卻沒有再說一句話，轉身就走。

在房門就要關上之際，又有一隻手把門推開。我整個人僵在那裡，等著院長走進來，結果這一次卻是熟悉的面孔：吉爾終於來了，而且還帶了禮物！他左手拿的正是我最需要的東西——乾淨的換洗衣服。

『你還好嗎？』他問。

『嗯，到底發生了什麼事？』

『我接到威爾·克萊打來的電話，跟我說發生了意外。你的肩膀還好吧？』

『還好。他有沒有說查理怎麼樣了？』

『只透露一點點。』

『他還好嗎？』

『比他剛送進來的時候好。』

吉爾好像話中有話。

『他到底怎麼了？』

『沒什麼，』吉爾終於說，『警察跟你談過啦？』

『嗯，還有保羅。你看到他沒有？』

『他在候診室。柯瑞跟他在一起。』

我步履蹣跚地下了床。『他也來啦？為什麼？』

吉爾聳聳肩，看著醫院的伙食。『需要幫忙嗎？』

『幫什麼忙？』

『幫你穿衣服啊？』

我不知道他是不是在開玩笑。『我想我自己來就行了。』

他笑著看我掙脫醫院的紙袍，試著自己站起來。

我說：『我們去看看查理。』

但是他卻遲疑了一下。

『怎麼啦？』

他臉上出現一種奇怪的表情，好像既尷尬又生氣。

『湯姆，他跟我昨天吵得很兇。』

『我知道。』

『我是說在你和保羅離開之後，我說了一些不該說的話。』

我想起來今天早上交誼廳那麼乾淨。原來這是查理一夜沒睡的理由。

『沒有關係啦，』我說，『我們一起去看他。』

『他現在不會想要見我。』

『他當然會想要見你。』

他用手指在鼻子底下揉一揉，說：『反正醫生說現在不要打擾他，我還是待會再來好了。』

他從口袋裡掏出鑰匙，眼神裡有一抹哀傷，但是終究還是伸手握住門把。

『你需要什麼就打電話到長春藤來找我。』他說著打開門，房門靜悄悄地拉開，沒有發生任何聲音，他一腳跨了出去。

門外的警官已經離開，連坐輪椅的老婦人也不見了。有人拿走地板上的三角警示牌。我等著吉爾回頭看一眼，但是他沒有，很快繞過了轉角，消失在往出口的方向，我連一句話都還來不及說。

＊＊＊

有一次查理跟我討論到幾百年來流行病對人際關係的影響；他說疾病讓人對病患退避三舍，連對身體健康的人都感到恐懼，甚至到了父母與孩子都不敢同桌吃飯、整個身體政治都開始崩解的地步。我跟他說，**如果你深居簡出，不與人接觸，就不會生病了**；我認同那些躲到山裡避禍的人。不過他看著我，簡短地說了一句話，這大概是我有生以來聽過支持醫護人員最有力的一句話，即使用在友情上也同樣適用。

這樣也許不會生病，他說，**但是你也不會痊癒**。

我看著吉爾的背影，心中無限感慨，就是這種感覺讓我想起查理所說的這句話。而當我走進候診室，看到保羅孤伶伶一個人坐著，同樣的感覺也油然而生：我們雖是有難同當，但是卻得孤軍奮戰。在一長排白色的塑膠椅上，保羅孤獨的身影顯得更單薄，雙手捧著頭凝視地板；這是他沈思時慣有的姿勢──身體前傾，十指交叉放在後腦勺，雙肘則撐在膝蓋上──我記不得有多少次從夢裡醒來，就看到他以這樣的姿勢坐在書桌前，指間夾著筆，一盞孤燈照著他的筆記本。

想到這裡，我第一個本能就是問他從日記裡找到了什麼秘密；雖然發生了這麼多事情，我仍然想知道，仍然想幫忙，想讓他知道我們之間的夥伴關係依然存在，所以他並不孤單。然而看到他弓著身子，心裡為了一個念頭天人交戰，我想還是不要問吧！我必須記得，在我離開之後，他為了這本論文受了多少苦，有多少個清晨他睜著佈滿血絲的雙眼來吃早飯，有多少個夜晚我們從華華便利商店買一杯純咖啡給他提神。如果有人屈指清算他為了柯羅納所做的犧牲，然後像獄中囚犯一樣在牆壁上刻劃記號，寫下這個數目，那麼我在這個天平上所付出的汗水簡直微不足道。幾個月前，他希望跟我建立夥伴關係，但是卻為我所拒；現在我能提供的，只是在一旁作伴而已。

『嘿。』我走到他身邊低聲道。

『湯姆……』他站起來。

雙眼全是血絲。

『你還好嗎？』我問。

他用袖子揉揉臉：『嗯，你呢？』

『我還好。』

他看著我的手臂。

『很快就會好了。』我說。

我還來不及跟他說吉爾的事，一個留著稀疏鬍子的醫生就走進等候室。

『查理還好嗎？』保羅問。

我看著醫生，有一種巨錘撞擊在胸口的感覺，好像一列火車呼嘯而過，而你正好就站在鐵軌上，首當其衝。他穿著淺綠色的手術衣，跟我在車禍之後去做復健治療的那家醫院裡的牆壁一樣，是一種苦澀的顏色，像是搗碎的橄欖再加上萊姆。復健治療師叫我不要一直往下看，她說我如果一直盯著腿裡的鋼釘，就永遠都學不會走路。要往前看，她說，永遠都要往前看。所以我一直都看著綠色的牆壁。

『他的情況已經穩定下來。』穿著手術衣的人說。

穩定，我心想，那是醫生的詞彙。我腿上的傷口停止流血的兩天後，他們也說我的情況穩定；意思是說，我不會像以前之前死得那麼快。

『我們可以看他嗎？』保羅問。

『不行，』他說，『查理還在昏迷狀態。』

保羅猶豫了一下，好像昏迷跟穩定彼此矛盾似的。『他會好吧？』

醫生的臉上露出一種溫和但是確定的表情：『我想最糟糕的時候已經過了。』

保羅虛弱地對他笑一笑，然後向他致謝。我沒有告訴保羅，這句話是什麼意思。急診室裡的人開始洗手、拖地，等著救護車送來下一張推床。對醫生來說，最糟糕的時候已經過了；但是對查理而言，這才是剛開始呢。

『謝天謝地。』保羅幾乎是自言自語地說。

現在看著他，看到他臉上那種鬆了一口氣的神情，我才終於了解一件事：我們在地底下發生意外以來，我一直都不相信查理可能會死，不相信他真的能死。

我在辦出院手續時，保羅並沒有說太多話，只是嘟囔著塔夫特在研究室裡說的那些話太過分之類的。我也沒有太多手續要辦，只是在一、兩張表格上簽個名，亮一下學生證而已。就在我艱辛地用受傷的那隻手寫字時，發現原來院長已經來過了，事先打點好一切。我心想，不知道她跟警探說了些什麼，才讓我們兩人獲釋。

然後我又想到吉爾說的話。『柯瑞也來了嗎？』

『在你出來之前才剛走，他看起來也不是很好。』

『為什麼？』

『他身上還穿著昨天晚上那套西裝。』

『他知道比爾的事？』

『對，幾乎跟他設想的一模一樣……』保羅吐露了他的心思。『他說：「孩子，我們彼此都很了解。」』

『這是什麼意思？』

『我不知道。我想他是原諒我。』

『**原諒你**？』

『他叫我不要擔心，還說不會有事。』

這真的難倒我了。『柯瑞怎麼可能相信你會做這樣的事？那你怎麼說？』

『我跟他說不是我，』保羅有些猶豫，『我不知道該說些什麼，所以就把我發現的事情告訴他。』

『在日記裡的事？』

『我只能想到這件事。他好像很激動，說他擔心得睡不著覺。』

『擔心什麼？』

『擔心我。』

『我跟你說，』從他的聲音裡，我開始聽出柯瑞對他的影響，於是跟他說：『他根本不知道自己在說什麼。』

『「如果我早知道你要做什麼的話，我就不會做這些事了。」這是他跟我說的最後一句話。』

我實在很想把柯瑞捉起來痛打一頓，但是我得提醒自己，說這些話的人，在保羅心目中，幾乎等同父親的地位。

『那個警探跟你說了些什麼？』他換了一個話題。

『她想嚇唬我。』

『她的想法跟柯瑞一樣？』

『對。他們叫你認罪了嗎？』

『院長在他們開始問話之前就已經到了，她叫我不要回答任何問題。』

『你現在要怎麼辦？』

『她說我應該去找個律師。』

他說得好像找巴西力斯蛇妖或是獨角獸比找律師還要容易似的。

『我們總會有辦法。』我跟他說。辦完手續之後，我們一起往外走；醫院門口有警察駐守，看著我們往他那邊走。才剛走出醫院大樓，就覺得一股寒風撲面。

我們開始慢慢走回校園，街上冷冷清清，天色漸漸昏黃，一輛腳踏車從人行道上經過，車上是披薩店的外送人員，在身後留下了一道香氣，酵母與蒸氣凝結的雲朵。隨著風起，吹得雪花像塵土一樣在空中飄揚，我的肚子一陣咕嚕咕嚕亂叫，有一種重返人間的感覺。

『跟我到圖書館去一趟，』我們接近拿梭街的時候，保羅說：『我有東西要給你看。』

他在人行穿越道前停下腳步，隔著白色的庭院，後面就是拿梭大樓。我想起教堂圓頂上飛揚的長褲和不翼而飛的鐘鎚。

『給我看什麼？』

保羅雙手插在口袋裡，低著頭走路，跟迎面的強風對抗。我們經過費滋藍道夫門，沒有回頭望；根據傳說，你可以從這道門走進校園再多次都沒關係，但是你只要從這裡走出校園一次，就永遠都畢不了業。

『塔夫特跟我說，絕對不要信任朋友，』保羅說，『他說朋友善變無常。』

有個旅遊團的導遊帶著一小群遊客穿過我們走的小徑，看起來好像聖歌合唱團。納桑尼爾・費滋藍道夫（Nathaniel FitzRandolph）捐獻這塊土地蓋了拿梭大樓，導遊說，他就埋葬在現在好德樓的庭院底下。

『管線爆裂的時候，我不知道該怎麼辦；我沒有想到查理是為了找我才跳下地道。』

我們經過東潘恩樓，往圖書館的方向前進。遠處是兩棟大理石建築，分屬兩個競爭激烈的老學社，一個是詹姆斯・麥迪遜（James Madison）所屬學社的惠格大樓，另外一個則是艾倫・伯爾（Aaron Burr）的克里歐大樓。

導遊介紹的聲音從我們身後傳來，讓我有一種愈來愈強烈的錯覺，彷彿我也成了遊客，從我入學的第一天起，就一直在黑暗的隧道中往下走，就好像我們在好德樓庭院地底下，繞著墳墓穿梭。

『然後我聽到你下去找他，你也不管底下是怎麼回事，只知道他受傷了。』

保羅這才第一次正眼看我。

『我聽到你呼救的聲音，但是我什麼都看不見。我嚇得不敢動，心裡直想：我這算是哪門子朋友？我真是個善變的朋友。』

『保羅，』我猛然停下來說，『你不要這樣想。』

這時我們已經在東潘恩樓的庭院。這棟建築的樣式類似修道院，雪花從天井落到中庭。在毫無預警的情況下，我父親又回到我身邊，像牆上的一道影子，因為我突然想到在我還沒有出生之前，他就已經走過同樣的路徑，看過同樣的建築物。我一直踩著他的腳印前進而不自知，因為我們都沒有讓這個地方留下絲毫印象。

保羅回頭，發現我停下來。在這一刻，我們是這些石牆中間唯一有生命的東西。

『可是我就是這樣想，』他轉身跟我說，『因為等我跟你說，我在日記裡找到了什麼東西，其他的一切似乎都微不足道；但是其他的每一件事，**都不是**微不足道。』

我說：『你只要告訴我，是不是如我們所希望的，是大事一樁？』

因為如果事情夠大，那麼父親的陰影至少還是一道長影。

往前看，復健治療師跟我耳提面命，**永遠要向前看**。可是現在一如當時，我遭到四壁包圍。

『是的，』保羅完全知道我的意思，『的確是大事。』

他的臉上閃著光芒，我徹底瞭解這幾個字的意義；我一直期盼的各種感覺，如今像一陣狂風來襲，吹得我分不清東南西北，好像是父親完成了什麼無法想像的大事，好像他在這一陣風中復活重生。

我不知道保羅要跟我說的是什麼，但是光想到這件事比我設想的更大，就已經足以讓我感受到不知已經失去了多久的感覺，讓我得以再度向前看；而且真的看到有什麼東西就在眼前，不只是一堵牆而已。保羅的話讓我感覺到希望。

21

去總圖書館的路上，我們遇到了蕭凱麗，是我去年在英文課上認識的大三學生；她從我們面前走過，打了聲招呼。我們曾經隔著討論桌眉來眼去好幾個星期，不過那是我碰到凱蒂之前的事。我不知道從那時候到現在她變了多少，也不知道她能否看出我的改變有多大。

『好像都是一連串的意外，才讓我迷上了《尋愛綺夢》，』我們繼續向東，往圖書館方向走的時候，保羅說，『所有的事情都是這麼間接、這麼巧合，就跟你爸爸的情況一模一樣。』

『你是說遇到麥克比？』

『還有柯瑞啊！如果他們始終不認識？如果他們沒有修同一門課？如果我始終沒有看過你父親的書？』

『我們現在就不會站在這裡。』

起先他以為我只是隨口說一句，可是立刻就知道我是什麼意思。如果沒有柯瑞、麥克比和《顛茄檔案》，我就不會認識保羅；我們很可能在校園裡碰面，就跟我剛才碰見凱麗一樣，彼此打聲招呼，但是卻想不起我們在哪裡見過面，同時還一邊惋惜在學校裡待了四年卻還有這麼多陌生的臉孔。

『有時候，』他說，『我問我自己：為什麼要認識塔夫特？為什麼要認識比爾？為什麼我總是要繞一大圈才能到我想要去的地方？』

『這話是什麼意思？』

『你有沒有發現，守港人的方向指引也不是直接就到定點，對不對？南四、東十、北二、西六。繞了一個大圈之後，幾乎又回到原點。』

我終於知道這其中的關聯：《尋愛綺夢》的旅程曲折迂迴，在不同的時空之間穿梭繞行，從我父親那個時代在普林斯頓的兩個朋友開始，到紐約的三人行，再到義大利的父子旅程，最後又回到普林斯頓的另外兩個朋友——跟柯羅納的怪異謎語可說是不謀而合，繞來繞去，最後又回到起點。

『讓我迷上《尋愛綺夢》的人正是你父親，你不覺得還滿合理的嗎？』保羅問。

到了圖書館門口，保羅替我開門，我們趕緊進去，擺脫門外的風雪。這裡是校園裡古老的心臟，全都是由石頭砌成的地方。在炎炎夏日，汽車從門外呼嘯而過，搖下來的車窗裡傳出震天價響的音樂，學生也都穿著短褲、T恤，而像總圖書館、教堂和拿梭大樓這樣的建築，則像是都會裡的洞穴；不過到了氣溫驟降、白雪紛飛的冬季，卻沒有任何地方比這裡更令人安心。

『昨天晚上，我開始在想，』保羅接著說，『柯羅納的朋友幫他設計謎語，對不對？現在我們的朋友在**幫**我們解答這些謎語：你解開了第一題，凱蒂回答了第二題，查理找到最後一題的答案；你父親發現了《顛茄檔案》，而柯瑞則發現了日記。』

我們在十字旋轉門前停了一下，把學生證拿出來給警衛看。我們要去C樓層，也就是最底下的一層樓；在等電梯時，保羅指著電梯門上的一塊金屬牌，上面鐫刻了一個標誌，但是我從來沒有注意到。

『艾爾丁出版社。』我認出這個標誌，父親在家裡的書房裡也有一個。

柯羅納的出版商阿杜思・曼尼修斯用了《尋愛綺夢》裡著名的海豚和錨作為標章，成了印刷史上最有名的標誌。

保羅點點頭，顯然這是他要說的重點之一。回顧這四年來有如迴旋梯般最後又回到起點的旅程，在每個轉角處都有人在背後推他一把。他的整個世界，即使是默默無言的小細節，也都一直在推著他往前走，助他一臂之力，破解柯羅納的這本書。

電梯門開了，我們先後進去。

『總之，我昨天晚上就在想這些事，』他按了C樓層的按鍵，電梯開始往下降，『所有的事情最後都形成一個圓，讓我靈光一現。』

『叮』的一聲，電梯門再度開了，眼前是圖書館地下數十呎最陰暗的場景；在C樓層，高及天花板的書架排得非常緊密，好像是設計來支撐我們頭頂上五層樓的重量。我們左手邊是微縮影片室，是個黑暗的小洞穴，教授和研究生擠在一起，圍著微縮影片的機器，就著微弱的光線，瞇起眼睛看著機器上的小面板。保羅帶著我走過書架，手指輕輕劃過塵封的書背；我知道他要帶我去他的研究小間。

『在這本書裡，所有的事情最後都回到起點，不是沒有道理的，因為起點才是《尋愛綺夢》的關鍵。每一章的第一個字母形成法蘭契斯科·柯羅納的文字謎；建築用語的第一個字母則拼出了第一道謎語；所以柯羅納安排所有的事情都回到起點，並非巧合。』

我看到遠處有一排綠色的金屬門，看起來好像是高中的儲物櫃，門後的房間跟衣櫃差不多大，但是數以百計的大四學生到了最後關頭就在這裡窩上好幾個星期，安心地完成論文。保羅的研究小間靠近最遠的角落，我已經好幾個月沒有來了。

『也許是我累了，但是我想，如果他確實知道自己在做什麼呢？如果專心解讀第一道謎語，說不定就可以解開整本書後半部的謎底呢？柯羅納說他沒有留下解答，而不是說他沒有留下線索。而且我有守港人在日記中留下的方向指引來助我一臂之力。』

我們來到他的研究小間，他開始轉動門上的數字鎖。黑色的建築用紙貼在小方窗上，讓人無法窺視裡面的情況。

『我原本以為這個方向指示跟實體存在的位置有關，也就是用「跑場」為單位，告訴你如何從體育場到他的墓窖。就連守港人也認為這是地理上的方向指示。』他搖搖頭，『我沒有猜到柯羅納的心思。』

保羅開了鎖，推開門。小房間裡到處塞了一堆又一堆的書，簡直是長春藤社長辦公室的小型翻版。地板上散落著食物的包裝紙，牆上貼著一層又一層的紙張，厚得跟羽毛似的，每一張紙上都寫著不同的筆記。其中一張寫著：培魯斯（Belus）的兒子菲諾斯（Phineus）跟薩米德蘇斯（Salmydessus）國王菲諾斯不是同一個人；另外一張寫著：查一查海希奧德（Hesiod）：是海斯培瑞修莎（Hesperethousa）或海斯培瑞亞與亞瑞修莎（Hesperia and Arethousa）？第三張則寫著：再多買些餅乾。

研究小間裡塞了兩把椅子，我從其中一把椅子上拿起一疊影印資料，小心翼翼地坐上去，沒有碰倒其他東西。

『所以我又回頭去研究謎語，』他說，『你還記得第一道謎語跟什麼有關嗎？』

『摩西，還有拉丁文的角。』

『沒錯，』他轉過身去關門，『是跟翻譯錯誤有關，跟文獻學、也就是歷史語言學有關，總之就是跟**語言**有關。』

他開始在書桌架上的書堆中翻找，最後終於找到他要的書：哈爾特的《文藝復興藝術史》。

『我們是怎麼解開第一道謎的？』他說。

『因為我做了一個夢。』

『不是。』他翻到米開朗基羅的摩西雕像那一頁，也就是讓我們展開合夥關係的那張照片，『我們能夠解開這道謎，是因為這道謎語是跟文字有關，而我們卻一直在找具象的實體。柯羅納才不管實體的角，他在乎的是一個字，一個錯誤的翻譯。我們走運能夠解開這道謎，是因為這個錯譯後來以具象方式呈現出來。米開朗基羅的摩西雕像頭上長了角，而且你也記得這座雕像；如果不是這種具象表現，我們永遠也找不到這個跟語言學有關的答案。因此這就是關鍵：文字。』

『所以你去找這個方向指引在語言學上的呈現方式？』

『沒錯。東、西、南、北，都不是**具象**的線索，而是**文字**的線索。我看到這本書的後半部，就知道我設想得沒錯。幾乎在第一章開始沒多久，就出現了「跑場」這個字。你看。』他說著翻出一張紙，上面有他研究的紀錄。

紙上寫了三個句子：吉爾和查理去運動場看普林斯頓與哈佛的比賽（Gil and Charlie go to the stadium to watch Princeton vs. Harvard.）。湯姆則等候保羅趕過來（Tom waits as Paul Catches up.）。凱蒂一邊照相一邊嫵媚地笑著用嘴型示意說：湯姆，我愛你。（Katie takes photographs while winsomely smiling and mouthing, I love you, Tom.）

『嫵媚地？』我說。

『看起來好像沒什麼，對不對？這是因為文字全都打散了，就像普力菲羅的故事一樣。但是如果把這些文字排成方陣，』他說著把那張紙翻過來，『結果就像這樣。』

我以為會有什麼東西跳到我眼前，但是什麼也沒有。

『就這樣？』我問。

GilandCharliegotot
hestadiumtowatchPr
incetonvs.Harvard.
TomwaitsasPaulcatc
hesup.Katietakesph
otographswhilewins
omelysmilingandmou
thing,Iloveyou,Tom

『就這樣。只要遵照方向指引：南四、東十、北二、西六。拉丁文裡說De Stadio——「從跑場開始」。所以我們從運動場 stadium 這個字的S開始。』

我隨手在他桌上拿了一枝筆試試，往下移動四個字母，然後往右十個，往上兩個，往左六個。

G i l a n d C h a r l i e g o t o t
h e **S** t a d i u m t o w a t c h P r
i n | e t o n v s . H a r v a r d .
T o | w a i **T** — — — — — **U** l c a t c
h e | u p . K a t i e t | k e s p h
o t **O** — — — — — — — — — **L** e w i n s
o m e l y s m i l i n g a n d m o u
t h i n g , I l o v e y o u , T o m

我把五個字母寫下來：S-O-L-U-T。

『然後從最後一個字母開始，』他說，『重複同樣的程序。』

於是我從T開始。

```
G i l a n d C h a r l i e g o t o t
h e S t a d i u m t o w a t c h P r
i n | e t o n v s . H a r v a r d .
T o | w a i T — — — — — U l c a t c
h e | u p . | a t i e t | k e s p h
o t O — — — |— — — — — — L e w i N s
o m e l y s | i l i n g a n d m | u
t h i n g , I— — — — — — — — — — — O m
```

紙上就出現了『解答』這個字：S-O-L-U-T-I-O-N。

『**這個**就是四的法則，』保羅說，『只要知道柯羅納的思考模式，一切就簡單多了：**在文字裡**的四個方向指引，只要重複同樣的程序，然後找出文字串在什麼地方中斷就可以了。』

『柯羅納一定是費了好幾個月的工夫才寫出來。』

他點點頭。『有趣的是，我一直都覺得《尋愛綺夢》書中有些文句特別鬆散、沒有組織，像是前言不搭後語、句型倒錯或是一些奇奇怪怪的新創文字。這也可以解釋他為什麼用了這麼多種語言，如果口語的白話文不能符合文字的空間配置，那麼他就使用拉丁文或是乾脆自己新創文字。甚至連他發明的這個模式都不是最完美的，你看。』

保羅指出O、L、N三個字母出現在同一行。

『你看這一行出現了多少個編碼的字母？如果繼續往西移動六個字母，這一行又會出現第四個編碼字母。南四北二的模式本身就會重複，因此柯羅納在《尋愛綺夢》書中，每隔兩行就要寫出一段文字可以容納四個不同的編碼字母。不過他還是成功了，五百年來都沒有人發現。』

『可是書裡的印刷不一樣啊，』我心想，不知道他如何把這個技巧應用在實際的文本上，『書裡的文字不是像方陣這樣整齊排列，你要如何確認正南和正北？』

他又點點頭。『的確不能，因為你無法確認哪一個字母是正上方或正下方。所以我必須使用數學計算，而不是地理方位推測。』

我還是一頭霧水。同樣一件事，保羅就有本事說得很簡單，也可以說得很複雜。

『以我寫的這段文字為例，在這裡，每一行有——』他略數了一下，『——十八個字母，對不對？如果你簡單地計算一下，那麼「南四」永遠都是往下數四行，也就是說，從最原始起點右邊數來第七十二個字母。同樣的道理，「北二」則是左邊的第三十二個字母。因此，只要知道柯羅納每一行的標準長度，就可以用這些數字，找出編碼字母。要不了多久，計算字母的速度就會快很多。』

在我們合作的那段期間，我就已經發現保羅的推理速度驚人，我唯一能相提並論的只有直覺——運氣、做夢或是機緣巧合——如果說我們是平起平坐的合夥人，那對他太不公平了。

保羅把那張紙折起來，丟進垃圾桶。他看了這個研究小間一眼，然後抱起一堆書放在我的臂彎，接著自己也抱起一堆書。止痛藥的藥效應該還沒有退，因為我的肩膀並沒有因為書的重量而痛起來。

『實在太驚人了！竟然被你找出答案，』我跟他說，『裡面說什麼？』

『先幫我把這些書放回架子上再說，』他答道，『我要把這個地方空出來。』

『為什麼？』

『為了安全起見。』

『有什麼危險嗎？』

他似笑非笑地看著我說：『以免被圖書館罰錢。』

我們離開研究小間，保羅帶著我走過長長的走道，一直延伸到黑暗的盡頭。走道兩側都是書架，各自形成書牆隔開的巷道，一個接著一個的死胡同。我們所在的這個角落是圖書館裡人跡罕至的地方，所以館員都把燈關掉，讓找書的人自己打開每個書架上的燈。

『我完成的時候，連自己也不敢相信，』他說，『甚至在完成解碼之前，我還一直發抖；我做完了，經過這麼長的時間，終於**做完了**。』

他站在最末端的書架旁邊，我只能看到他的側影。

『真的很值得，湯姆。我從來沒有想到這本書的後半部藏了什麼東西。還記得我們在比爾的信裡看到的東西嗎？』

『記得啊。』

保羅伸手掩著嘴。

『那不是真的。如果沒有你父親和柯瑞的發現，沒有你們其他人解開的謎語——尤其是你——我根本就做不到。我自己一個人根本做不來，是你們其他人指引我走上正途。』

保羅提到我父親和柯瑞的名字，好像他們是一對聖徒，是塔夫特演講展示的圖片所呈現的兩個殉道者。在那一剎那，我覺得自己好像桑丘潘札，聽著唐吉訶德胡言亂語；我知道他眼前的巨人無非只是一座風車磨坊，但他才是在黑暗中看得清楚的人，而我則應該懷疑自己的眼睛有問題。我想，或許這正是事情的難處：我們都是有想像力的動物，但是只有看得到巨人的人，才能站在巨人的肩膀上看得更遠。

『但是比爾倒是說對了一件事，』保羅說，『這個結果**確實**會讓其他的歷史研究都為之失色，而且還會在它們上面投下好長一段時間的陰影。』

他從我手裡接過那堆書，我突然如釋重負。我們身後的長廊通往遠處的燈光，空無一人的走道從兩側延伸出去。即使在黑暗中，我仍然可以看到保羅的笑容。

22

我們開始在研究小間和書庫之間往返，把幾十本書一一放回架上，大部分都沒有放在應放的位置，不過保羅似乎一心只想眼不見為淨。

『你還記得就在《尋愛綺夢》出版之前，義大利發生了什麼事嗎？』保羅問。

『就是梵諦岡導覽書上寫的那些呀！』

在我們又走回黑暗之際，保羅抬起另外一堆書放到我的臂彎裡。

『在柯羅納那個年代，義大利知識份子的生活重心都圍繞在一個城鎮。』他說。

『羅馬。』

保羅搖搖頭。『比那個小得多，只跟普林斯頓差不多大——我是指校園噢，不是鎮上。』

我看得出來，他有多麼陶醉在自己的發現裡，而且對他來說也愈來愈真實。

『在那個城鎮裡，』他說，『知識份子多到不知道該怎麼辦才好。有菁英天才、博學大儒、為大哉問找答案的思想家。憑自修而卓然成家的人學會了沒有人知道的語言，還有哲學家把聖經的宗教概念與其他文獻的中心思想合而為一，包括希臘羅馬的經典、埃及秘教的經文和古老到無法確認年代的波斯文稿。這絕對是人文主義的最先鋒，光從那些謎語就可以想見其中盛況：大學教授玩「數字戰爭」、翻譯家演繹賀拉波洛、解剖學家修正蓋倫。』

如果我的腦子裡有眼睛的話，這時候出現在眼前的正是聖母百花大教堂的圓頂；我父親總是喜歡稱之為孕育現代學術的城市。『佛羅倫斯。』我說。

『沒錯，不過盛況還不只如此。不管是哪一個學科領域，在這裡都可以找到全歐洲最出名的巨擘。在建築方面有布魯涅萊斯基，興建了千年來最龐大的教堂；在雕塑方面有吉伯第（Ghiberti），他創作的浮雕精美，有天堂之門的美譽；而且還有吉伯第的助手，後來成為現代雕塑之父的多那太羅（Donatello）。』

『繪畫方面也不錯喲！』我提醒他。

保羅微笑道：『西方藝術史上天才聚集密度最高的地方，就在這個小城鎮。運用新的技巧、發明新的透視理論，把繪畫從一門工匠技藝轉化成科學與藝術。這裡的藝術家至少有三、四十個，像亞伯第，到世界上任何其他地方都稱得上是一流的藝術家，但是在這裡卻只能屈居二流，因為他們必須跟巨人競爭：馬薩奇奧、波堤切利（Botticelli）、米開朗基羅。』

他思考的動力增速，在黑暗走道上移動的腳步也跟著加快。

『你還想問科學家的例子嗎？』他說，『李奧納多·達文西，夠格了吧？要政治家？有馬基維利。要詩人？有薄伽丘和但丁。這些人很多都是年代相近的同儕。而且在這些人之上，還有一個麥迪奇，這個家族財力雄厚，足以襄助這整個城鎮裡的藝術家與知識份子。

『這些菁英份子幾乎同一時間都聚集在這個城鎮，西方文明史上最偉大的英雄人物在街上不期而遇，彼此熟悉得可以稱兄道弟。他們一起高談闊論，彼此競爭也相互影響，更激勵對方向上攀升到另外一個無法獨力抵達的巔峰。在這裡，真善美才是最高統治者，居領導地位的家族之間彼此競爭的是：誰委任的藝術家可以創作出最偉大的作品、誰能補助最出色的思想家、誰家的圖書館藏書最多等等。你想想看，這簡直就像一場夢，一個不可能實現的夢境。』

我們回到他的研究小間，他這才終於坐了下來。

『可是到了十五世紀的最後幾年，就在《尋愛綺夢》完成之前不久，發生了令人完全意想不到的事情。每一位研究文藝復興的學者都知道這件事，只不過沒有人把此事跟《尋愛綺夢》聯想在一起。柯羅納在謎語中一再提到，他們弟兄所居住的土地上有一個位高權重的教士；我一直無法想出其中的關聯。』

『馬丁路德是一五一七年的事，但是柯羅納寫書是在一四九〇年代。』

『不是路德，』他說，『在十五世紀末，有位道明會教士受命前往佛羅倫斯，加入一個叫做聖馬可的修道院。』

我突然靈光乍現。『是薩瓦那羅拉（Savonarola）！』

『沒錯，』保羅說，『薩瓦那羅拉是一支利箭——前所未見的銳利。他一到佛羅倫斯就開始最偉大的福音派教士，在世紀末橫掃佛羅倫斯，不計任何代價都要重建這個城市的信仰。傳道，告訴民眾說他們的行為是邪惡的，他們的文化與藝術都是褻瀆神明，他們的政府不公不義。他說上帝以不慈愛的眼光看著他們，叫他們趕緊懺悔。』

我搖搖頭。

『我知道這聽起來很荒誕，』保羅接著說，『但是他說的並**沒有錯**。從某個角度來說，文藝復興期期**的確是**一個無神的時代：教會貪污腐敗、教皇都是政治任命。柯羅納的叔叔，普洛斯伯羅‧柯羅納，雖然號稱是死於痛風，但是卻有人認為其實是教皇亞歷山大（Pope Alexander）下毒害死他的，因為他來自敵對的家族。那時候的世界就是像這樣，連教皇都被懷疑涉及謀殺罪；而且還不只如此，甚至有人懷疑他犯了雞姦罪、通姦罪，任何你想像得到的罪名都有。

『此外，正因為佛羅倫斯有各種走在時代尖端的藝術與學問，始終處於動盪不安的狀態。幫派在街頭廝殺鬧事，顯赫的家族彼此明爭暗鬥、爭權奪利，而且這個城市雖然在名義上屬於共和制，但是實際上卻由麥迪奇家族掌控一切。死亡是司空見慣，強取豪奪與高壓威逼更是家常便飯，不公義和不平等已經是生活中不變的法則。儘管有這麼多美麗的成就，這個社會仍然是相當不平靜的地方。

『因此初來乍到的薩瓦那羅拉，放眼所及，盡皆邪惡。他敦促民眾整頓自己的生活，不再賭博，開始閱讀聖經，並且賑災濟貧；於是在聖馬可修道院裡，開始有一批信徒追隨他，甚至還有一些重要的人文主義學者景仰他，因為他們發現他不但飽讀詩書，談起哲學也頭頭是道。薩瓦那羅拉就這樣慢慢地崛起。』

我打岔道：『等一等，這時候還是麥迪奇家族在掌控這座城市，不是嗎？』

保羅搖頭。『這正是他們的不幸。這時候繼承麥迪奇家族的皮埃洛是個阿斗，沒有能力治理這座城市。民眾開始騷動，要爭取自由，這在佛羅倫斯不過是個空洞的口號而已，但是麥迪奇家族最後還是遭到驅逐。你還記得第四十八幅木刻版畫嗎？就是小孩子駕馬車，凌遲兩個女人的那一幅？』

『就是塔夫特在演講中展示的那一幅。』

『對。那是塔夫特的詮釋，他說她們應該是因為叛國才遭到懲罰，但是他有沒有說他認為是什麼含意？』

『沒有，他叫聽眾自己去想。』

『但是他問到了那個孩子的事，為什麼手上會有一把劍還是什麼的？』

我可以在腦海中刻畫出塔夫特站在那幅畫底下的情景，他的身影投射在銀幕上。『他為什麼要叫女人把他的馬車拉出森林，然後又用那種方式殺了她們呢？』我說。

『塔夫特的詮釋是認為，丘比特的意象應該是代表皮埃洛，麥迪奇家族的最新繼承人，因為皮埃洛的行為幼稚，所以藝術家用小孩的形象來表示。麥迪奇家族因為他才失去了佛羅倫斯的統治權，最後遭到掃地出門，所以在木刻版畫裡他是從森林裡撤退出來。』

『那麼，那些女人是誰？』

『塔夫特說，她們分別代表佛羅倫斯與義大利；皮埃洛以孩童般幼稚的行為，摧毀了這兩個地方。』

『聽起來很合理。』

『這個詮釋也算中規中矩，』保羅也認同，不過他的手指一直敲打著桌子底下，好像在思索什麼事情，『可是並不是正確的詮釋。塔夫特不願意接受文字謎才是關鍵的想法，也不相信這三幅畫中只有第一幅最重要，因此他就只能看到他想看的東西。

『重點在於，麥迪奇家族遭到驅逐之後，其他家族召開會議討論佛羅倫斯成立新政府的相關事宜，但是唯一的問題是：他們誰也不信任誰，最後一致同意把治理權交給薩瓦那羅拉，因為大家都相信他是唯一不會貪污腐敗的人。

『於是薩瓦那羅拉就更受愛戴了；民眾把他講道的內容牢記在心，店家老闆開始利用閒暇時間研讀聖經，賭徒也不敢像以前那樣公然吹噓牌局，喝酒鬧事的情況似乎也開始減少。但是在薩瓦那羅拉的眼中，邪惡依然無所不在，因此他著手進行市民精神改造計畫。』

保羅把手伸進桌子底下的更深處，接著傳出撕膠帶的聲音，他從桌子底下拿出一只牛皮紙信封，裡面是他手繪的月曆。他翻閱月曆的時候，我可以看到上面用紅筆註記了一些我不熟悉的宗教節日——聖徒紀念日、祭祀節日等等——另外用黑筆寫了一些筆記，我一時也認不出來。

『那時候是一四九七年二月，』他指著月曆說，『《尋愛綺夢》出版的兩年前，四旬齋[58]快要開始了。因為四旬齋是長時間的禁食與自我戒絕，所以傳統上在四旬齋之前是一段狂歡慶祝的日子，讓民眾在四旬齋開始之前好好享樂一下。我們現在也是一樣，這段時間就叫做嘉年華會。四旬齋的第一天永遠都是聖灰日，因此嘉年華會的最高潮就在前一天，稱之為「Mardi Gras」，字面直譯的意思就是「油膩星期二」，也叫「懺悔星期二」。』

他所說的這些片段，我好像都似曾相識。父親一定曾經跟我說過，可能是在他放棄我或是我放棄他之前；當然也可能是我在教堂裡所學到的一點點皮毛，不過那也是在我還沒有長大、還不能自行決定週日早上要做什麼之前的事。

保羅又找出另外一張圖片，標題是：『佛羅倫斯，一五〇〇年』。

『佛羅倫斯的嘉年華會是一段失序、爛醉和放浪形骸的時光，年輕人聚眾攔路，強迫路人付通行保護費，然後再拿錢去買醉狂賭。』

他指著圖片正中央的一大片空地。

『等到他們全都爛醉如泥，就會到市中心的廣場上，升營火露宿街頭。然後不同幫派的人會彼此挑釁，互丟石塊攻擊，每天晚上都以打群架收場。每年的嘉年華會都有人受傷，甚至送命。

『薩瓦那羅拉當然是極力反對嘉年華會，在他眼中，這是對基督教教義的一大挑戰，佛羅倫斯的民眾受到誘惑。他發現了一股力量，比其他力量都更加速這座城市的腐化。這股力量教導民眾：異教徒的權威可以跟聖經相提並論，智與美可以出現在非基督教的事物中。這股力量讓民眾相信，人類的生命都是追求俗世的知識與犧牲，讓他們不再追求唯一重要的事情：救贖。這股力量就是人文主義；而推波助瀾的正是這座城市裡最重要的知識份子：人文主義者。

『就在這個時候，薩瓦那羅拉想到了一個主意，也許是他留給歷史的最重要遺產。他決定在「懺悔星期二」──也就是嘉年華會的最高潮──舉辦一個盛大的活動，展示這座城市的進步與轉變，同時也提醒佛羅倫斯的市民不要忘了他們的原罪。他任由混幫派的年輕人在街上遊蕩，不過卻給他們一個使命，叫他們到每一個鄰里去蒐集非基督教的物件，然後帶到市中心廣場。他把這些東西堆成一個巨大的金字塔，然後到了「懺悔星期二」的那一天，也就是街頭幫派圍繞在營火旁互丟石頭群毆的日子，他叫他們起了另外一種火。』保羅看看地圖，眼神又盯著我。

『虛榮的營火。』我說。

『沒錯，那些幫派青年推了一車又一車的東西回來：賭牌、骰子、棋盤、眼罩、胭脂、香水、髮網、珠寶、嘉年華會的面具與服飾，但是最重要的東西是異教徒的書籍，希臘、羅馬作家的手稿，古典的雕塑與繪畫。』

保羅把那幅畫收回牛皮紙信封套，聲音冷靜多了。

『到了「懺悔星期二」，一四九七年二月七日，全城的人都出來看。根據記載，這座金字塔高六十呎，底部周長兩百七十呎，全都付之一炬。

『虛榮的營火成了文藝復興史上不可磨滅的一刻，』他說著，眼神飄到了我身後牆上鬆脫的壁紙，隨著通風管吹出來的風輕輕地起伏，『薩瓦那羅拉一時聲名大噪，沒多久就傳遍了全義大利和其他各國；他的講道內容印製成書，在六、七個國家廣為閱讀。他備受愛戴，但是也有人

58 譯註：指復活節前為期四十天的齋戒與懺悔活動。

恨他入骨。米開朗基羅因他入獄，馬基維利認為他是個冒牌教士。儘管每個人對他都有不同的看法，但是卻沒有人能否認他的權力，每個人都一樣。』

我知道他這番話的用意了。『連法蘭契斯科·柯羅納也不例外。』

『這也正是《尋愛綺夢》的原由。』

『所以這本書是一種聲明？』

『算是。柯羅納受不了薩瓦那羅拉，認為他代表最糟糕的一種盲目崇拜，體現了基督教教義中所有錯誤的思想；他破壞一切、仇視一切，拒絕讓人類使用上帝賦予的天分。柯羅納是人文主義者，熱愛希臘羅馬的古風；他跟表弟早年追隨偉大的講師，學習了好幾年的古文古詩，到了三十歲那年，已經聚積了大量古籍原稿，是羅馬城內最重要的收藏之一。

『早在第一把營火燒起來之前，他就已經開始蒐集藝術品和古籍，還雇用佛羅倫斯的商人收購所有能買到的古物，然後船運到羅馬的家族地產；這也讓他與家人失和，因為他們相信他揮霍家產所買到的都是不值錢的小東西。薩瓦那羅拉掌權之後，柯羅納就更下定決心：他絕不能坐視金字塔化為灰燼，即使傾家蕩產也在所不惜。於是大理石雕像、波提切利的畫作、數以百計的無價之寶，當然更重要的還有古書，各種罕見、無可取代的古籍。

『在知識的宇宙中，他跟薩瓦那羅拉分據兩個極端；對他而言，最大的暴力莫過於反對藝術、反對知識。

『一四九七年夏天，柯羅納親自到佛羅倫斯察看現況，薩瓦那羅拉最受人崇拜的特質——神聖不可侵犯、一心以救贖為念的能力——在在都讓柯羅納感到深沈的痛恨與恐懼。他預見了薩瓦那羅拉可能造成的傷害：一手摧毀自古羅馬帝國傾頹以來，第一波古典智識復興所創造出來的偉大工藝。他預見了藝術的滅亡、知識的滅亡、古典精神的滅亡，當然還有人文主義的滅亡。跨越疆界、超越極限的追求，思想潛能得以完全發揮的時代，至此全都告終。』

『**這些**就是他在這本書後半部所寫的東西嗎？』

保羅又點點頭。『柯羅納寫下了所有的經過，所有他在前半部不敢明說的東西。他記錄了自己在佛羅倫斯的所見所聞以及他心裡的恐懼：薩瓦那羅拉的影響力愈來愈大，法國國王對他言聽計從，而他的信徒也遍及德國、義大利。柯羅納寫得愈多，你就愈明顯地看出薩瓦那羅拉力量的成長。他愈來愈相信在基督教世界的每一個國家，薩瓦那羅拉的背後都有一支強大的信徒部隊替他撐腰。

『這個教士，他寫道，只是新基督教精神的開端，還會有更多激進狂熱的教士隨後而起，義大利各地都會燃起遍地營火。他說，歐洲已經瀕臨宗教革命的邊緣；從後來的宗教改革運動來看，這一點他倒是說對了。薩瓦那羅拉當然沒有親眼目睹，但是就像你說的，幾年之後，馬丁路德揭竿而起時，還是把薩瓦那羅拉視為英雄。』

『所以柯羅納預測這一切都會發生。』

『對。柯羅納在親眼見到薩瓦那羅拉之後，立場就更堅定，決定盡一切力量，完成一件不可能的任務——別說在羅馬少有人能做到，就連在全西方任何地方都不太可能——他要利用幾個親信朋友的人際網絡，蒐羅更多偉大的藝術品和罕見的古籍手稿。他聯絡了一批交遊廣闊的人文主義學者和畫家，請他們儘可能地蒐集更多的寶藏、更多人文知識成就的藝術品。

『他賄賂修道院長、圖書館員、貴族和富商巨賈。許多商人為他往返各大洲：他們前往拜占庭帝國的遺跡，找尋依然完整保存的古書典籍；遠赴異教徒的領土，蒐羅阿拉伯文的古老文件；

甚至踏遍德、法和北地諸國的寺廟修院。但是在朋友和人文主義同好弟兄的保護之下，柯羅納從頭到尾都沒有披露自己的身分，只有他們知道他蒐羅這些寶藏的用意何在。』

驀然間，我想起守港人的日記。熱那亞人懷疑從不明港口來的這樣一艘小船，究竟能夠載什麼東西呢？為什麼像法蘭契斯科·柯羅納這樣身分尊貴的人，會如此深感興趣呢？

『他找到大師巨作，』保羅接著說，『幾百年來沒有人看過，甚至沒有人知道的文章，如亞里斯多德的〈靈魂論〉、〈哲學勸勉論〉、〈修辭論〉；米開朗基羅仿希臘羅馬風格的作品；海爾梅斯的四十二冊全集，據信這位埃及預言家的年代比摩西還要早。此外，他還發現佚失的希臘戲劇，包括索孚克里斯所寫的三十二部、尤里匹底斯的十二部、埃斯奇里斯二十三部[59]，直到今天我們都還以為這些劇作杳然無蹤。

『他在德國的一個修道院裡，發現了巴門尼德、恩培多克勒、德謨克里特[60]等大師的哲學論述，被院裡的修士努力珍藏了好幾百年。一個年輕的搜索家在亞德里亞海挖掘出古畫家阿佩萊斯的作品——亞歷山大大帝的畫像、愛神安娜蒂歐梅妮和著名的普洛托哲尼斯線條[61]——柯羅納聞訊大喜，下令即使其中有偽作，也要將所有作品全部買下。

『他以等同一隻小豬重量的銀兩，從君士坦丁堡一名圖書館員手中買下《迦勒底神諭》，還直呼撿到便宜；因為神諭的作者，也就是創辦波斯祆教的索羅亞斯德（Zoroaster），是目前所知唯一比海爾梅斯年代更早的預言家。至於達西特斯所寫的七個章節和利維[62]的書，都在柯羅納這張藏寶名單上敬陪末座，好像不值一提似的。他甚至還忘了提到波提切利的另外六件作品。』

保羅搖搖頭，好像難以想像。『短短不到兩年之間，法蘭契斯科·柯羅納擁有了最豐富的古代藝術與文學收藏，在文藝復興世界無人能出其右。他招攬了兩名水手為親信，請他們掌舵運送這些收藏品；至於在岸上，則挑選羅馬學院裡值得信賴的學員，雇用他們的兒子保護馬車，穿越歐洲大陸。如果懷疑手下有人背叛，他就給予考驗，記錄他們的一舉一動，以便掩藏自己的行蹤。柯羅納知道這個秘密只能透露給極少數經過精挑細選的人，他也願意竭盡所能地保護這個秘密。』

『也許羅得利哥和唐納托並不是唯一遭到他考驗忠誠的人，』我提示說，『也許還有更多的顛茄信件。』

『也許，』他說，『等工作完成之後，柯羅納要將他所有的珍藏都放到一個沒有人會想到要去找的地方，也就是他所說的：很安全、敵人絕對找不到的地方。』

他還沒說，我就知道是哪裡了。

59譯註：著名的希臘三大悲劇家：索孚克里斯（Sophocles，496B.C.-406B.C.）著有《伊底帕斯》；尤里匹底斯（Euripides，480B.C. - 406B.C.）著有《米蒂亞》；埃斯奇里斯（Aeschylus，525B.C. - 456B.C.）著有《阿格曼儂》。

60譯註：巴門尼德（Parmenides，540B.C.-480B.C.）、恩培多克勒（Empedocles，490B.C.-430B.C.）、德謨克里特（Democritus，460B.C.-370B.C.），皆為希臘哲學家。

61譯註：阿佩萊斯（Apelles）和普洛托哲尼斯（Protogenes）都是西元前四世紀時古希臘畫家，相傳有一次阿佩萊斯去拜訪普洛托哲尼斯不遇，管家請他留名，他見畫室裡有一備妥的畫板，於是拿起筆畫了一條極細的線條，自信足以令主人知道來客是誰。普洛托哲尼斯返家後，看到這條細線，知道是阿佩萊斯，又用另一種顏色在線上畫了一條更細的線，將原來的細線條一分為二，並囑咐管家若客人再來就拿給他看。待阿佩萊斯第二次造訪，看到主人的挑戰，立刻用第三種顏色再把第二條細線一分為二。待普洛托哲尼斯看到之後，自嘆弗如，於是親自上門拜訪阿佩萊斯。

62譯註：達西特斯（Tacitus）是西元前一世紀的羅馬共和元老，也是古代著名的歷史家；利維（Livy）則是西元一世紀左右的史家，以撰寫羅馬史聞名。

『接著他託辭要辦個賺錢的事業，向族中長老要來了他們家族在羅馬城外擁有的一塊領地，但是他並沒有在地面上大興土木，反而在祖先打獵的森林正中央，設計了自己的墓窖，是一個巨大的地窖；他手下只有五個人知道這個地點。

『一四九八年將屆，柯羅納做了一個重大的決定。這時，薩瓦那羅拉在佛羅倫斯愈來愈受愛戴，於是宣布在「懺悔星期二」要搭建一個比上一次更大的營火。柯羅納也在《尋愛綺夢》書中記載了部分的演說內容；他說，全義大利都陷入一種新的宗教狂熱──他擔心自己的珍藏不保。柯羅納幾乎已經散盡家財，而隨著薩瓦那羅拉在西歐各國站穩腳跟，他發現這些貨物愈來愈難搬運或掩藏，於是他集中所有的珍藏品，放進墓窖，永遠封鎖起來。』

我慢慢想起，在他的第二段留言中有個很奇怪的小細節，當時百思不解，現在看來卻是合情合理。我的墓窖，柯羅納寫道，以目的而言堪稱舉世無雙的設計，不受任何物質的損害，尤其不受水的侵蝕。他刻意建造防水的地窖，知道如果不能防水，這些鎖在地下的寶藏會逐漸腐爛。

『他決定，在點燃營火的幾天之前，』保羅繼續說，『他要去佛羅倫斯，去聖馬可修道院，當面求見薩瓦那羅拉，為他的使命做最後一次的努力。他要訴諸這個人對知識的熱愛、對真善美的尊重，希望能夠說服此人把這些具有永恆價值的物品從營火中搶救出來，希望能夠阻止這名教士摧毀人文主義學者心目中認為最神聖不可侵犯的東西。

『然而柯羅納也是個務實之人，他聽了薩瓦那羅拉的講道之後，知道此人心中的怒火有多麼強烈，知道他有多麼相信這把營火是合乎正義公理。如果薩瓦那羅拉不認同他的理念，那麼他只有一條路可以走：他要讓佛羅倫斯的市民看看這位先知是多麼的野蠻，他要親自走進營火，從金字塔中搶救這些物品；如果薩瓦那羅拉還是不顧一切地下令點火，那麼柯羅納就要在全市百姓的眼前，以這堆營火葬身殉道。他要迫使薩瓦那羅拉變成劊子手。唯有如此，他說，才能從狂熱中拯救出佛羅倫斯；唯有拯救佛羅倫斯，才能拯救全歐洲。』

『他願意為此而死。』我半是自言自語地說。

『應該說，他願意為此**殺人**，』保羅說，『柯羅納有五個好友，都信仰人文主義，是歃血為盟的好兄弟；其中一個是建築師特拉格尼，有兩個是親兄弟馬蒂歐與西撒，最後兩個就是羅得利哥和唐納托，這兩個人因為背叛他而遭到毒手。他不惜任何手段，都要保護他的信念。』

研究小間裡這個小小的空間，一時之間好像開始扭曲變形；牆角衝撞，一如時間片段交錯重疊。我又看到父親在辦公室裡，趴在那台老舊的打字機上，撰寫《顛茄檔案》的原稿，他知道那封信有特殊的意義，只是不知道來龍去脈；如今保羅終於發現了整件事的背景。

在保羅講述這段故事的同時，我固然感到欣慰，也不免有一縷哀傷在心中滋長。走投無路的法蘭契斯科・柯羅納甚至連自己的朋友都無法信任，他的故事聽得愈多，就愈讓我想起保羅：他也跟柯羅納一樣為了《尋愛綺夢》做牛做馬，他們兩人就像拉著一條穿越時空的線，分居時間的兩端，一個是作者，一個是讀者。塔夫特嘗試要灌輸他毒素，說什麼朋友都善變，企圖讓他對我們起反感；但是我看到保羅為這本書的付出——這樣的日子他已經過了好幾年，而我不過才幾個月而已——我看得愈多，心裡就愈明白：真正讓他起疑的人不是別人，正是法蘭契斯科・柯羅納。

23

『在他前往佛羅倫斯的幾個月前，』保羅說，『他採取了自認為最簡單的預防措施：決定要寫一本書，在書中披露墓窖的地點，但是卻只有同儕學者──不是一般百姓，更不是宗教狂熱份子──才能看得出來。他相信只有真正熱愛知識、跟他一樣害怕薩瓦那羅拉、而且不能容許藝術寶藏付之一炬的人，才能解開這些謎題。他夢想著人文主義有一天會東山再起，這些珍藏就安全無虞。

『於是他完成了這本書，請特拉格尼以匿名的方式送交給阿杜思；他假稱自己是出資贊助的人，也建議阿杜思隱藏這本書。他沒有表明自己的作者身分，以免有人懷疑書中別有用意。

『接著，嘉年華會近了，柯羅納召集了建築師和另外一對兄弟──也就是羅馬學院這個圈子裡碩果僅存的三個人──連袂到了佛羅倫斯。他們都是堅守原則的人，但是柯羅納知道此行任務艱鉅，因此還是要求每一個人宣誓，必要時葬身市政廳廣場。

『營火前夕，他邀請三位好友一起進餐禱告，談論他們一生中共同經歷的兇險、旅程和一起做過的事，不過柯羅納說，整個晚上他都看到一團陰影在他們頭頂上揮之不去。當天他一夜無眠，第二天一早就去找薩瓦那羅拉。

『從這時候，所有的文字都是由建築師執筆，柯羅納說，這份工作他只放心交給特拉格尼來做。他知道一旦自己在佛羅倫斯發生了什麼事情，就必須要找一個人在他身後打點一切，於是他對特拉格尼投下了完全信任票，把最後的一道密碼交給建築師，囑咐他按照這個密碼來寫後記，完成最後幾個章節，記載羅馬學院裡這些朋友們最後的下場。他同時也交代特拉格尼，負責監督

《尋愛綺夢》交付給阿杜思之後的相關事宜，確保這本書順利付梓。柯羅納說，他預見了自己的死亡，無法親自完成所有他想做的事情。他還帶著特拉格尼一起去見薩瓦那羅拉，記錄他們會面的經過。

『那個時候在修道院裡，薩瓦那羅拉已經在自己的小房間裡等他們。這是一場預先安排的會面，雙方都有備而來。一開始，柯羅納還很客氣，說他仰慕薩瓦那羅拉，還說他們兩人目標一致，都同樣痛恨邪惡橫行；他還引述亞里斯多德的話來讚揚美德。

『薩瓦那羅拉則以引述阿奎那[63]筆下幾乎一模一樣的一段話，反問柯羅納為什麼要捨基督徒而引述異教徒的話？柯羅納也稱讚了阿奎那一番，但是他說阿奎那的話是源自亞里斯多德。薩瓦那羅拉失去耐心，於是引用了保羅所寫的一段福音：**我要滅絕智者的智慧，毀棄聰明人的理解。你豈不見神讓世人的智慧都變成愚拙**？

『柯羅納一聽心下大駭，問薩瓦那羅拉為什麼不肯接受藝術與學問？為什麼一心要予以摧毀？他跟薩瓦那羅拉說，他們應該聯手對抗罪惡，還說信仰是真與美的源頭，他們彼此並不是敵人。可是薩瓦那羅拉搖頭，他說真與美是信仰的**僕役**，一旦變成了其他的東西，傲慢與利益就會讓人走向罪惡。

『「因此，」他對柯羅納說，「我絕不會退讓。書本和畫布上的罪惡，比那些要燒掉的東西全部加起來還多，因為玩牌賭博固然會引蠢人上鉤，但是你們的**智慧**卻能魅惑有權有勢之人。這座城市裡的大家族，爭相贊助你們；你們的哲人向詩人傳道，而詩人的作品又廣為流傳；你們用

[63]譯註：阿奎那（Saint Thomas Aquinas，1225-1274），義大利天主教的哲學家與神學家。

思想污染了畫家，而他們的畫卻掛在皇室宮殿，他們的壁畫更是爬滿每一座教堂的牆壁與天花板。你們的影響力遠及王公貴族，因為他們身邊都圍繞著你們的信徒，要求占星家、工程家給予指導，雇用學者翻譯他們的書，而這些人全都受惠於你們。所以，我不會讓傲慢與利益繼續統治佛羅倫斯，你們所愛的真與美都是錯誤的偶像，無非只是虛榮，讓人意志更薄弱。』

『柯羅納知道他們之間沒有和解的可能，但是在離去之前，他憤怒地轉身說了最後一句話，跟薩瓦那羅拉說他打算做什麼。「如果你不同意我的要求，」柯羅納說，「我就要讓全世界知道你是瘋子，而不是什麼先知。我會從你的金字塔裡搬出每一本書、每一幅畫，直到大火將我吞噬為止；我要讓你的雙手沾滿我的鮮血，然後這個世界就會群起反抗。」

『他正準備要走，但是薩瓦那羅拉卻講了一句出人意外的話。「我絕對不會改變心意，但是如果你願意為信仰犧牲自己，那麼我向你表達敬意，視你如子民。任何主張，只要在神的眼中符合正義公理，都有重生的機會；忠於神聖主張而殉道之人，都會從灰燼中重生，晉升天堂。我不希望看到任何一個堅持你們這種信仰的人死亡，但是你所代表的這些人擁有你想要搶救的東西，他們只受貪婪與虛榮感動。除了威逼之外，他們不會屈從神的旨意。有時候，神會犧牲無辜的人，來考驗虔誠的人，或許現在就是這樣。」

『柯羅納正要開口反駁說，不應該犧牲知識與美來拯救腐敗的靈魂，但是又立刻想到他自己的朋友羅得利哥和唐納托，也不得不承認薩瓦那羅拉的話有幾分真實。他知道人文主義學者之中，也有同樣的虛榮與貪婪，而且找不到解決之道。薩瓦那羅拉請他離開修道院，因為修士要準備典禮儀式，柯羅納只好默然離去。

『他回到朋友身邊，轉告這個消息，於是他們開始準備最後的行動。這四個人——柯羅納與特拉格尼、馬蒂歐與西撒——來到市政廳廣場；薩瓦那羅拉的手下一邊準備生營火，柯羅納、馬蒂歐與西撒等三人就一邊從金字塔搬走古籍和畫作，跟柯羅納所講的一模一樣，而特拉格尼則在一旁觀察記錄。

『薩瓦那羅拉的手下問他是否要中止準備工作，不過他說照常進行。柯羅納和那對兄弟一趟又一趟，從柴火堆中抱出滿懷的書本，拿到安全距離以外堆放，而薩瓦那羅拉也在此時下令點火，還大聲宣布：如果他們要繼續下去就得死。但是他們三人完全置之不理。

『這時候，全市百姓都已經聚集到廣場，等著看營火，圍觀的群眾開始吟唱讚美詩；熊熊烈火從金字塔底部升起，向上竄燒，不過柯羅納三人還是繼續搬運藝術品。火焰愈燒愈烈，他們用衣服蒙住口鼻，以免吸入濃煙，另外還戴了手套保護雙手，不過火舌依然吻遍他們全身；來回走了三、四趟之後，他們的臉都已經被濃煙燻黑，手腳也因為在火中穿梭而變得漆黑。他們意識到死亡就在眼前，建築師記載道：在那一刻，他們體現了殉道的榮光。

『他們搶救出來的藝術品愈堆愈高，於是薩瓦那羅拉命令一名修士用手推車把那些東西運回火堆。這三個人才把書畫放下，修士就立刻撿起來放回手推車上運回去。如此周旋了六、七趟之後，柯羅納從大火中搶救出來的一切又已經燒個精光。馬蒂歐與西撒已經不再搶救畫作，因為畫布已經燒燬；他們三人手腳並用，拍打著書本的封面，希望火焰不要延燒到內頁。其中一人已經因為痛苦而開始呼天搶地。

『這時候已經完全沒有希望可以搶救出任何東西了，金字塔中所有的藝術品都損毀殆盡，大部分的書本也燒成焦炭。推著手推車的修士不斷把他們搶救出來的東西送回火坑，他走一趟就足以抵銷他們三人合作搶救的成果。慢慢的，群眾安靜下來，口哨與尖叫聲也逐一消失，原本還有群眾對著柯羅納大聲喊叫，罵他是笨蛋才會去搶救那些書，但是現在他們也全都噤聲。有人叫他們趕快停下來，但是三人都還是繼續地來來回回，一頭撲進烈焰之中，爬在餘燼之上，在大火中消失了幾秒鐘之後又再度出現。這時候，廣場上一片鴉雀無聲，最大的聲音就是烈焰的怒吼。他們三人開始喘不過氣，也因為吸入太多濃煙而痛苦尖叫。每一次他們從烈火中出來，建築師寫道，你都可以看到他們手腳上鮮紅的肉，因為火焰早已燒掉了他們的皮膚。

『終於有一個人不支倒地，伏倒在餘燼之中，那是弟弟馬蒂歐。西撒停下來想去救他，但是柯羅納卻一把將他拉走。馬蒂歐連動都沒動，大火很快地吞噬了他的身體，消失在金字塔中；西撒喊著他的名字，叫他站起來，不過馬蒂歐沒有回答。最後，西撒跌跌撞撞地走到弟弟倒下的地方，幾乎就站在馬蒂歐的遺體上，這時候他也倒下來了。柯羅納站在營火邊緣看到這一幕，聽到西撒喊著馬蒂歐的名字，然後聲音又在大火中逐漸消失，於是他知道只剩下他一個人！他雙膝跪下，好一會兒都沒有動。

『就在群眾以為他已經喪命之際，他突然又掙扎地站了起來，最後一次撲向營火，握起兩把灰燼，蹣跚地走到薩瓦那羅拉的面前；薩瓦那羅拉的一名手下擋在他前面，柯羅納頓然停下腳步，五指齊張，讓灰燼像沙子一樣落在他們兩人之間。然後他說：「Inde ferunt, totidem qui vivere debeat annos, corpore de patrio parvum phonica renasci.」這段拉丁文出自奧維德64的作品，大意是說：「小鳳凰從父親身體的餘燼中浴火重生，命運讓他跟父親活同樣的歲數。」說完之後，他就倒在薩瓦那羅拉跟前死了。

『特拉格尼的敘述以柯羅納的葬禮作結，柯羅納與那對兄弟檔的家人和信仰人文主義的朋友，以幾近皇室的禮節予以安葬。而且我們現在知道，他們殉道犧牲也有代價：幾個星期之後，社會大眾開始對薩瓦那羅拉起反感，佛羅倫斯對他的極端手段、末日審判和陰鬱險惡也都感到厭倦；政敵開始散播對他不利的謠言，企圖拉他下台。教皇亞歷山大下令將他逐出教門，但是薩瓦那羅拉拒不接受，於是教皇宣布他犯了異端邪說和教唆煽動之罪，將他判處死刑。到了五月二十三日，柯羅納在大火中殉道的三個月之後，佛羅倫斯市民在市政廳廣場架設了另外一堆柴；於是就在兩把營火燃燒的同一個地點，他們將薩瓦那羅拉絞死，然後把屍體放在柴堆上燒掉。』

『特拉格尼後來怎麼樣了？』我問。

『我們只知道他遵守自己對柯羅納所許下的承諾，在第二年，也就是一四九九年，阿杜思出版了《尋愛綺夢》。』

我從椅子上站了起來，心情太激動，根本就坐不住。

『從那時候開始，』保羅說，『每一個詮釋這本書的人都是用十九、二十世紀的工具，試圖打開十五世紀的鎖。』他往椅背一靠，深深吐出一口氣：『直到現在。』

他一口氣講完停了下來，幾乎喘不過氣，於是陷入一陣沈默。門外走道傳來腳步聲，隔著房門聽起來有點悶悶的；我嚇了一跳，看著他。於是外面的現實世界又回到我的腦海，開始穿透我的思想，薩瓦那羅拉和法蘭契斯科•柯羅納的世界在腦子裡又束之高閣；但是兩個世界之間卻有令人感到不安的交集。我看著保羅，心裡很明白：他就是這兩個世界之間的交叉路口，是連繫兩段時空的繩索。

『我不敢相信。』我跟他說。

64譯註：奧維德：Ovid（43B.C. - 17A.D.），羅馬偉大詩人，著有《變形記》。

我父親應該在場的——我父親、李察．柯瑞、麥克比——所有熟悉這本書、也為此犧牲奉獻過的人都應該在場，這是獻給他們全體的禮物。

『柯羅納從三個不同的地標指引我們通往墓窖的途徑，』保羅說，『應該不難找到這個地點；他甚至還給了墓窖的尺寸以及收藏品的清單。現在唯一缺少的，就是墓窖大鎖的設計藍圖；特拉格尼替墓窖大門設計了一款特別的圓筒形大鎖。柯羅納說，大門鎖得密不透風，別說搶匪和濕氣都進不來，就算有人想開這道鎖，所需的時間恐怕跟解開這本書的謎題一樣久。他一直提到要把這道鎖的藍圖和如何開鎖的指示告訴讀者，但是卻又一直打岔去談薩瓦那羅拉；也許他叫特拉格尼寫在最後幾章，但是特拉格尼有太多事情要做，於是就忘了。』

『那就是你到塔夫特研究室裡去找的東西？』

保羅點頭。『柯瑞說，三十年前他發現守港人日記時，裡面夾了一張藍圖。我認為塔夫特故意讓比爾發現這本日記時，把藍圖藏了起來。』

『你有找到嗎？』

他搖搖頭。『我只拿到塔夫特手寫的舊筆記。』

『那你現在要怎麼辦？』我問。

保羅又伸手開始在桌子底下找東西。『我只能任憑塔夫特擺佈了。』

『你跟他說了多少？』

他的手從桌子底下抽出來，但是兩手空空；他感到不耐煩，把椅子往後一推，整個人跪在地上。『他不知道任何關於墓窖的細節，只知道有這麼一個墓窖存在。』

我發現地毯上有一道拉曳的痕跡，畫了四分之一個圓形，回到桌子的金屬桌腳。

『昨天晚上，我利用柯羅納在後半部所說的一切畫了一張地圖：地點、尺寸、地標等等。我知道塔夫特可能會來搜尋我所發現的結果，所以我把地圖放在我平常用來收藏最好作品的地方。』

接著傳出一聲金屬碰撞的聲音，然後保羅從書桌底部最遠的角落拿出一把螺絲起子；用來把螺絲起子固定在桌子底下的長膠帶，如今像雜草一樣垂在他的手中。他撕掉膠帶，奮力把桌子轉向面對我們，桌子的前腿在地板磁磚的溝槽裡滑行，通風管道立刻出現在我們眼前。通風口的網蓋用四根螺絲釘固定在牆上，每根螺絲上的漆都有剝落的現象。

保羅一一轉開螺絲釘，一次拆一個角落，最後整張網蓋都卸了下來。他伸手進去，拿出一只塞滿紙張的信封。

我的第一個本能就是往研究小間的窗戶望去，看看有沒有人在門外偷窺；這時候我才知道為什麼要用黑紙把窗戶貼起來。

保羅打開信封，先抽出兩張因為長時間摩挲而顯得老舊發黃的照片。第一張是保羅跟柯瑞在義大利照的，他們兩人站在佛羅倫斯的市政廳廣場中央，就在海神噴泉的正前方，模糊的背景裡依稀可以看出是米開朗基羅的大衛雕像複製品。保羅穿著短褲，揹著背包；柯瑞則西裝筆挺，不過領帶鬆開，領口的鈕扣也沒有扣上。兩個人都面對鏡頭微笑。

第二張則是我們四人在大二那年照的。保羅跪在照片中央，脖子上打著借來的領帶，手裡則拿著一個獎牌；我們其他三人則站著圍繞在他身邊，背後有兩名教授看起來好像覺得我們很逗趣的樣子。那時候保羅剛剛贏得普林斯頓法語社的年度作文比賽，於是我們三個人打扮成法國的歷史人物來替他加油打氣：我是赫伯斯皮耶[65]，吉爾是拿破崙，至於查理則穿著我們在服飾店裡找到的特大號蓬蓬裙，扮演瑪莉皇后66。

保羅似乎覺得照片沒有什麼好說的，順手就放在桌上，好像他已經習以為常。接著他把信封裡的其他東西都拿出來，我原來誤以為是一疊紙的東西，原來是一大張紙折了好幾次才塞進信封裡。

『就是這個。』他說著把紙張攤在書桌表面。

那是一張極為詳盡的手繪地形圖，等高線畫成了一個個不平整的圓形，另外在一個模糊的方格子裡有些粗略的方向指標。在靠近中央的地方，用紅筆畫了一個尖錐形的物件，看起來像個十字架。根據地圖角落的比例尺來判斷，原物大約是像一棟宿舍那麼大。

『就是這個嗎？』我問。

他點點頭。

真的好大。我們兩人一下子啞口無言，坐在那裡靜靜消化剛剛看到的東西。

『這張地圖要怎麼辦？』我突然覺得研究小間裡好空。

保羅攤開手，通風口的四顆小螺絲釘在他掌心像種子一樣滾來滾去。『放到一個安全的地方去。』

『放回牆裡？』

『不行。』

他彎下腰，把通風口的網蓋裝回去，一副氣定神閒的樣子；然後站起身來，把貼在牆上的紙一張接著一張地撕下來，於是那些訊息也一個接著一個消失：國王與怪獸、古老的名字，還有不想讓任何人看到的筆記。

『那你要怎麼辦？』我的眼神依然看著地圖。

那些撕下來的紙條在他手心全都揉成一個紙團，牆壁又是一片雪白。他坐下來，沿著原來的折痕把地圖折起來，非常平靜地說：『我要交給你。』

『什麼？』

保羅把地圖放回信封裡，交到我的手上；但是照片卻留下來。

『我承諾過你會是第一個知道的人，這是你應該得到的。』

他說得好像自己不過是信守承諾而已。

『你要我怎麼做？』

他微笑道：『不要搞丟了。』

『要是塔夫特來找，那怎麼辦？』

『就是因為這樣啊。如果他真的來找，一定會先找上我，』保羅暫停一下，然後又開口說，『而且，我希望你能習慣身邊有這個東西存在。』

『為什麼？』

他往後一靠。『因為我希望我們能夠合作，我希望我們一起去找柯羅納的墓窖。』

我終於了解他的用心。『明年。』

他點頭說：『在芝加哥，還有羅馬。』

㊵譯註：Robespierre，法國資產階級革命時期雅各賓黨的領袖。
㊶譯註：Marie Antoinette：法王路易十六的王后，號稱法國最美麗的皇后，後來因為干涉革命，被送上斷頭台。

通風管呼地一聲，從網蓋中吐出最後一口氣。

『這是你的，』這是我唯一能夠想到的台詞，『是你的論文，要由你來完成。』

『湯姆，這不只是一篇論文而已。』

『甚至不只是博士論文。』

『沒錯。』

我彷彿聽到他的聲音在說：這還只是開始呢！

『我不想一個人去做。』

『**我**能做什麼？』

他又微笑道：『現在先保管這張地圖，讓它在你的口袋放一陣子再說吧！』

我覺得全身無力，這個信封這麼輕，在我的手中好像稍縱即逝。《尋愛綺夢》的智慧菁華，如今就在我的掌心，這似乎跟所有的現實都背道而馳。

『走吧，』他看看手錶，終於說道，『我們回去吧，我還得替查理拿點東西呢。』

他大手一揮，清掉最後殘餘的一點工作，不留任何痕跡，研究小間裡再也看不到保羅、看不到柯羅納、也看不到連結五百年思想的漫長軌跡；最後連窗戶上的黑紙也拆掉了。

24

我去巧匠公司求職面試時，主考官的最後一個問題是道謎語：假設一隻青蛙跌進五十呎深的井裡，必須自己跳出來；牠每天可以往上爬三呎，但是到了晚上又會往下滑兩呎，那麼牠要多久才能跳得出來？

查理的答案是永遠都跳不出來，因為任何一隻青蛙跌進五十呎深的井裡，大概早就一命嗚呼；保羅的答案跟一位古哲學家有關，因為他走路時只顧著抬頭看天上的星星，結果跌到井裡死了；吉爾的答案則是說他從來沒有聽說過青蛙會在井裡爬，更何況這個問題跟到德州研發電腦軟體有什麼關係？

至於正確答案，我想應該是四十八天，也就是比一般人設想的答案少了兩天；關鍵在於題目中的提示告訴我們，青蛙每天的進度是往上爬一呎——但是到了第四十八天，牠如果往上爬了三呎，就已經到了地面，當然也就不會再往下滑。

我不知道為什麼會突然想起這件事情，也許謎語就是在這樣的時刻特別有餘韻吧！就像靈光乍現的智慧，突然讓生活經驗的邊緣發光，是其他事物所不能及的。在謎語中，有一半的村人只會說謊話，而另外一半則只會講實話；在謎語中，兔子永遠追不上烏龜，因為牠們之間的距離固然會縮短，但是兔子難逃有始無終的永恆宿命；在謎語中，狐狸不能單獨跟母雞放在同一個河岸，就像母雞不能跟米穀獨處，因為按照完美的規律，牠們一定會吃掉對方，這是你永遠無法改變的事實。在謎語中，凡事都合情合理，只有前提除外。

謎語就像空中閣樓，只要不往下看，絕對可以住人。保羅跟我說的這個故事——古時候有一名修士和一名人文主義學者之間發生抗爭，結果留下了滿墓窖的寶藏埋在遭人遺忘的森林裡——聽起來就像用特大號字體寫的『不可能』三個字，奠基於更基本的不可能：像《尋愛綺夢》這樣全書用密碼寫成，五百年來遭到學者冷落，無人能解的一本書，根本不可能存在。然而，事實又擺在眼前，這本書的存在跟我自己一樣真實。如果我接受了這個事實，就得接受事實腳下的地基，那麼不可能存在的空中樓閣也就可以興建；至於其他的，只是選擇水泥或石頭的問題而已。

電梯門打開，圖書館大廳在冬日陽光裡，看起來好像沒有重量，感覺上好像剛從地道裡出來似的。我每次一想到巧匠公司的謎語，就忍不住要想像那隻青蛙在最後一天爬了三呎之後首度不再往下滑，心裡會有多訝異；在井口等待牠的，是一種突如其來的驚喜，一種沒有料到旅程這麼快就結束的詫異，也就是我現在的感覺。我從小就耳熟能詳的謎語——《尋愛綺夢》之謎——在短短不到一天之內就解開了。

我們陸續走出圖書館的旋轉門，冷風從前門門縫底下鑽了進來。保羅推開大門，我則拉緊領口。到處都是雪，看不到石磚、牆壁或陰影，放眼所及盡是一片白茫茫的風雪。我能想到的只是芝加哥和德州、畢業典禮、多德樓和家裡。無論如何，我又突然站到地面上。

* * *

我們往南走，在回宿舍的路上，看到一個大型的垃圾箱打翻了，雪堆裡露出一袋袋的垃圾，而松鼠也已經聚攏，從垃圾袋裡掏出蘋果核、幾乎是空的乳液瓶，每樣東西都要先放到鼻子前面嗅一嗅，然後才往嘴裡送。牠們真是敏銳的小生物，經驗法則告訴牠們：這裡一定會有東西吃，而且每天都會補充，因此滿地的松果與橡實都沒有松鼠要撿。一隻跟兀鷹差不多大的烏鴉凌空而降，停在翻覆的垃圾箱輪子上，睥睨的姿態彷彿自己有優先權，不過小松鼠還是繼續啃食，完全不予理會。

『你知道那隻烏鴉讓我想起什麼嗎？』保羅說。

我搖搖頭。烏鴉氣憤地振翅飛走，兩翼展幅大得驚人，不過腳下仍不忘抓走一袋麵包屑。

『從空中丟下烏龜，砸死埃斯奇里斯的那隻老鷹。』保羅說。

我得正眼看著他，確認他是說真的。

『埃斯奇里斯是禿頭嘛，』他繼續說道，『而老鷹想敲開龜殼，所以就把龜殼往石頭上丟，牠也分不清楚。』

這又讓我想起掉到井裡的哲學家。保羅的腦筋就是這樣，總是把現實和過去聯想在一起，老是活在歷史裡。

『假設你現在可以在任何一個你想去的地方，』我問他，『你會想在哪裡？』

他看看我，饒有深意地笑著說：『任何地方？』

我點點頭。

保羅回答：『羅馬，還要帶著鏟子。』

一隻松鼠抬頭看著我們，手裡還抓著一片麵包。

保羅轉而問我：『那你呢？德州嗎？』

『不是。』

『芝加哥？』

『我不知道。』

我們經過藝術博物館的後院，另外一邊就是多德樓。庭院裡有凌亂的腳印，呈鋸齒狀曲折來回。

『你知道查理跟我說什麼嗎？』他看著雪地上的足跡說。

『什麼？』

『如果你開了一槍，子彈落地的速度跟你倒地的速度一樣快。』

聽起來像是我在物理學導論裡學到的東西。

『你永遠敵不過地心引力，』保羅說，『不管你跑得多快，仍然會像石塊一樣向下墜，讓你懷疑所謂的平行移動是不是一種幻象，頂多只是讓我們自以為沒有往下墜。』

『你講這麼多有什麼用意？』

『那只龜殼，』他說，『是預言的一部分，有個神諭說埃斯奇里斯會因來自天堂的一擊而死。』

天啊，來自天堂的一擊，我心裡想著，忍不住笑了起來。

『埃斯奇里斯逃不出神諭，』保羅接著說，『敵不過地心引力。』他手指交叉呈燕尾狀。

『天與地，一鼻孔出氣。』

他睜大眼睛，像走進動物園的孩子一樣，要把一切盡收眼底。

『你大概跟每個女孩子都講同樣的故事吧。』我跟他說。

他笑笑說：『對不起，感應器滿載。我的話太多了，一發不可收拾，也不知道是為什麼。』

我知道。因為現在有其他人去操煩墓窖的事，去擔心《尋愛綺夢》。卸下了肩頭重負，連地圖都輕得多了。

『就像你剛剛問我的，』我們往寢室的方向走，他在我前面倒著走，說：『假設你可以在任何地方，你會想在哪裡？』他攤開掌心，彷彿事實就在他手裡。『你回答，沒有關係。因為不管你在哪裡，都一樣往下墜。』

他始終面帶微笑，好像我們只是自由落體的這個想法一點也不會令人沮喪似的。不管到哪裡、做什麼事情到頭來都是一樣眾生平等，保羅似乎是想表示，他現在跟我一起在多德樓就跟他帶著鏟子去羅馬一樣好；我想，他是用自己的方法、自己的語言表示他現在很快樂。

他掏出鑰匙，插進鎖孔；我們走進房裡，卻是一片寂靜。從昨天晚上開始，這個地方發生了這麼多事故：先是有人闖空門，然後是訓導員和警察都過來；現在看到房裡黑漆漆地空無一人，反而令人感到不安。

保羅晃到寢室裡放外套，而我則本能地拿起電話聽留言。

嗨，湯姆，從雜音中傳來吉爾斷斷續續的聲音，**我等一下再打給你們看看，不過……看起來我是沒有辦法再趕去醫院了，所以替我……查理……湯姆……打黑領結。你可以借……需要的話。**

黑領結。舞會。

這時，第二個留言開始了。

湯姆，我是凱蒂。只是要跟你說一聲，我在暗房這裡忙完之後就會去社團幫忙佈置場地；我

記得你說要跟吉爾一起過來。暫停。**所以我想我們晚上再談吧**。

她掛斷電話之前有些許猶豫，好像不確定最後那幾個字強調得對不對，像是提醒我事情還沒完呢。

『有什麼事嗎？』保羅在寢室裡喊。

『我得去準備了。』我沈著地說，意識到事情出現了變化。

保羅從寢室裡出來：『準備什麼？』

『舞會啊。』

保羅並不知道我跟凱蒂在暗房裡的談話，我還沒有跟他說；可是我今天得知的事情，保羅跟我所說的一切，又已經讓所有情勢逆轉。在接下來的靜默中，我發現自己又站回原來的位置，我發誓要徹底斷絕往來的古老情婦又回來引誘我。這是一個循環，只是我到目前為止一直當局者迷，無法打破這個循環；柯羅納的書用完美的願景引我入甕，只要付出一點小小的代價，只要瘋狂投入、與世隔絕，我就可以在這個非現實的世界定居。柯羅納不但發明了這個廉價品，也替它取了一個名字：《尋愛綺夢》——在夢裡為愛掙扎。

如果真的有禁足時間，讓我可以抵抗這種掙扎與夢境；如果我需要有人來提醒我還有一個人瘋狂地愛著**我**，提醒我不要忘了對凱蒂的承諾——應該就是現在了！

『你怎麼了？』保羅問。

我不知道該怎麼跟他說，甚至不知道該跟他說些什麼。

『拿去。』我伸出手說。

但是他沒有動。

『把地圖拿去。』

『為什麼？』起初他只是一臉迷惑，大概興奮之情尚未消退，沒有聽懂我在說什麼。

『保羅，我不能跟你合作，對不起！』

他的笑容漸漸消失。『你這是什麼意思？』

『不能再搞這玩意兒了，』我把地圖放在他手上，『全都是你的。』

『是我們的！』他以為我是鬼迷心竅。

其實不是，這不是屬於我們的；從一開始，這本書就是主人，掌控著我們。

『對不起，我真的不能再這樣做了。』

這裡不行，芝加哥不行，羅馬也不行。

『可是你**以前**做過的呀，』他說，『而且現在做完了。我們現在只要有大鎖的藍圖就行了。』

不過事情已經有了決定。保羅的眼裡出現一種快要滅頂的神情，好像過去在身體下面托著他浮出水面的力量，突然棄他而去，整個世界都天翻地覆。我們一起合作了這麼久，即使他一個字也沒有說，我都看得出來：我感受到一種前所未有的自由，掙脫了從我出生之前就開始的一連串事件所形成的鎖鏈，而這樣的感覺在他眼裡卻如鏡象一般是相反的。

『這不是魚與熊掌，』他打起精神來說，『你要的話，可以二者兼得。』

『我想是不可能。』

『你父親就辦到了。』

可是他心知肚明，這不是真的。

『你不需要我幫忙，』我跟他說，『你什麼都有了。』

可是我也心知肚明，這不是真的。

接下來是一陣詭譎的沈默，我們都意識到對方說得對，但是自己講的卻也沒錯。道德的算式並不是一加一等於二。看他的樣子好像要求我，為這個案子最後一次請命，但是卻毫無希望，他自己也知道。

保羅終究沒有開口，只是把吉爾講過一千次的笑話拿出來再講一次；已經沒有其他的言詞可以表達他的感覺。

『地球上的最後一個人走進酒吧，』他喃喃道，『你猜他說什麼？』

保羅轉頭面向窗口，但是沒有說出笑點；我們都知道地球上最後一個人說了些什麼。他孤伶伶地看著手上的啤酒，醉意盎然地說：『啤酒啊，給我一個酒保！』

『對不起。』我跟他說。

保羅心不在焉。『我必須去找柯瑞。』他囁嚅道。

『保羅？』

他轉身說：『你還要我說什麼？』

『你去找柯瑞做什麼？』

『還記得我們去總圖的路上，我跟你說了些什麼？』他說，『如果我始終沒有看過你父親的書，不知道現在會怎麼樣？還記得你是怎麼說的？』

『我說我們根本就不會認識。』

幾千個小小的巧合意外堆積起來，才造就他和我相識——才讓我們現在站在這裡。他的意思是說：命運從五百年來的混亂之中，造成了一座空中樓閣，讓兩個大學生可以在裡面稱王，結果我卻棄之如敝屣。

『如果看到吉爾的話，』他從地板上撿起外套，『跟他說可以把社長辦公室收回去。我不需要了。』

我想到他的車子壞了，還停在學院旁的路邊，知道他打算徒步穿過風雪去找柯瑞。

『你一個人去不安全……』我又開始。

但是他始終都是一個人踽踽獨行。我話沒說完，他已經出去了。

＊＊＊

我本來想跟著保羅去，但是醫院正好在一分鐘之後打來替查理傳話。

『他醒過來了，也開始說話，』護士說，『他說要找你。』

我已經戴上帽子和手套。

往醫療中心的半路上，風雪就停了。走過幾條街，甚至還可以看到地平線上的太陽，天上的雲聚成餐桌擺設的形狀——湯盤、湯碗、水壺，還有叉子和湯匙捲在餐巾裡——我這才發現自己有多餓。我希望查理的情況跟護士所說的一樣好，希望他們在餵他吃點東西。

我到了病房，卻發現門口擋了一個體型比查理更嚇人的人物：他的母親。傅利曼太太正在跟醫生說，她搭清早第一班火車從費城過來，卻聽到院長辦公室裡有個人跟她說查理幾乎就在退學邊緣，還說她自己當十七年的護士才轉任科學教師，不需要大醫師紆尊降貴來解釋她兒子有什麼毛病。

我認得那個醫生身上手術袍的顏色，就是他跟我和保羅說查理情況穩定，就是滿口醫院官腔和滿臉制式笑容的那個人；他似乎不明白：還沒有任何笑容足以搬動擋在門口的這座山。

我才轉進查理的病房，傅利曼太太一眼就看到我。

『**湯瑪斯！**』她略微挪動一下身體的重量。

在傅利曼太太的身邊總是讓你有一種錯覺，好像在目睹某種地理效應，一不小心，就會被活活壓死。她知道我母親一個人把我拉拔長大，所以覺得自己有責任給我一點機會教育。

『湯瑪斯，』她又叫了一聲，現在已經沒有人叫我那個名字了，『過來這裡。』

我慢慢走近。

『你讓他惹了什麼麻煩？』她說。

『他只是要——』

她向前跨一大步，我整個人陷入她的身影之中。『我警告過你不要再搞這種事了，對不對？從上次爬到屋頂那件事之後？』

鐘鎚事件。『傅利曼太太，那是**他的**主意——』

『噢噢，不要再來這一套。我的查理不是什麼天才，湯瑪斯；一定是有人**帶頭作怪**，才把他帶壞。』

這些婆婆媽媽！妳以為查理是乖寶寶，自己不會使壞啊？在傅利曼太太的心目中，我們三個就是標準的損友：我是在單親家庭長大、保羅父母雙亡、吉爾則有複雜的繼父母關係，我們三人可以學習的正面角色典範，加起來還沒有查理一個人多。不知道什麼原因，她特別認定我就是頭上長角、屁股長尾巴的魔鬼。呵，但願她知道事實真相：連摩西都長角哩！

『不要找他麻煩啦！』病房裡傳來氣喘咻咻的聲音。

傅利曼太太像地球自轉一樣轉過身去。

『湯姆還救我出去呢！』查理虛弱地說。

病房裡突然安靜了一下。傅利曼太太看著我，好像在說：你不要偷笑，你讓我兒子身陷險地，然後再把他救出來，並沒有什麼值得驕傲。可是當查理再度開口，她就叫我趕快進去，別讓她兒子這樣隔著門喊話，把自己累壞了；而她還有話要跟醫生說。

『還有，湯瑪斯，』在我經過她身邊時，她又說，『你不要再灌輸他什麼鬼點子了，知道嗎？』

我點頭稱是。傅利曼太太是我認識的老師當中，唯一把點子看成像三字經一樣的人。

查理的病床搖高了一點，兩側都有欄杆，高度雖然並不足以防止人高馬大的病患在夜裡從床上摔下來，但是卻正好可以讓清潔工從欄杆中間插入一支掃帚，讓你一輩子躺在床上起不來，成了終生療養的病人。我在醫院裡做過的惡夢，講上一千零一夜也講不完，就連時間也無法完全抹滅這些記憶。

『探病時間只剩十分鐘。』護士沒有看錶就直接說，她一手拿著鐵盤，一手拿著抹布。

查理看著她像跳舞般滑出去，才用緩慢沙啞的語調說：『我想她喜歡你。』

從脖子以上看起來，他的氣色還不錯。除了在鎖骨的地方有一小塊粉紅色的皮膚之外，看起來就只是疲憊而已。真正受到重創的地方是在他的胸部，整個身體都綑在紗布裡，一直綑到腰部稍微陷在床墊裡的地方。紗布上還有斑斑點點，是傷口的膿液滲到表面。

『你可以留下來幫他們替我換紗布。』他開口把我的注意力往他臉上拉。他的眼睛好像有點黃疸，鼻頭濕濕的，如果手抬得起來的話，他應該會擦一下。

『你覺得怎麼樣？』我問。

『我看起來怎麼樣？』

『以這種情況來說，還算不錯啦！』

他擠出一個笑容。我知道他雖然低頭看著自己，但是並不曉得自己現在是什麼模樣；他只是強作鎮定，知道不應該信任自己的感官。

『有人來看你嗎？』我問。

他過了好一會兒才回答：『吉爾沒有來。如果你要問的是這個的話。』

『我是問任何人。』

『也許你沒有看到我媽，』他微笑道，並沒有發現自己重複說同樣的話，『她很容易就讓人看不到。』

我又看看病房門口，她還在跟醫生說話。

『別擔心，』查理誤會了，『他會來啦。』

這時候，護士應該已經打電話給所有關心查理的人，跟他們說查理的意識恢復清醒；如果吉爾到現在還沒有來的話，應該是不會出現了。

『嘿，』查理換了一個話題，『我們在那裡發生的事情，你還好吧？』

『你說什麼時候的事？』

『你知道，塔夫特說的那些話。』

我試著回想他說的話。幾個小時之前，我們還在學院裡，或許這是他記憶中最後發生的事。

『他說你爸爸的事。』查理說著想換個姿勢，但是又不敢有太大的動作。

我看著床邊的欄杆，突然動彈不得。傅利曼太太一直糾纏著醫生不放，最後他只好把她帶到辦公室去商議，於是他們兩人從遠處的門口消失，現在走廊空無一人。

『我跟你說，』他虛弱地說，『不要讓任何事情混淆你的情緒，讓你的腦袋不清。』

這就是查理在鬼門關前所做的事——還在想我的問題。

『看到你沒事，我很高興。』我跟他說。

我知道他想說些什麼至理名言，但是感覺到我放在他手上的壓力，於是簡單地說。

『我也是。』

查理看著我，先是微笑，然後大笑起來。『敲昏我吧！』他說著搖起頭來，眼睛注視著我的身後，又說了一次：『敲昏我吧！』

我以為他神智又模糊了，但是轉頭一看，吉爾就站在門口，手裡捧著一束花。

『這是從舞會上偷出來的，』他有點遲疑地說，好像不知道自己受不受歡迎，『你最好喜歡。』

『沒有酒啊？』查理的聲音還是很微弱。

吉爾勉強笑了一笑。『只有便宜貨給你啦！』他向查理伸出手。

『護士跟我說，我們還有兩分鐘，』吉爾說，『你覺得怎麼樣了？』

『時好時壞。』

『我想你媽媽在這裡。』吉爾回答，他好像還在摸索要如何開啟話題。

查理的意識又開始模糊，但是仍然擠出一個笑容。『她很容易就讓人看不到。』

『你今天晚上不會就走了吧？』吉爾平靜地說。

『走出醫院？』查理的意識已經不知道飄到哪裡去了，根本不知道問的是什麼。

『是啊。』

『也許吧，』查理喃喃道，『這裡的食物——』他深深吐了一口氣，『——有夠難吃。』

查理的頭正好靠回枕頭上，鐵面護士就進來說探病時間到了，而且查理需要休息。

『好好睡吧，老大。』吉爾說著把花束放在床頭櫃上。

查理沒有聽到這句話，他嘴裡已經開始發出輕微鼾聲。

我們離去之前，我回頭看著他躺在搖高的病床上，全身綁著繃帶，纏著靜脈注射管，讓我想起小時候畫的一本漫畫：墜落的巨人送到醫院治療，神秘的病患迅速康復，讓醫生大吃一驚；黑夜降臨紐約，但是全市的報紙標題都一樣。今天有位超級英雄與自然的力量搏鬥，浩劫餘生之後抱怨食物太難吃。

＊＊＊

『他會好吧？』我們走到訪客停車場時，吉爾問道。停車場上只有他那輛紳寶汽車孤伶伶地停在那裡，引擎蓋都還是熱的，融化了飄在上面的雪花。

『我想會吧。』

『他的胸部看起來受傷很重。』

我不知道燒傷病患要做什麼復健，不過想來，要熟悉你的新皮膚也不是一件容易的事。

『我以為你不會來了。』我跟他說。

吉爾猶豫了一下，說：『我希望那時候跟你們在一起。』

『什麼時候？』

『全天。』

『你在說笑嗎？』

他正色說：『不是！你這話是什麼意思？』

我們在車前停下腳步。我知道自己在生他的氣，氣他竟然找不到話跟查理說，氣他今天下午好像不敢來看查理。

『你在你想去的地方。』我說。

『我一聽到消息就立刻趕過來。』

『你沒有跟我們在一起。』

『你是說什麼時候？』他問，『今天早上？』

『這一路來。』

『我的天哪，湯姆……』

『你知道查理為什麼會躺在醫院裡？』

『因為他做了錯誤的決定。』

『因為他想**助一臂之力**。他不想讓我們自己去塔夫特的研究室，他不想看到保羅在地道裡受傷。』

『湯姆，你要我怎麼辦？跟你道歉嗎？好嘛，算是我的錯。我不能跟查理比，他這個人就是這樣，他一直都是。』

『**你這個人**也是這樣，你知道傅利曼太太跟我說什麼嗎？她說的第一件事？她劈頭就說我們去拿梭大樓偷鐘鎚的事。』

吉爾伸手抓著頭髮。

我說：『她為了那件事責怪我，她一直都怪我，你知道為什麼嗎？』

『因為她以為查理是聖人。』

『因為她不相信**你**是會做出這種事的人。』

他呼了一口氣：『所以呢？』

『你**就是**會做出這種事的人，這事就是你做的。』

他似乎不知道該說什麼。『你有沒有想過，那天晚上碰到你們之前，我可能已經喝了半打啤酒？也許我腦筋已經不太清楚？』

『也許你那時候跟現在不一樣。』

『沒錯，湯姆，也許我是變了。』

又是一陣沈默。雪花開始堆積在紳寶的引擎蓋上。不知怎地，這些話最後成了內心的告白。

『我跟你說，』他說，『我很抱歉。』

『為什麼？』

『我早就應該進去看查理，第一次看到你和保羅的時候。』

『算了吧！』

『我很固執，我一直都很固執。』

他特別強調**一直**，好像是說：『湯姆，你看，有些事情還是沒有變。』

但是一切都變了，每個星期、每一天、每個小時都不一樣。先是查理，然後是保羅，現在突然又是吉爾。

『我不知道。』我跟他說。

『你不知道什麼？』

『不知道你都在忙什麼，為什麼所有的事情都變得不一樣？天哪，我甚至不知道你明年要做什麼！』

吉爾從褲子後袋掏出鑰匙，打開車門。

『我們走吧，』他說，『再這樣下去，我們都要凍死了。』

我們站在空無一人的醫院停車場上，太陽幾乎已經溜到天空的邊緣，準備帶領黑夜上場，讓萬物看起來都像灰燼。

『上車吧，』他說，『我們到車上再談。』

25

那天晚上，我好像重新認識了吉爾，或許也是最後一次。

他跟我記憶中的吉爾幾乎一樣有魅力：風趣幽默，重要的事情很精明，不重要的事就裝糊塗。我們開車回到宿舍，一路上辛納屈的歌聲不輟，我們的談話也沒有中斷；回去之後，還沒有開口問他今天晚上我要穿什麼，打開房門，就看到一件燙得筆挺、一塵不染的燕尾服掛起來等著我，塑膠衣套外面還夾著一張字條：『湯姆——如果不合身的話，就表示你縮水了。——G』在這樣兵荒馬亂之際，他竟然還抽出時間來，帶著我的西裝去禮服店租了一件符合我身材的燕尾服。

『我爸爸認為我應該休息一陣子，』他現在回答我先前的問題，『到處去遊歷一下，去歐洲或南美。』

記得一個你一直都認識的人，是件很奇怪的事。這並不像是回到長大成人的房子，發現整個房子都跟你記憶中一模一樣：你築起來的牆、每天開關的門，都跟第一次看到的設計一樣；反而更接近回到家裡，看自己的母親姊妹，她們已經年長到不會再成長，跟你上次看到她們的時候一樣，但是卻還年輕尚未老化。於是你第一次發現她們在旁人眼中是什麼模樣，發現你若是不認識她們的話，她們是多麼美麗，發現父親和姊夫、妹夫的眼中看到的是什麼；這些人雖然最常對她們品頭論足，但是對她們的了解卻是最少。

『老實說，』吉爾說，『我也還沒有決定。我不確定我老爸的建議能不能聽，像買紳寶就是他的主意，但是卻錯得一塌糊塗。他心裡想的是：如果他在我們這個年紀，會想要什麼東西。他跟我講話時，好像把我當成其他人。』

吉爾說的沒錯，他已經不是那個脫下長褲掛在拿梭大樓樓頂隨風飄揚的大學新鮮人，現在的他行事謹慎、瞻前顧後。看到這個人，你會覺得他是世故老練、擅長經營自我的年輕人；他的言辭和身體語言自然散發一種權威，現在也愈來愈明顯，這是長春藤培養出來的特質。他的服飾色彩低調穩重，向來引人注目的一頭長髮也梳理得一絲不苟，從來不顯凌亂，這其中好像有什麼科學似的，因為你從來就沒有注意到他什麼時候剪了頭髮。他的體重也略微增加了一點，讓他看起來增添一分穩重，別有一番瀟灑。至於艾克斯特高中遺留下來的一點懷舊色彩——小指的指環、耳朵的釘釦等——都不知不覺地消失了。

『我猜我要到最後一刻才會做決定，等到畢業典禮的時候再說，也許是很衝動、讓人意想不到的事情。也許去做建築師，也許去跑船。』

他就站在我面前，毫不介意地換衣服、脫掉毛料長褲，完全沒有意識到我已經成了一個陌生人，從未見過這個版本的吉爾。我也意識到，也許我跟我自己也成了陌路，因為我從未見過凱蒂昨天等了一夜想見的人，那個新型號、最新款的我。這其中好像有個謎，是個解不開的弔詭；青蛙、水井，還有這個陌生的湯姆・蘇利文，他看著鏡子，卻從鏡子裡看到過去。

『有個人走進酒吧，』吉爾又回復過去那個可靠的人，『身上一絲不掛，頭上頂著一隻鴨；酒吧說：「卡爾啊，你今天看起來好像不太一樣。」那隻鴨子搖搖頭說：「哈利，就算我告訴你，你也一定不會相信。」』

我不知道他為什麼選擇這個笑話，也許跟他剛剛說的這些話有同樣的用意。我們雖然一直都對著他說話，但是卻把他當成其他人；我們把紳寶認為是他，那是我們的錯。吉爾本身是衝動、讓人意想不到的：可能是建築師、水手或是鴨子。

『你知道那一天我在收音機聽什麼嗎？』他問，『在安娜跟我分手之後。』

『辛納屈。』可是我知道這答案不對。

『森巴。』他跟我說，『我跳著電台找音樂，WPBR正好在播拉丁組曲，只有音樂，沒有唱歌，節奏很好，真的**很棒**！』

WPBR。普林斯頓的校園電台，也就是在第一批女學生入學時播放韓德爾〈彌賽亞〉的電台。我記得第一次在拿梭大樓鐘塔外面見到吉爾的那天晚上，他從黑暗中現身，踩著倫巴的舞步說：『現在搖一搖啊，寶貝！**跳舞囉**！』

他這個人總是離不開音樂，我們從第一次見面他就想在鋼琴上彈奏爵士樂。也許新版本裡總還是有些舊東西吧！

『我一點也不想她，』他第一次對我吐露心曲，『她總是在頭髮上抹一種東西，髮油之類的，是她的美髮師給她的。你知道剛吸完地毯之後的那種味道嗎？一種熱熱的、乾淨的味道。』

『當然囉。』

『就像那種味道。她一定是用吹風機吹得燒焦了，每次她把頭靠在我身上，我就忍不住會想：妳聞起來好像我家裡的地毯。』

他東拉西扯，已經不知道講到哪裡去了。

『你知道還有誰有這味道嗎？』

『誰？』

『回想一下，大一那年。』

熱熱的、乾淨的味道——我腦海裡立刻出現洛克斐勒學院裡的壁爐。

『拉娜・麥克奈！』我說。

他點點頭。『我不知道你們怎麼能夠在一起這麼久，那種化學藥劑的味道實在太奇怪了。查理跟我以前都會打賭，看你們什麼時候會分手。』

『他還跟我說，他**喜歡**拉娜呢。』

『你還記得他在大二約會的那個女孩子嗎？』吉爾已經進行到下一個話題。

『你是說查理？』

『我想，她的名字應該叫莎朗吧？』

『兩隻眼睛顏色不一樣的那一個？』

『對，**她的頭髮**聞起來就很棒。我記得她坐在我們房裡等查理回來，整個房間聞起來就像我媽媽以前用的那種乳液。我始終不知道那是什麼，但是卻愛得不得了。』

我突然想到，吉爾過去只跟我提過他的繼母，從來沒有提到生母。此刻真情流露，讓他說溜了嘴。

『你知道他們為什麼分手嗎？』他說。

『因為她甩了查理。』

吉爾搖頭。『因為查理厭倦了老是替她收拾東西。她什麼東西都丟在我們房裡——毛衣、皮包、什麼都有——然後查理就得收起來，帶回去給她。他不知道這是故意的，是替他製造晚上去看她的理由；查理卻認為她邋遢。』

我手忙腳亂地調整領結，希望領結正好在兩片領子的正中央。查理這個好傢伙，虔誠第一，乾淨第二。

『她沒有跟他分手，』吉爾接著又說，『愛上查理的女孩子，沒有一個主動跟他分手，都是查理甩掉人家。』

他聽起來好像在暗示查理這個人也不是完全沒有缺陷，也有一些人格特質值得我們記住，這種挑剔缺點的做法，好像是在找藉口解釋吉爾為什麼會跟查理發生齟齬。

『他是個好人啦！』吉爾突然冒出這麼一句話。

講到這裡，他似乎心滿意足，房間突然一片寂靜，只聽到我把領結拆掉重打的纖維摩擦聲。吉爾坐在床墊上，伸手抓抓頭髮；這是他留長髮時養成的習慣，顯然他的手還沒有完全適應改變。

我好不容易打了一個像樣一點的領結，看起來像是長了翅膀的核桃；看看鏡子，我覺得應該可以了，於是套上外套，非常合身，甚至比我自己的西裝還要合身。

吉爾還是一言不發，只是靜靜地看著鏡子，好像鏡中倒影是一幅畫似的。這是他社長任內的最後一件大事，他在長春藤的告別秀；明天開始，社團就由明年的幹部，也都是他經由比評挑選出來的會員負責管理，而他即將成為屋子裡的幽靈。他在普林斯頓的黃金歲月即將告終。

『嗨，』我穿過交誼廳，走到他的臥房，『今天晚上要盡興玩樂。』

他好像沒有聽到，逕自把手機放到充電器上，看著螢幕上一閃一閃的光源。『我希望事情不是這樣的結局。』他說。

『查理不會有事啦。』我跟他說。

然而，他只是看著他的珠寶盒——拿來裝貴重物品的木製小箱子——用掌心輕撫著表面，撥掉灰塵。臥房裡屬於查理的那一半，所有的東西都舊舊的，但是卻一塵不染：一雙從大一穿到現在的運動鞋放在衣櫃旁邊，鞋帶整整齊齊地塞進鞋子裡；去年新買的那一雙現在還會夾腳，所以只有週末才穿來慢慢適應。可是屬於吉爾的那一半卻好像沒有人用過似的，雖然很新，卻積了一層厚厚的灰塵。他從盒子裡拿出一只銀錶，只在特殊場合才會戴；錶面上的指針停了，所以他輕輕搖晃錶殼，然後上緊發條。

『你的錶幾點？』他問。

我把錶拿給他看，讓他調整自己的錶。

在室外，黑夜已經降臨。吉爾把鑰匙圈抓在手上，然後從充電器上拿起手機。『我父親在普林斯頓四年，最喜歡的一天就是大四那年的長春藤舞會，』吉爾說，『他以前老是說個沒完。』

我想起了柯瑞，還有他跟保羅說的那些在長春藤裡的故事。

他說就像是活在一場夢裡，一場美夢。

吉爾把銀錶貼在耳朵旁邊傾聽，好像裡頭有什麼神奇的聲音似的，像困在海螺裡的汪洋。

『好了嗎？』他說著把金屬錶帶套在手腕上扣緊。

這時他把注意力放在我身上，檢查燕尾服的剪裁。

『還不錯，』他說，『我想她應該會認可。』

『你好了嗎？』我問。

吉爾整整禮服，點點頭。

『我想我不會一天到晚跟我的孩子說起今天晚上的事。不過，沒錯，我準備好了。』

在鎖門之前，我們不約而同地看了最後一眼：關了燈的房間籠罩在一片陰影之中，我最後一次看著窗外的月亮，想像中彷彿看到保羅的倒影，穿著磨損的冬季外套，躑躅地走過校園。

吉爾看看錶說：『我們應該剛好趕得上。』

然後，我和他穿著黑禮服、黑皮鞋，在夜色籠罩的風雪中，往他的紳寶走去。

＊＊＊

化妝舞會，吉爾跟我說過。結果真的是化妝舞會。我們抵達時發現整個社團裝扮得富麗堂皇，成了展望大道上行人矚目的焦點。

社團外圍的磚牆上有看似城垛般的高聳積雪，但是通往前面的小徑卻清理得一乾二淨，人行道上還鋪了一層細細的黑石頭，像粗鹽一樣在雪地裡融出一條道路；與之相互輝映的是社團前庭垂懸的四條長布幅，每一幅都纏著一條綠色的長春藤，旁邊則矗立著細細的金色柱子。

吉爾把紳寶停在他專用的停車位，只見長春藤的會員和少數受邀的來賓，以古風陸續走向社團大門：兩人一組魚貫進入，並且與前後賓客保持禮貌上應有的距離，小心翼翼地不要侵犯到他人。

大四學生最後才進去，因為畢業生必須接受在校生熱情的接待，這是長春藤的習俗——吉爾在關掉車子的大燈時跟我解釋。

我們跨進門檻時，發現社團裡一片鬧哄哄，滿室賓客的體溫、酒精飲料和食物的香甜氣味，再加上斷斷續續、此起彼落的談話聲，讓室內的空氣感覺有點濁重。吉爾一現身，現場爆出一片掌聲和歡呼，站在一樓的大二、大三學生全都面向門口歡迎他，有些人還高喊吉爾的名字。看起來今天晚上還是可能成為他期望中的夜晚，就跟他父親的那一夜一樣。

『好吧，』歡呼聲持續不輟，於是他就不予理會，逕自跟我說，『就是這樣囉！』

我看著屋內脫胎換骨般的轉變。這是吉爾付出的心血，跟外燴、花店的交涉，計畫和各種籌備工作，霎時間就已不只是在我們諸事不順的時刻逃離房間的藉口。一切都改頭換面，原本在這裡的扶手椅和桌子都搬走了，在前廳的角落裡，取而代之的是排成半圓形的桌子，全都鋪上尊貴的墨綠色絲質桌布，桌上則是裝滿食物的瓷盤。每張桌子，還有我們右手邊的吧台後面，都站了一個戴著白手套的服務生。屋子裡到處都擺滿了花，而且每一盆花都是純白的百合或純黑的蘭花，還有我前所未見的變種，除此之外，別無雜色。在黑色燕尾服與晚禮服交錯之間，幾乎可以忽略掉牆上的棕色橡木板。

『先生，』一名打著白色領結的服務生不知道從哪裡冒出來，手上端著一盤法式前菜和松露。他指著前者說：『羊肉。』然後又指著後者：『白巧克力。』

『吃一個吧！』吉爾說。

我伸手拿了一個，突然間，一整天的饑渴、錯過的三餐和醫院裡對食物的幻想，全都一起湧上；因此當第二個人端著一盤香檳走過來的時候，我就很自動自發了。香檳氣泡直衝我的腦門，有助於讓我的思緒不再飄到保羅身上。

就在這個時候，四人樂隊的樂聲從餐廳前室傳了出來，這裡原來擺著日久變色的皮沙發。鋼琴和鼓塞在角落，中間還有足夠的空間讓低音吉他和電吉他盡情發揮。到目前為止都是標準的R&B；但是我知道，等一會兒如果吉爾興致來了，一定會換成爵士樂。

『我馬上回來。』他才說完，立刻就從我身邊消失，往樓梯走去。每走一階，都有會員把他擱下來說幾句好話，或者只是微笑致意和握手，有時候還加上一個擁抱。我看到唐納·摩根經過他身邊時，謹慎地把手放在吉爾的背上；這個未來的國王輕鬆而誠懇地向他道喜。已經喝了不少酒的大三女生，則醉眼朦朧地看著吉爾，哀嘆社團的損失，**她們的**損失。

他是今夜的英雄，我完全理解；是主人，同時也是特別來賓。他所到之處，都有人作陪；但是不知道為什麼，他身邊少了一個人——不管是布魯克斯、安娜或是我們其中一個——看起來就是很孤單。

『湯姆！』有聲音在我身後響起。

我一轉身，空氣的味道立刻滙集成單一的香味，一定是吉爾他媽媽或是查理的女朋友所噴的那種香水，因為這種味道對我也有同樣的效果。如果我以為我看到凱蒂的缺點時最喜歡她——譬如頭髮亂翹、襯衫沒有塞好等等——那麼我肯定是傻瓜；因為站在我眼前的凱蒂，身上一襲晚禮服，秀髮披肩，裸露的鎖骨和胸部，胴體玲瓏有致，讓我毫無招架之力。

『哇！』

她伸手在我的領子上撥掉灰塵，結果卻是雪花，這麼熱竟然還沒有融化。

『你也是！』她跟我說。

她的聲音裡有某種奇妙的感覺，歡迎我歸來的自在。『吉爾呢？』她問。

『在樓上。』

她攔下從旁經過的服務生，從他手上的托盤裡拿了兩杯香檳。

『乾杯！』她遞了一杯給我，『所以你這是扮誰？』

我遲疑了一下，不知道是什麼意思。

『你的**化妝**啊！你是扮成什麼人？』

這會兒，吉爾又出現了。

『嗨，』凱蒂說，『好久不見。』

吉爾上下打量我們兩人一番，然後笑得像個得意的父親：『你們真是郎才女貌。』

凱蒂大笑，問道：『那你這又是扮誰哪？』

吉爾花梢地拉開上衣，直到這時候我才知道他上樓去做什麼：在他腰部左側和右臀之間，掛了一條黑皮帶，皮帶上又掛了一個皮套，皮套裡則是一把象牙槍托的手槍。

『艾倫‧伯爾㊲，』他說，『一七七二年班。』

『夠炫喔。』凱蒂看著珍珠色的槍托說。

『那是什麼？』我衝口而出地問。

吉爾露出驚訝的表情。『我的道具啊。伯爾在決鬥中打死了漢彌頓。』

他把一隻手放在我背上，把我帶到一樓和二樓之間的平台。

『看到詹米‧奈斯上衣領子上的別針嗎？』他指著一位金髮的大四學生，他的領結上繡著高低音的記號。

在他左邊的領口，我可以看到一個褐色的橢圓形別針，右邊則是一個黑點。

『那是一個足球，』他說，『另外一個則是曲棍球的小圓盤。他扮的是哈比‧貝克（Hobey

㊲譯註：Aaron Burr（1756-1836），美國第三任副總統，曾經在決鬥中開槍打死政敵亞歷山大‧漢彌頓（Alexander Hamilton）。

Baker），一九一四年班的長春藤會員。他是唯一同時名列足球與曲棍球名人堂的運動員。哈比在這裡也參加合唱團——所以詹米的領結上才有音樂符號。』

接著吉爾又指著另外一個大四學生，個子高高的、一頭淡紅色的頭髮。『站在道格旁邊的是克利斯·班森，他扮演詹姆斯·麥迪遜67，一七七一年班。你可以從襯衫的鈕釦看出來：第一顆鈕釦是普林斯頓的校徽——麥迪遜是校友會的第一任會長；第四顆則是美國國旗……』

他的聲音有點機械化，跟領隊導遊一樣抑揚頓挫，好像在背稿子似的。

『隨便捏造一個人物吧。』凱蒂突然打岔，站在樓梯底下加入我們的對話。

我往下看著她，居高臨下的視線讓我從不同的角度欣賞她這身凹凸有致的晚禮服。

『嗨，你們聽好，』吉爾看著她的背後說，『我得去處理一些事情，把你們兩個丟在這裡一會兒，沒有問題吧？』

在供酒的吧台旁邊，布魯克斯正指著一個戴著白手套的服務生，整個人重重地靠在牆上。

『有個服務人員喝醉了。』吉爾說。

『不急。』我跟他說，眼光卻還在凱蒂身上，突然發現從高處看下去，凱蒂的脖子看起來細得不得了，簡直就跟向日葵的花梗一樣。

『如果你需要什麼，』他說，『就跟我說一聲。』

我們並肩下樓。樂隊正在演奏艾靈頓公爵，香檳酒杯叮噹作響，凱蒂的紅唇隱隱誘人，是接吻的顏色。

『想跳舞嗎？』我從平台下來時問。

凱蒂笑著牽過我的手。

你聽……鐵軌在彈唱……就在A號列車上。

在樓梯底下，吉爾跟我的軌道就此岔開了。

⑱譯註：James Madison（1751-1836），美國第四任總統。

26

舞池裡的溫度比社團裡其他地方都要高十度，一對對起舞的佳偶幾乎彼此都貼在一起，時而轉身，時而緊貼，像是一條慢舞的流星群，但是我一加入就覺得很自在。我跟凱蒂自從在長春藤首次碰面之後，已經隨著音樂跳過很多舞；每個週末，展望大道上的社團都會請來不同的樂隊演奏不同類型的音樂，適應許多人不同的口味。

短短幾個月內，我們就已經跳過標準舞、拉丁舞，還有二者之間各種不同風格的舞步。凱蒂有九年的踢踏舞訓練，跳起三、四種舞來都有足夠的流暢與優雅；但是如果加上我，兩人一平均下來，大概就跟隔壁那一對沒有什麼差別。還好她不嫌棄，我也跟著學了不少。我們跳得愈久，膽子就愈大，再加上香檳酒的推波助瀾，我終於有一次可以拉著她向後仰而不至於整個人跌在地板上，而她也可以拉著我沒有受傷的那隻手旋轉，而且沒有讓我的手脫臼。不久之後，我們就成了舞池裡的危險人物。

『我已經決定我是什麼人了。』我把她拉近身時跟她說。

我們的身體緊貼在一起，她的乳溝加深，雙峰更挺。

『什麼人？』她說。

兩人的呼吸都很急促，細細的汗珠凝結在她的額頭上方。

『史考特·費滋傑羅。』

凱蒂微笑著搖搖頭，舌頭咬在兩排貝齒之間。『不行，』她說，『你不可以扮演費滋傑羅。』

我們都很大聲，而且嘴巴愈來愈靠近對方的耳朵，才不至於讓音樂壓過我們的談話。

『為什麼不行？』我一開口就有幾絡頭髮黏到嘴唇上。她在脖子上點了一點香水，跟在暗房時一樣，兩地之間的這種聯繫——顯示我們還是同樣的人，只是穿了不同的衣服——對我來說就已經足夠。

『因為他是村莊社團的會員，』她整個向前傾，『這是大不敬。』

我微笑問道：『這要到什麼時候啊？』

『舞會嗎？到彌撒開始為止。』

過了好一會兒，我才想起來明天是復活節。

『到午夜囉？』我說。

她點點頭。『凱莉跟其他人還擔心去教堂的人會太少。』

凱莉・丹娜像是聽到我們說話似的，我們在舞池裡才一轉身，就看到她伸出食指，指著一個身穿閃亮燕尾服背心的大二學生——那是巫婆把王子變成青蛙的肢體語言——強勢的凱莉・丹娜，連吉爾都鬥不過的女人。

『他們會強迫每個人都去教堂嗎？』我心想，就算強勢如凱莉，恐怕也做不來吧。

凱蒂搖搖頭。『他們會關閉社團，然後**建議**大家去教堂。』

她談到凱莉時，語氣有些異樣，於是我決定不再追問下去。看著身邊的人成雙成對，我不禁想起保羅，他好像總是一個人。

就在這個時候，最後一對賓客出現在大門口，遲到足以比下所有的人，也打亂了整個舞會的節奏：是派克‧海塞特和他的舞伴。派克說到做到，真的把頭髮染成褐色，從左邊分線，梳得一絲不苟，身上則是總統就職時所穿的燕尾禮服，裡面是白色背心和白色領結，說也奇怪，這身打扮還真的貌似約翰‧甘迺迪。至於他的舞伴則是永遠都惹眼的維若妮卡‧泰莉，她的打扮也跟節目單所寫的一模一樣：一頭被風吹亂的金色假髮，艷紅的唇膏和一襲不需要地下鐵出風口也會向上翻飛的裙子，活脫就是瑪麗蓮‧夢露的化身。化妝舞會已經開始，在一屋子假扮他人的賓客之中，他們兩人堪稱奪冠。

不過派克得到的反應卻是全然死寂，室內先是一片沈默，然後從各角落出現噓聲。站在二樓平台上的吉爾是唯一能夠讓群眾安靜的人，我頓時領悟：原來最後抵達現場的榮譽應該是屬於他的，而派克卻打扮成總統的樣子搶了主人的鋒頭。

在吉爾的堅持之下，屋裡的氣氛慢慢冷卻。派克很快往吧台的方向走去，然後一手端著酒杯，一手牽著維若妮卡‧泰莉，雙雙滑進舞池。他走近舞池時，腳步就已經有點不穩，但是從他的表情看來，他似乎一點都不知道自己是這裡最不受歡迎的人。等到他走得更近，我才知道他是怎麼回事，原來他喝了太多雞尾酒才會這樣飄飄欲仙，根本就是喝醉了。

他走近時，凱蒂往我身上靠得更緊一點；起先我也不以為意，後來才發現他們兩人之間的眼神有點異樣。派克饒富深意地看了她一眼：仇視、輕佻、挑釁，全在這一眼。凱蒂則緊緊拉著我的手，把我拖離舞池。

『究竟是怎麼回事？』我們一到別人聽不到的地方，我就忍不住開口。

樂隊開始演奏馬文‧蓋伊㊾的音樂，吉他錚錚，鼓聲砰砰，是派克抵達的主題音樂。約翰‧甘迺迪跟瑪麗蓮‧夢露耳鬢廝磨，歷史人物巫山雲雨的奇觀；大家都讓出一塊很大的空間給他們兩人跳舞，社交痲瘋病人的隔離區。

凱蒂心情大壞，我們倆共舞的特異效果早已煙消雲散。

『那個**混球！**』她說。

『他怎麼啦？』

於是秘辛立刻爆發：我不在她身邊時所發生的事，原本她想過一陣子之後再跟我說。

『比評會時，他想盡辦法要我到三樓去。他說，除非我在他腿上跳舞，否則就要投否決票。現在他倒以為那只是個笑話。』

我們站在大廳的正中央，距離舞池不遠，正好可以看見派克的手在維若妮卡的臀部游移。

『這個混蛋！那妳怎麼辦？』

『我告訴吉爾。』她提到吉爾的名字時，眼神不自主地飄到樓梯上，吉爾正在跟兩個大三學生說話。

『就這樣？』

我以為她會提到唐納的名字，提醒我當時應該在她身邊但是卻遠在天際，可是她並沒有提起。

『對，』她只是說，『他把派克踢出比評會。』

我知道她的意思是叫我不要再追究，而且她也不希望我在這種情況下發現這件事。她已經受夠了這些鳥事，不過我的怒火卻難以平息。

⑥⑨譯註：馬文・蓋伊：Marvin Gaye（1939-1984），靈魂樂大師。

『我要去跟派克說兩句話。』我跟她說。

凱蒂用尖銳的眼神看著我說：『湯姆，不要去。今天晚上不要去。』

『他不能就這樣——』

『你聽我說，』她打斷我的話，『算了，不要讓這個人破壞我們難得共處的夜晚。』

『我只是要——』

她把一隻手指放在我的唇上。『我知道。我們去別的地方吧。』

她環顧四周，到處人聲鼎沸，每個方向望去都是燕尾服、酒杯和端著盤子的人。這就是長春藤的魔力，我們永遠都不會獨處。

『也許我們可以去社長辦公室。』我說。

她點點頭說：『我去問吉爾行不行。』

我發現她在提到這個名字的時候，聲音裡有一種信任感。吉爾對她一直是進退有節，而且不只如此，這種尊重與禮貌還是一種不自覺的態度。派克的事情發生時，她根本無從找我，於是就去找吉爾；現在連這種小事，她第一個想到的人也是吉爾。或許他們吃早餐時講了兩句話，吉爾早就忘了這種事，但是對她來說卻是意義重大。吉爾對她就像個大哥哥，就跟他在大一時對我的態度一樣；只要是他有的東西，我也都有一份。

『沒問題，』他跟她說，『反正裡面現在沒人。』

於是我跟著凱蒂下樓，看著她走路時，禮服底下隨著晃動的姣好身段，還有緊翹的臀部。打開室內燈光，就看到我跟保羅一起工作了無數個夜晚的地方；一切都沒變，如火如荼的舞會籌備工作完全沒有影響到這個地方。筆記、圖畫、書本堆成了山脈，緜延整個房間，形成一幅立體地勢圖，有些地方甚至跟我們一樣高。

『這裡就沒有那麼熱了。』我沒話找話說。他們好像把室內其他地方的暖氣全都關掉，以免一樓太熱。

凱蒂四處看了一下，保羅的字條貼滿了壁爐兩側，圖表像羽毛一樣黏滿了牆壁。我們被柯羅納團團圍住。

『也許我們不應該來這裡。』她說。

我不確定她是擔心我會介入保羅的事，抑或是保羅介入我們的事；我覺得站在房間裡四處打量的時間愈久，我們之間的距離也就愈遠。這裡不是我們需要的地方。

『妳有沒有聽過薛丁格的貓？』我終於開口說話了，因為這是讓我消弭目前這種感覺的唯一方式。

『你是指哲學嗎？』她說。

『任何地方。』

在漫長的物理課上，當我們大部分的人都無法理解$v=-e^2/r$時，教授就用薛丁格的貓為例來解釋波動力學：假設我們把一隻貓關在一個密閉的盒子裡，然後在啓動『蓋革計數器』的同時，把氰化物輸入盒子裡；我想，這其中詭譎之處，就是我們在打開盒蓋之前，無法得知貓的生死，於是在這種情況下，根據機率的概念，就必須說這隻貓是半死半活。

『有啊，』她說，『那怎麼樣呢？』

『我覺得那隻貓現在既不是死、也不是活，』我說，『而是什麼都沒有。』

凱蒂一頭霧水，不知道我在說什麼，好不容易，終於在桌子上坐下來說：『你要打開盒子。』

我點點頭，過去在她身邊坐下。龐大的木板書桌無聲無息地接納了我們的重量。我不知道該如何跟她說我其他的用意：我們兩人分開來都是盒子外面的科學家，但是兩個人合在一起卻是裡面的那隻貓。

她沒有答腔，只是抬起手臂，用手指輕輕揉著我緊繃的太陽穴，幫我把頭髮梳攏到耳後，好像我說了什麼好聽的話似的。也許她早就知道該如何解答我的謎語。我們之間不只是薛丁格的盒子，她說，我們跟所有的好貓一樣，都有九條命。

『俄亥俄州的雪有下得這麼大嗎？』她刻意轉移話題。我知道外面又開始下雪了，而且風雪交加，愈來愈嚴重；一場風雪比整個冬季都還要多。

『在四月不會。』我說。

我們並肩坐在桌上，彼此的距離只有幾吋。『新罕布夏州也不會，』她說，『至少在四月不會。』

我完全體會她的用心，也知道她要帶我何去何從——任何地方都好，就是不要在這裡。我一直希望多了解一點她在家鄉的生活，她的家人在餐桌上做些什麼事。在我的想像之中，新英格蘭北方就是美國的阿爾卑斯山，到處都有山脈，還有聖伯納犬馱著禮物。

『我妹妹跟我以前常在下雪時做一件事。』她說。

『妳是說瑪麗嗎？』

她點點頭。『每年，我們家附近的池塘水面都會結冰，然後我就跟我妹妹去冰上鑿洞。』

『做什麼？』

她笑起來好美。『讓魚可以呼吸啊。』

會員在樓梯頂上走來走去，好像小小的暖爐在移動。

『我們用掃把的尾端，』她說，『在池塘上到處鑿洞，就好像在罐子的蓋子上戳洞一樣。』

『用來養蜻蜓。』

她又點點頭，牽起我的手。『溜冰的人**恨死**我們了。』

『我姊姊以前會帶我去坐雪橇。』我跟她說。

凱蒂的眼睛一亮。她想起一件事：她是大姊，我是小弟。

『哥倫布市沒有很多大片的山坡地，』我接著說，『所以永遠都是去同一個地方。』

『然後你姊姊用雪橇拉你到坡頂。』

『我已經跟妳說過了嗎？』

『那是大姊會做的事。』

我無法想像她拉著雪橇爬上坡頂的模樣。我姊姊的力氣跟一群狗一樣大。

『我跟妳說過迪克・梅菲爾的事嗎？』我問她。

『誰？』

『我姊姊以前的男朋友。』

『他怎麼了？』

『莎拉每次都逼我掛電話，把我趕走，因為迪克要打來。』

凱蒂聽出我話裡有話。這也是大姊會做的事。

『我想迪克・梅菲爾應該沒有我的電話。』她笑著說。她的手指與我的手指交纏在一起。

我不期然又想起保羅，還有他用雙手做出來的鴿子尾巴。

『迪克有我姊姊的電話，』我說，『只要有一輛紅色的卡瑪洛老爺車，然後車身兩側還漆上火焰圖案就行了。』

凱蒂搖搖頭表示異議。

『種馬迪克駕著釣馬子機器，』我說，『有天晚上他來的時候，我說了這樣一句話，結果我媽媽就罰我不准吃晚飯，餓著肚子上床。』

迪克·梅菲爾，像是從稀薄空氣中召喚出來的幽靈，他叫我小小湯姆，有一次還用卡瑪洛載著我去兜風，然後跟我說一個秘密：**不管你多小都沒有關係，只要引擎的火力夠大就行了。**

『瑪麗以前的男友開一輛六四年份的福特野馬，』凱蒂說，『我問她有沒有在後座做什麼事，她說他太龜毛，不喜歡弄髒車子。』

性的故事總是昇華到車子，如此一來，什麼事都不必說，就可以表達出任何事情。

『我的第一個女朋友開一輛泡水的福斯車，』我跟她說，『只要躺在後座，就會聞到那種味道，像生魚片，根本不能在後座做任何事。』

她轉向我問道：『你的第一個女朋友會開車啊？』

我支吾其詞，不小心露餡了。

『我只有九歲，』我清清喉嚨說，『她十七歲。』

凱蒂大笑起來，緊接著又是沈默。最後，時候終於到了。

『我跟保羅說了。』我跟她說。

她抬起頭來看著我。

『我不再研究那本書了。』

她好一會兒都不吭聲，只是抬起手臂搓揉著肩膀取暖；我體認到雖然有這麼多暗示、這麼多的接觸，她還是覺得屋子裡冷。

『妳要不要穿我的外套？』我問。

她點頭。『我都起雞皮疙瘩了。』

要我不去看，根本就不可能。只見她的手臂都是小小的突起，玲瓏的胸部蒼白，像是陶瓷娃娃的皮膚。

『喏。』我脫下外套，披在她的背上。

我的右手橫跨她的背，碰觸到她的右肩，但是她卻伸手過來，抓著我的手不放。於是我的身子半彎著靠在她身上，等著她的下一步，然後她也靠過來。她的香水味又回來了，還有她的髮香。她終於給了回覆。

凱蒂雙手合攏，我的手則伸進外套底下，在她背後的黑暗空間摸索著，最後把一隻手放在她的腰際；手指滑過禮服的布料，沒有想像中的細緻，有意想不到的摩擦力。我發現自己摟得緊，卻又不費力。一綹頭髮掉到她臉上，但是她沒有拂開；她的嘴唇下方有一抹暈開的唇膏，小小的痕跡極不起眼，除非靠得很近很近才看得到——我竟然可以達到這樣的距離，自己都感到意外。

她愈靠愈近，最後終於失焦，什麼都看不清，接著感到嘴裡一陣熱氣，嘴唇也靠了過來。

27

就在我們吻得火熱之際，突然聽到有人打開房門，我正準備要對闖進來的人發飆，沒想到卻是保羅站在眼前。

『發生了什麼事？』我退後一步說。

保羅環顧室內，看似嚇了一跳，好不容易才擠出一句話：『塔夫特被帶回去偵訊了。』他沒有想到會在自己房裡看到凱蒂，凱蒂也沒有想到會在這裡看到他，兩人所受的驚嚇不相上下。

我希望他們會質詢塔夫特。『什麼時候的事？』

『一個鐘頭之前。我才跟學院裡的提姆·史東講過話。』

情況有些尷尬，讓人覺得不自在。

『你找到柯瑞了嗎？』我說著，一邊擦掉唇上的口紅。

他沒有立刻答覆，就在這短暫的沈默中，我們重溫了彼此為了《尋愛綺夢》，還有我為自己設定的優先目標所產生的爭執。

『我是來找吉爾的。』他有意結束這段談話。

我和凱蒂看著他沿著牆壁往書桌走來，隨手拿了幾張他以前畫的圖，是他這幾個月來勾勒出墓窖模樣的藍圖，然後飛快地從門邊消失，真是來匆匆去匆匆，在門邊揚起一陣小小的旋風氣流，颳得地板上的紙張紛紛亂飛。

凱蒂自己從桌子上跳下來，我想我可以看得出來她心裡在想些什麼。我們真是怎麼樣都逃不出這本書的魔掌！不論我下定了多少的決心，都無法將這本書拋到腦後；即使到了長春藤這裡，她以為我們可以擺脫這本書的陰影，但是《尋愛綺夢》卻無所不在：在牆上、在空中，甚至在我們完全料想不到的時候突然闖進來。

然而出乎我意料之外，她卻只專注在保羅剛剛所說的事實。『走吧，』她突然精力充沛地說，『我得去找珊，如果警方逮捕了塔夫特，她就得更改頭版的頭條新聞了。』

回到樓上大廳，我們看到保羅與吉爾在角落竊竊私語。社團中的隱士竟然在這種公開場合現身，似乎讓整個房間都安靜下來了。

『她在哪裡？』凱蒂找到珊的舞伴，立刻問道。

我心慌意亂，根本沒有聽到他的答覆。兩年來，我一直以為保羅是整個長春藤嘲笑的目標，是鎖在地窖裡的怪人；可是現在，所有高年級學生都站定，全神貫注地看著他，好像是一幅古老的人物畫突然活了起來似的。保羅臉上的表情寫滿了需要協助的焦慮，甚至近乎絕望；就算他知道全社團的人都盯著他看，從他臉上的神情也完全看不出來。

我走近一點，想聽聽他們在說些什麼，卻看到保羅把一張折疊起來的紙交給吉爾；那是我很熟悉的東西：柯羅納的墓窖地圖。

就在他們兩人轉身之際，全社團的人都注視著吉爾離開大廳，高年級學生最早發現，於是社團幹部一個接著一個用指節敲打著桌面、欄杆：先是副社長布魯克斯，接著是管財務的卡特・西蒙斯，最後從各個角落都傳來敲擊、拍打、鼓噪的聲音，向社長告別。還在舞池裡的派克也開始敲打，聲音比任何人都響，連在這最後一刻，他都還希望突顯自我。

可是太遲了，吉爾退場跟我們抵達時的出場一樣，時間都算得很精準，像是只能表演一次的舞步，就此成為絕響。隨著群眾鼓噪的聲音逐漸散去，我也跟著他們一起出去。

＊＊＊

我在社團幹部辦公室找到他們，吉爾說：『我們要帶保羅去塔夫特家裡。』

『什麼？』

『他要去找一樣東西，那張藍圖。』

『你們**現在**要去？』

『塔夫特在警察局，』他跟保羅學舌，說明他的理由，『保羅需要我們帶他去。』我看到齒輪轉動。他想幫保羅的忙，就像查理想幫忙一樣；他要證明我在停車場所說的話是錯的。

保羅一言不發，但是從他臉上的表情，我可以看得出來，這趟路只有他和吉爾單獨行動。我正要跟吉爾說他和保羅必須自己去，跟他解釋我不能同行的原因，可是情況卻愈變愈複雜，因為凱蒂突然在門口出現。

『發生了什麼事？』她問。

『沒事，』我說，『我們回到樓下去。』

『我打電話都找不到珊，』她誤解了我的意思，『她必須知道塔夫特的事情。我想回報社去一趟，好嗎？』

吉爾知道機會稍縱即逝。『沒問題，湯姆要跟我們一起去學院走一趟，我們可以等子夜禮拜開始再碰面。』

凱蒂正要表示同意，但是我臉上的表情卻洩了底。

『你們要做什麼？』她問。

吉爾只是說：『一件重要的事。』我們交往這麼久以來，吉爾只有少數幾次講到重要的事情是指比他自己更重大的事，而這次就是其中之一。

『好吧，』她小心翼翼地說，還伸手來握住我的手，『那我們到教堂見。』

她還想再說些什麼，但是樓下卻傳來一聲巨響，接著就是玻璃碎裂的聲音。

吉爾連忙衝下樓，我們也跟在後面，發現地上一片狼籍，血紅色的液體向四面八方流竄，玻璃碎片也跟著漫流；派克・海塞特就站在這片混亂的正中央，四周淨空，只有他一個人怒氣沖沖、面紅耳赤地站在那裡。他把整座吧台推倒在地，酒瓶、酒架無一倖免。

『這是在搞什麼？』吉爾對著一位旁觀的二年級學生吼道。

『他突然發瘋。有人說了他一句酒鬼，他就開始抓狂。』

維若妮卡・泰莉則拎著蓬蓬裙的裙邊，原本一襲白色的洋裝，現在也多了一圈粉紅色的滾邊，還有酒漿潑灑的斑點。『他們一晚上都在作弄他！』她喊道。

『老天爺！』吉爾大喊，『妳怎麼讓他喝得這麼醉？』

她一臉茫然地看著他，一心以為他會憐香惜玉，沒想到換來的卻是滿腔怒火。現場的人紛紛交頭接耳，強忍著心滿意足的笑意。

布魯克斯指揮工作人員抬起吧台，另外再從酒窖裡拿酒出來填滿酒架；唐納・摩根則儼然是新社長的模樣，試圖安撫著派克，但是人群中卻不時傳出噓聲，**酒鬼**、**醉鬼**的聲音不絕於耳，還有其他更不堪的稱謂，引發一陣陣的笑聲。我站在房間的另外一邊，看著派克臉上有好幾處被碎酒瓶刮傷的傷痕，像個孩子一樣站在一攤酒水飲料之中，一心想找人出氣，最後他看到了唐納，於是就把一肚子火都發在唐納身上。

凱蒂看著事情發生，忍不住用手摀住嘴巴。派克突然衝向唐納，兩個人一起倒臥在地上，先是扭打，然後相互飽以老拳；這正是每個人都在等著看的好戲：派克犯了無數的錯，這是他的報應；派克在三樓幹的勾當，這是伸張正義；這是以暴力手段終結兩年多來大家對他的深惡痛絕。

有個服務生拿著扁平的拖把，在兩人扭打現場的旁邊開始擦地吸水。葡萄酒和各式烈酒在硬木地板上流竄，彼此交融，水面上映照出四面的橡木牆壁；現場沒有任何東西吸收了一滴液體，拖把、地毯、燕尾服全不管用。兩個大男人繼續扭打，揮舞著黑色的手腳，活像一隻溺水的昆蟲，在水面上掙扎著站起來以免滅頂。

『我們走吧！』

吉爾邊說邊帶領我們繞過打鬧現場，這場殘局要由別人來收拾了。

我跟保羅尾隨其後，踩著威士忌、白蘭地和葡萄酒，一言不發地走出去。

＊　＊　＊

車行的馬路看似一件白色大禮服上一條細細的黑色縫線。儘管吉爾猛踩油門，窗外強風嘶吼，紳寶汽車還是穩健地向前進。拿梭街上有兩輛車撞在一起，車燈明滅閃爍，駕駛彼此咆哮，隱約可以看見兩輛拖吊車停在路邊。

北校區的警衛崗哨中走出一名校警，在朦朧的警示燈中一個粉紅色的人影，作勢跟我們說大門已經關閉──不過保羅早就引導我們向西走出校區。吉爾排上三檔，然後四檔，在馬路上留下一道輪胎車痕。

『把信拿給他看。』吉爾說。

保羅從外套內側口袋拿出一樣東西，遞給坐在後座的我。

『這是什麼？』

信封封口已經撕開，但是左上角仍然可以看到學務長的戳記。

『這是今天晚上送到我們信箱的。』吉爾說。

保羅．哈里斯先生：

這封信是通知您，針對您的資深論文指導教授文森．塔夫特博士指控您抄襲一事，學務長辦公室已經展開調查。由於抄襲論文茲事體大，可能影響到您的畢業資格，因此懲戒委員會已經決定在下週召開特別會議審查此案，並做最後判決。請您盡速與我聯繫，安排初步會議，並且確認您收到此信。

誠摯的

馬歇爾．梅鐸斯

大學部副學務長

『他很清楚自己在做什麼。』保羅等我看完信之後說道。

『誰？』

『塔夫特。今天早上。』

『拿這封信來威脅你？』

『他知道我沒有把柄在他手上，所以他才從你父親身上下手。』

我從他的聲音裡聽到一絲責備，一切都是從我推了塔夫特一把開始的。

『率先跑掉的人是你。』我低聲說。

車子行經路上的坑洞，懸吊桿跳了一下，積雪從車子底下濺了出來。

『打電話報警的人也是我。』他說。

『什麼？』

『所以警察才會把塔夫特抓起來，』他說，『我跟警方說，比爾遭到槍殺時，我在迪金遜大樓附近看到塔夫特。』

『你跟他們說謊。』

我等著吉爾的反應，但是他只是專注地看著路面；我從後座盯著保羅的後腦勺，突然有一種奇特的感覺，好像是從後面看到自己坐在父親的車裡。

『這就是了嗎？』吉爾問。

我們眼前的房子全都是用白色木板搭建的，在塔夫特住址上的那一間，所有的窗戶都是暗的；屋子後面就是學院旁邊的森林，樹頂上點綴著白雪。

『他還在警察局，』保羅低聲地說，幾乎是自言自語，『燈都沒開。』

『我的天哪，保羅，』我說，『你怎麼知道藍圖一定會在這裡？』

『這是他唯一能夠藏的地方。』

吉爾甚至沒有聽到我們在說什麼，看到塔夫特的房子就在眼前，讓他有些不安，還踩在煞車踏板上的腳放鬆了一些，讓車子以空檔滑動，好像隨時準備要走。可是，就在他的腳準備要踩離合器的時候，保羅拉開車門，跌跌撞撞地走到人行道上。

『該死！』吉爾停住紳寶，也跟著下車，『保羅！』

車門一開，冷風嘶嘶地灌進車內，也淹沒了他的聲音；我可以看到他指著房子，對著我們講話，然後就冒著風雪邁步往房子走去。

『保羅……』我也跟著下車，盡量低聲喊他。

隔壁房子的燈光亮了起來，但是保羅沒有注意到，繼續走到塔夫特的門前，把耳朵貼在房門上聆聽，輕輕敲了兩下。

強風穿過門前的廊柱，從屋簷捲起雪花；隔壁的燈光滅了。沒有人回應，於是保羅輕輕扭動門把，但是門鎖得很緊。

『現在怎麼辦？』吉爾站在他旁邊問。

保羅又敲敲門，接著從口袋裡掏出一串鑰匙，揀出其中一支插入鑰匙孔裡；他用肩膀頂著木門，輕輕推開一條縫，房門鉸鍊發出一聲呻吟。

『我們不能這樣做。』我趕上他們，試圖讓自己的聲音更有權威。

可是保羅已經走進屋裡，掃視一樓的情況，然後一言不發地往更裡面走。

『塔夫特？』他的聲音從黑暗中傳出來，『塔夫特，你在家嗎？』

聲音愈來愈遠。我聽到上樓的腳步聲，接著就是一片沈寂。

『他到哪裡去了？』吉爾靠近我說。

這裡有一股奇怪的味道，雖然遙遠但是氣味卻很強烈。強風從我們背後襲來，吹得衣服沙沙作響，吉爾的頭髮也一根根豎起來，有如十指交纏。我轉身關上房門，吉爾的手機卻在此刻響了起來。

我打開牆上的電源開關，可是屋子裡還是一片漆黑。我的眼睛逐漸適應，可以看到塔夫特的餐廳就在眼前，裡面有巴洛克風格的家具，黑色的牆壁和椅腳飾有鷹爪的椅子；遠方就是樓梯口了。

吉爾的手機又響了，他在我身後，輕輕喊著保羅的名字。奇怪的味道愈來愈濃。樓梯口放了一座餐具櫥，櫥子上有三樣東西糾結在一起：破舊的皮夾子、一組鑰匙、一副眼鏡。突然間，一切都聚焦了。

我轉身說：『接電話。』

他伸手到口袋找手機時，我已經在爬樓梯了。

『凱蒂……？』我聽到他說。

映照在樓梯的陰影彼此交疊，好像是透過稜鏡投射出不同層次的黑，讓樓梯看起來有斑駁的裂縫。接著我聽到吉爾揚起聲音。

什麼？我的天！……

他追趕我上樓，從後面推了我一把，叫我動作快一點，然後跟我說我已經知道的事。

塔夫特不在警察局，他們在一個多小時之前就釋放他了。

我們走到樓梯轉角，正好聽到保羅的尖叫聲。

吉爾推著我前進，往聲音來源的方向跑。就像是大浪來襲之前的陰影，將我完全包圍，讓我知道事情已經發生，一切都太遲了。吉爾從我身後擠過來，搶在我前面，沿著走廊往右邊跑；我覺得自己好像暴露在鎂光燈下，一時間失去了本能，我的腿在動，時間卻變慢，整個世界以低速檔轉動。

噢，我的天哪，保羅呻吟道，誰來幫幫我？

月光灑在臥室的牆上，保羅的聲音從浴室傳來；原來味道是從這裡傳出來的，煙火與玩具手槍的味道，一切都失去秩序的味道。牆上有血跡，浴缸裡躺了一具屍體；保羅跪在地上，趴在瓷缸的邊緣。

塔夫特死了。

＊＊＊

吉爾踉踉蹌蹌地走出浴室，我看到了室內的情況：塔夫特正面仰臥在浴缸裡，全身癱軟；胸口有一處彈孔，兩眼之間又有另外一個彈孔，鮮血仍然如湧泉般流過他的額頭。

保羅伸出顫抖的手，而我卻有一種想要大笑的衝動，但是那種情緒來得快去得也急，我只覺得疲憊，像是喝醉酒一樣。

吉爾打電話報警。**救護車**，他說，**在歐登街，學院旁邊**。在寂靜中，他的聲音顯得奇大無比。保羅喃喃說出這裡的電話號碼，吉爾則在電話裡複誦一次。

快點來。

保羅突然從地板上站了起來。『我們必須離開這裡。』

『什麼？』

我的理智又回來了。我把手放在保羅的肩膀上，但是他卻往臥室衝，到處找東西——床鋪底下、塔夫特衣櫃門的裂縫裡、高聳的書架上奇特的木板裡。

『不在這裡……』他說著轉身，突然看到什麼別的東西，『**地圖**！』他大喊一聲，『地圖在哪裡？』

吉爾看著我，好像這就是保羅終於失去理智的徵兆。

『在長春藤的保險箱裡，』他說著伸手去拉保羅的手臂，『我們一起放在那裡的啊！』

但是保羅甩開他的手，逕自往樓下衝。遠方已經傳來警笛的聲音。

『我們不能走。』我喊道。

吉爾看了我一眼，但是卻跟著他下樓。警笛愈來愈近——只隔幾條街了，聲音也愈來愈響。從窗戶向外望去，山丘呈現金屬的顏色；在某處的教堂裡，復活節已經開始了。

『有關塔夫特的事情，我跟警方說了謊，』保羅喊著回覆道，『他們發現他的時候，我不能在現場。』

我跟著他們從前門出去，往紳寶的方向走去；吉爾發動引擎，猛踩油門，車子在空檔，引擎發出巨吼，吵到連隔壁的房子裡都有人開燈查看究竟。他排到一檔，再度猛催油門，等車輪抓住了瀝青路面，車子箭也似地往前衝了出來。就在吉爾轉到隔壁一條街的時候，第一輛巡邏車從另一個方向逼近，我們看著警車在塔夫特家門前停了下來。

『我們現在要去哪裡？』吉爾從後照鏡裡看著保羅問道。

『長春藤。』他說。

28

我們回到社團時，社團裡一片寂靜；有人在大廳地板上堆了一疊毯子，試圖把派克灑在地上的酒水吸乾，可是地上那一攤酒仍然閃閃發光。窗簾、桌布都沾到酒漬，所有的工作人員也不見蹤影，看來凱莉·丹娜把所有的人都趕出社團了。

通往二樓的樓梯地毯，踩起來也是濕漉漉的一片，顯然跳舞的人鞋底都沾了酒，然後又步履蹣跚地走上樓去。

吉爾來到幹部辦公室的門口，隨手關上門，點亮頭頂的燈；摔壞的吧台殘骸堆放在房間的角落裡，壁爐裡還有一點殘火未滅，餘燼依然不時地吐出火舌，散發出熱氣。

看到桌上的電話，我想起了在吉爾的手機打不通時，我一直想不起來的電話號碼，現在突然想起，事情總是如此。記憶失靈，通訊中斷。柯瑞和保羅之間的線路充滿雜音，而且柯瑞的留言不知怎地就不見了，但是柯瑞還是想辦法傳遞出他的要求。

塔夫特，告訴我藍圖在哪裡？他在耶穌受難日的演講會上說，**以後我不會再來煩你。這是我們之間唯一沒有解決的事**。可是塔夫特拒絕了。

吉爾拿出鑰匙，打開紅木保險箱。『喏，在這裡。』他一邊抽出地圖，一邊對保羅說。

我可以看到柯瑞在庭院裡向保羅走來，然後又往教堂的方向走去，也就是迪金遜大樓，比爾·史坦的研究室。

『老天爺，』吉爾說，『我們要怎麼處理這件事？』

『報警啊，』我跟他說，『柯瑞可能會找上保羅。』

『不會，』保羅說，『他不會傷害我。』

但是吉爾說的是另外一件事：如何處理我們已經做的事——逃離塔夫特的家。『**柯瑞**殺了塔夫特嗎？』他說。

我鎖上門說：『他還殺了比爾。』

房間裡的空氣頓時間變得稀薄。從樓下搬上來的吧台殘骸，讓這個地方散發出一股甜膩、腐敗的味道。

吉爾站在書桌前，一言不發。

『他不會傷害我。』保羅重複道。

但是我想起我們在比爾抽屜裡發現的那封信，我**有個提議，此事由我們兩人瓜分還綽綽有餘**；然後是柯瑞的回覆，直到現在我才了解其中的含意：**保羅怎麼辦**？

『他會。』我說。

『你錯了，湯姆！』保羅生氣了。

但是我看得愈來愈清楚，這一切指向何方。

『我們去看展覽時，你把日記拿給柯瑞看，』我跟他說，『他知道是塔夫特偷走的。』

『對，可是——』

『比爾甚至還**告訴**他，他們要剽竊你的論文，柯瑞希望在他們動手之前先拿到手。』

『湯姆——』

『然後在醫院裡，你又把你所發現的一切全都告訴他，甚至還跟他說，你在找那張藍圖。』

我伸手拿起電話，但是保羅卻壓住話筒，放回原位。

『湯姆，你等一等，』他說，『你聽我說。』

『他殺了他們！』

這時候保羅靠過來，一副心痛欲絕的模樣，他說了一席話，完全出乎吉爾和我的意料之外。

『沒錯。這就是我跟你說的，但是你能不能聽我說完呢？他在醫院裡確實有這個意思。你還記得嗎？就在你走進候診室之前？**孩子，我們彼此都很了解**。他跟我說，他擔心得睡不著覺。』

『所以呢？』

保羅的聲音有些顫抖。『然後他又說，**如果我早知道你要做什麼的話，我就不會做這些事了**。柯瑞以為我知道他殺了比爾，他是說，如果他知道我會提前離開塔夫特的演講會場，他就不會做這些事；這樣的話，警察就不會找到我的頭上。』

吉爾開始在房裡踱步。在房間的遠端，壁爐裡有一根木柴爆裂開來。

『還記得他在展覽會場上所說的那首詩？』

『布朗寧的〈薩爾托〉？』

『詩裡是怎麼寫的？』

『你完成了許多人的終生夢想，』我說，『夢想？努力、掙扎，最後還是失敗。』

『他為什麼選這首詩？』

『因為正好配合薩爾托的那幅畫。』

保羅一掌擊在書桌上。『不是！因為我們解決了他和你父親和塔夫特都解不開的難題。這是柯瑞一輩子的夢想，他努力、掙扎，最後還是失敗的事。』

他臉上有一種挫敗的神情，是我們合作以來從未見過的；他一直期待我們能夠成為單一的有機體，以同樣的思考模式想事情。**這不應該讓你花這麼長的時間，沒有那麼難**。我們又在打啞謎，揣測一個人的想法；他以為我們對這個人的了解應該一樣多，然而事實上，我從來沒有像保羅那樣真正了解柯羅納或柯瑞。

『我聽不懂。』吉爾說。他感覺到我們兩人之間發生了一點問題，但是這已經超越了他的生活經驗。

『那幅畫，』保羅還是在對我說，希望我能了解，『「約瑟的故事」。我甚至還跟你說了那幅畫的意義，我們只是不知道柯瑞的用意何在。**雅各愛約瑟甚於其他眾子，因為是老來得子，還為約瑟做了一件彩衣**。』

他等我給他一點表示理解的訊號，但是我仍然不明就裡。

『這是一份禮物，』他終於說，『柯瑞以為他是送一份禮物給我。』

『**一份禮物**？』吉爾問，『你瘋了嗎？什麼禮物？』

『**就是這些啊**，』保羅展開雙臂，做出擁抱狀，『他對比爾所做的事，他對塔夫特所做的事；他阻止他們，不讓他們偷我的東西。他送給我的禮物，就是我在《尋愛綺夢》發現到的一切。』

保羅在說這些話時，有一種令人不寒而慄的平靜，在這安靜的沈著外圍，環繞著恐懼、驕傲與悲傷。

『三十年前，塔夫特從他那裡偷走東西，』保羅說，『柯瑞不會讓同樣的事情再度發生在我身上。』

『柯瑞對比爾說謊，』我不願意看到這個佔孤兒便宜的人繼續愚弄他，『他對塔夫特也說謊。現在他也在對你說謊。』

然而保羅已經走得太遠，不能再回頭質疑。在他聲音裡的恐懼與懷疑底下，有一種近乎感恩的情緒。

我們回到另外一個房間，房裡依然掛滿了借來的畫；回到柯瑞為了他從未擁有過的兒子一手打造的博物館，回到另外一種展示；他的姿態優美，所以動機也就變得不重要了。這是最後一根鉚釘，此後再也不能轉圜。

這讓我突然想到：保羅和我畢竟不是親兄弟，我們相信不同的事。

吉爾開口說話，介入我們兩人之中，把話題拉回現實。這時，我們都聽到外面傳來沈重的腳步聲，三個人同時轉身。

『這是什麼鬼？』吉爾說。

然後傳來柯瑞的聲音。

『保羅。』他在門的另外一邊低聲地說。

我們連大氣也不敢喘。

『柯瑞。』保羅回神過來，立刻伸手去開門，吉爾和我都阻止不及。

『別過去！』吉爾說。

但是保羅已經開了門鎖，另外一邊也有一隻手在轉動門把。

打開房門，正是柯瑞站在門外，身上仍然穿著昨天的那套黑色西裝。他的眼神狂亂、看似驚惶，手裡還拿著一樣東西。

『我必須跟保羅單獨談一談。』他以粗啞的嗓音說。

保羅一定也看到我們所看到的：他的襯衫領子上有一抹血跡。

『你出去！』吉爾吼道。

『你做了什麼事？』保羅問。

柯瑞看著他，緩緩抬起手臂，伸長的手上拿著一樣東西。

吉爾側身擠到走廊上，又說了一次：『你出去！』

柯瑞不理他。『我找到了，保羅。這張藍圖，你拿去！』

『不許你靠近他，』吉爾扯著顫抖的嗓音說，『我們要報警了。』

我的眼睛對準了柯瑞手上的那捲紙，向前一步跨到吉爾身邊，兩個人一起擋在保羅前面。可是就在吉爾伸手拿手機時，柯瑞出其不備，一個箭步撞開我們兩人，把保羅推進幹部辦公室裡，然後砰地一聲關起房門。我跟吉爾還來不及反應，就聽到咔答一聲，房門鎖了起來。

吉爾舉起拳頭，猛敲木門。『開門！』他一邊喊著，一邊把我推開，用肩膀去頂門，但是厚重的木板卻文風不動。我們退後一步，聯手又撞了兩次，門鎖似乎有些鬆動。每一次靠近房門，都可以聽到另外一邊的聲音。

『再一次！』吉爾大叫。

到了第三次，金屬鎖頭終於鬆脫；就在房門大開之際，傳來一聲槍響。

我們像砲彈一樣衝進去，看到柯瑞與保羅各據壁爐一方，柯瑞的手還伸得老遠；吉爾立刻全速竄上去，把柯瑞推倒在壁爐旁。柯瑞的頭部擦撞到壁爐前的柵欄，壁爐裡火花四射，餘燼也突然有了顏色。

『**柯瑞**。』保羅也衝向他。

他把柯瑞從壁爐裡拖出來，扶他靠在吧台殘骸上；他勉力站了起來，但是頭上的傷口湧出鮮血，遮住了眼睛。直到這個時候，我才看到藍圖到了保羅的手上。

『你沒事吧？』保羅搖著柯瑞的肩膀，『他需要救護車！』

但是吉爾的態度堅決。『警察會照顧他。』

這時候，我突然感到一股熱氣襲來，柯瑞的上衣背後著了火，現在整座吧台都燒了起來。

『快退後！』吉爾大叫。

但是我卻像釘在原地，動都不能動。火舌向屋頂竄燒，燒掉了橫跨整幅牆壁的窗簾，再加上酒精的推波助瀾，火勢迅速延燒，很快地吞噬了周邊所有的東西。

『湯姆，』吉爾大叫，『把他們都拉出來！我去找滅火器！』

在保羅的協助之下，柯瑞終於站穩了腳步，但是他卻突然一把推開保羅，跌跌撞撞地衝到走廊上，脫掉上衣。

『柯瑞！』保羅跟在後面懇求。

吉爾又穿過房門，回到辦公室裡，拿起滅火器對著窗簾一陣亂噴；但是火勢太猛烈，根本無濟於事，只見黑煙從房門口一路竄升到屋頂。

最後在熱氣與濃煙的逼迫之下，我們終於退回門口；我用手捂著嘴，覺得肺部整個緊縮起來。當我轉向樓梯時，可以看到保羅和柯瑞在濃密黑煙中苦苦掙扎的身影，也聽到他們的聲音愈來愈大。

我喊著保羅的名字，但是吧台上的酒瓶開始爆炸，淹沒了我的聲音。吉爾遭到第一波爆裂的碎片擊中，我趕快將他拖出來，一邊聽著保羅的回應。

接著，從濃煙中傳來聲音：『湯姆，快走！快出去！』

牆上都是火光反射，一只破裂的酒瓶飛到樓梯上空，散播火苗，然後跌落到一樓。

剎那間，彷彿一切湮滅，接著玻璃碎片跌落在那一堆用來吸酒的毯子上，火苗找到了威士忌、白蘭地和琴酒助陣，地板也活絡了起來，下方傳出爆破聲響，木頭碎裂，火勢蔓延。前門已經被大火擋住，吉爾對著手機大喊大叫，找人來幫忙。

火焰向二樓竄燒，我的腦子裡好像也有星火燎原，閉起眼睛就看到一陣白光；我好像飄浮在空中，浮在熱氣上空，一切都成了慢動作，都變得如此沈重。天花板紛紛砸落，舞池地板宛如幻象般閃閃發亮。

『**我們怎麼出去**？』我喊道。

『走送貨樓梯，』吉爾說，『在樓上！』

『保羅！』我大叫。

但是沒有人回應。我慢慢地往樓梯逼近，但是聽不到他們的聲音，保羅和柯瑞都消失了。

『保羅！』我又吼道。

火焰吞噬了整個幹部辦公室，現在又開始朝我們撲來；我有一種奇怪的感覺，好像大腿整個麻痺了似的。吉爾轉身，指一指我的褲子，原來我的褲子裂開了，血從燕尾服的衣料上流下來：黑色的血流在黑色的禮服上。他脫下外套，隨手把傷口紮起來。大火形成的隧道逐漸把我們圍攏，逼得我們不得不往樓上跑。連空氣都幾乎變成黑色的。

吉爾推著我往三樓跑，到了最上面，什麼都看不到，只有深淺層次不同的陰影。在走廊遠方的門縫底下，流洩出一道光線。我們往前移動，火勢已經燒到樓梯底下，卻又好像還留在原地。

然後我就聽到了：從門後傳來高亢、崩潰的呻吟聲。

那個聲音讓我一時動彈不得，接著吉爾上前，打開房門。這時候，舞會那種沈醉的感覺又回到我身上：身體的溫度，給皮膚一種刺痛的感覺，好像是凱蒂的觸摸、凱蒂的呼吸、凱蒂的唇在我身上游移。

在房間的另外一邊，柯瑞在一張長桌子後面跟保羅起爭執，手上拿著一只空瓶，頭部垂在肩膀上，血流如注。這裡除了酒精之外，聞不到其他的味道，瓶子裡剩餘的酒全都灑在桌上；牆上有個櫥櫃也是櫥門大開，露出裡面珍藏的各式佳釀：老長春藤社長的秘密。

這個房間的長度跟整棟建築物的寬度一樣，在月光照耀下，彷彿鑲上了一層銀邊；牆邊一整排書架上排放著以皮製封面裝訂的書籍，深埋在柯瑞腦後的一片漆黑之中。朝北的牆上有兩扇窗。酒液形成的水灘到處閃閃發光。

『保羅！』吉爾大叫，『他擋住了送貨的樓梯，就在你後面。』

保羅轉身去看，但是柯瑞的眼神卻始終盯著吉爾和我；看到他的模樣讓我全身動彈不得。他臉上的紋路深刻，好像地心引力不只是拉著他的臉皮往下垂，而是整個人都跟著往下墜。

『**柯瑞**，』保羅好像在跟小孩子講話似的，以堅定的語氣說，『**我們全都要出去！**』

『走開！』吉爾向前跨一步喊道。

可是就在吉爾跨步之際，柯瑞拿起空瓶在桌上砸碎，然後隨手一揮，鋸齒一般的瓶口立刻劃破吉爾的手臂，鮮血從吉爾的手指間流下來，像一條條黑色的緞帶。他踹跚地退後一步，看著血流到他的手臂上。保羅看到這種情況，癱倒在牆上。

『拿著！』我從口袋抽出手帕遞給他。

吉爾的動作很遲緩，當他伸手來拿手帕時，我才看到傷口有多深。壓著的手一鬆開，血就淹過了皮膚上的皺紋。

『快走！』我說著把他推到窗邊，『從這裡跳下去！下面的樹叢會撐住你。』

可是他動也不動，只是盯著柯瑞手上的空瓶子。這時，通往圖書館的門開始震動，熱氣在門的另外一邊蠢蠢欲動；濃煙也開始從門縫鑽進來，我可以感覺到眼睛開始流眼淚，胸部也覺得氣悶。

『**保羅**，』我隔著濃煙喊，『**你得出去才行！**』

『柯瑞，』保羅叫道，『快來！』

『別理他！』我對著柯瑞大喊——門後的火焰在怒吼著要闖進來，接著傳來一陣可怕的撕裂聲，木門承受不了自己的重量，整個崩潰。

吉爾突然癱倒在我身邊的牆上，我衝到窗邊，打開窗戶，推著他走到窗櫺旁邊，勉力讓他保持站姿。

『去幫保羅……』他囁嚅道。這是生命從他眼中消失之前，他所說的最後一句話。

一陣刺骨寒風從窗戶吹進來，揚起樓下樹叢上的雪花。我輕輕把吉爾抬到定位，即使到了這個節骨眼上，他在月光下看起來仍然就像天使般純潔。我看著沾滿血的手帕，只憑本身的重量附著在他的手臂上，一時間讓我覺得周遭的一切都開始消融。我又看了他最後一眼，然後放手，一下子，吉爾就不見了。

『**湯姆**，』保羅的聲音聽起來極其遙遠，好像從濃煙中發出來似的，『**快走！**』

我轉身看到保羅拉著柯瑞的手臂，硬拉著他往窗邊走，但是那個老傢伙力氣大得多，一點也不肯動，反而把保羅推到送貨的樓梯口。

『快跳！』我聽到聲音從樓下傳來，從敞開的窗口湧了進來，**『快跳下來！』**

消防隊看到我了。

可是我卻轉身。『保羅，』我喊道，『快點過來！』

『湯姆，你快走！』我最後一次聽到他的聲音，**『拜託你快走！』**

他的聲音很快就飄到遠方，好像柯瑞帶著他走進濃霧之中。他們兩人退進了古老的營火，像天使一般扭打著穿越人類的生命。

『下去！』這是我在房裡聽到的最後一句話，是柯瑞的聲音。**『下去！』**

接著又是外面的聲音。**『快點！跳下來！』**

『保羅！』我大喊著，可是火焰逐漸圍攏過來，我不得不往窗邊退。濃煙熱氣像拳頭般重擊我的胸膛。在房間的另外一端，通往貨梯的門也關了起來，什麼人都看不到了。我讓自己從窗口跌落下去。

＊　＊　＊

這些就是在雪花吞噬我之前，我還記得的最後幾件事。然後就是一陣爆炸，像是午夜突如其來的白晝。瓦斯管爆炸把整棟建築物夷為平地，接著就是煤渣紛紛飄落。

我對著消防隊員、對著吉爾、對著所有願意傾聽的人無聲嘶吼。我看到了，柯瑞打開貨梯門，拉著保羅出去。

聽我說啊！

起先他們還肯聽我說，兩名消防隊員聽到我的話，往房子走去。我身邊的救護人員也設法了解——**什麼樓梯**？他問道，**他們從哪裡出來**？

地道，我跟他說，**他們從地道附近出來**。

接著濃煙散了，水喉逐漸恢復社團的原始面貌，一切也跟著變了。搜索行動愈來愈少，也漸漸沒有人願意聽我說話。他們踩著遲緩的步伐說，什麼都不剩了，裡面一個人也沒有。

保羅還活著，我喊道，**我看到他**。

然而每一秒鐘都對他不利，每一分鐘都是從手裡流瀉的沙。從吉爾現在看我的眼神，我就知道變化有多大。

『我沒事，』救護人員趕來包紮他的手臂，但是他卻擦了一把臉，指著我對救護人員說，『去幫我的朋友。』

高懸在我們頭頂的月亮像是關注的眼睛，我坐在那裡，看著無聲的人群拿著水喉沖垮殘破的社團建築，想像著保羅的聲音。

不知怎地，他遠遠地隔著咖啡，看著我說，**我覺得他也是我的父親**。在天空的黑幕上，我可以看到他的臉龐，充滿了肯定的自信，即使到了現在，我仍然相信他。

所以你怎麼說？他在問我。

你去芝加哥的事嗎？

我們去芝加哥的事。

＊＊＊

那天晚上，我們被送到哪裡，被問了些什麼問題，我完全不記得。大火一直在我眼前燃燒，保羅的聲音也一直在耳邊迴響，彷彿他隨時都可能從火焰中站起來似的。在天亮之前，我看到上千張面孔，帶來希望的訊息：朋友聽到大火的消息從房裡出來、教授聽到警笛從床上醒來、連教堂裡的子夜禮拜也因為這場大火而中斷。他們聚攏在我們身邊，宛如旅行的寶藏，每一張臉孔都是一枚錢幣，好像上蒼已經宣布我們必須藉著清算剩餘的東西來追悼我們的損失。也許我在那個時候就已經知道，我們進入富有、富有的貧窮。神祇喜好黑色喜劇，是他們寫下這齣戲；我的兄弟保羅在復活節犧牲；反諷的龜殼，重重地落在我們頭上。

那天晚上，我們三個人一起倖存，在醫院裡聚首；吉爾、查理和我，再度同居一室，成了室友。沒有人說話。查理撫摸著頸邊的耶穌受難像，吉爾沈睡，而我則盯著牆壁。沒有保羅的消息，我們各自想像他逃過一劫的神話，死後復活的神話。我早該知道，世界上沒有什麼不可分割的友誼，也沒有什麼不可分割的家庭；但是當時這個迷思卻在我心裡縈繞不去——不僅當時，甚至以後，直到永遠。

是迷思，我說。但是絕非希望。

因為希望的箱子是空的。

29

時間跟醫生一樣，都是療傷止痛的回春妙手。早在查理康復出院之前，我們就已經成了校園裡的舊聞；同學們看著我們，好像我們與校園生活脫節，只是舊日一段短暫的記憶，帶有一點過氣名人的色彩。

不到一個星期，普林斯頓校園的暴力陰影就已經煙消雲散，天黑之後，學生又開始在校園裡穿梭，先是成群結隊，然後就有人放單獨行。

我有好幾次因為睡不著，三更半夜晃到華華便利商店，卻發現店裡還是人潮洶湧。在他們的言談中，柯瑞還是活靈活現，保羅也是一樣；不過我熟悉的名字逐漸從他們的談話之中消失，取而代之的是考試、大學曲棍球賽和每年春天都會出現的閒談八卦：某個大四學生跟論文指導教授上床或是某個熱門的電視節目播出最後一集等等。

就連我在註冊組前大排長龍時所看的報紙標題——只有看報才能讓我暫時忘記自己一個人形單影隻，而別人都有朋友作伴——似乎也在告訴我們，這個世界已經遺忘了我們，繼續運轉。

復活節過後的第十七天，《普林斯頓郵報》的頭條新聞報導，在鎮上設置地下停車場的計畫遭到否決；只有在第二版的報尾才輕描淡寫地提到，一位富豪校友捐出兩百萬美元重建長春藤。

查理住院五天就開始下床走動，但是又花了兩個星期做復健治療；醫生建議他在胸部做整型手術，修補燒燙傷之後長出來的厚皮與嫩肉，不過查理拒絕了。我每天都到醫學中心去看他，只有一天除外。查理總是要我替他帶華華的薯條、上課用的書，還要彙報費城七六人隊的每一場戰績，反正他總有各種理由要我去看他。

他不只一次拉起衣服，給我看他胸部燒傷的疤痕。起初，我以為他是要向自己證明他並不覺得自己遭到毀容，或是證明他比發生在他身上的事情更堅強。可是後來我才知道原來並不是這麼一回事：他要確認我知道經過此事之後，他已經變得不一樣；他似乎擔心從他跳下地道去追保羅的那一刻開始，就不再是我和吉爾生命中的一部分，擔心我們兩人會相濡以沫，彼此安慰療傷止痛，而將他排除在外。

他知道我們已經開始覺得自己的外表雖然沒有改變，但是內在卻像是陌生人，因此他急於要我們知道，他也有同樣的處境，我們仍舊是一夥的。

吉爾也常常去醫院看他，這一點倒是讓我很意外；有幾次他去看查理時我也在場，每一次都還是同樣尷尬不自在，他們兩人都心存愧疚，而看到對方的歉意卻又加深了彼此心中的愧疚。查理有一種不理性的想法，認為當天他沒有跟我們一起在長春藤共患難，是背棄朋友的行為；有時候，他甚至認為自己手上沾了保羅的血，把保羅的意外歸咎於自己的弱點。

至於吉爾則覺得他從很早以前就背棄了我們，但是這種感覺卻很難表達；而看到查理為我們做了這麼多事卻依然感到愧疚，只是徒然讓吉爾更覺得無地自容。

有天晚上在睡覺之前，吉爾跑來跟我道歉。他說，希望時間可以倒流，他會有完全不同的做法；還說我們應該得到更好的待遇。從那天晚上開始，我再也沒有看到他坐在電視機前看老電影，而且他選擇用餐的餐廳似乎也離校園愈來愈遠；每次我邀他去我的社團吃飯，他總是有各種藉口推託，如此拒絕了四、五次之後，我才恍然大悟：原來他並不是拒絕我，而是不願意面對去社團途中必須看到長春藤的廢墟。查理出院之後，我們一起吃早餐、午餐、晚餐，而吉爾則愈來愈孤單，總是一個人吃飯。

漸漸地，再也沒有人關注我們的生活。如果說我們原本覺得自己好像賤民，每個人都對我們的故事感到厭倦；那麼後來的感覺就像是鬼，再也沒有人記得我們是誰。

學校在教堂裡替保羅舉辦追思禮拜，但是出席的人數很少，只要一間小教室就足以容納所有的賓客；學生跟教授的人數相去不多，其中大部分是急救小組的成員或是長春藤的會員，而且還是衝著查理和吉爾的面子來的。在禮拜結束之後，唯一上前來跟我致意的教職員是拉洛克教授，她是第一個叫保羅去找塔夫特的人；可是就算是她，似乎也只是對《尋愛綺夢》以及保羅的新發現感興趣，而不是對保羅這個人有什麼特別的關心。

我什麼也沒有跟她說，而且在此後的談話中，如果提到《尋愛綺夢》，我也會特地重申我什麼都不知道。我想，這是我唯一能替保羅做的事情：不對陌生人洩漏他辛苦挖掘出來而且只對朋友披露的秘密。

這件事後來還引起一些餘波盪漾，那是在地下停車場計畫遭否決的新聞見報之後的第七天；報端披露，柯瑞在離開紐約前往普林斯頓之前，就已經清算了名下所有的資產，把錢和拍賣公司的剩餘資產，全都交給私人信託。銀行拒絕透露信託的條件，但是長春藤主張他們有權利動用這筆錢做為損失賠償金；一直到社團董事會決定，新建物裡沒有一磚一瓦會用到柯瑞的錢之後，這場風波才漸漸平息。

此外，新聞媒體也一窩蜂地報導柯瑞把所有的錢都留給一個不知名的信託人，有些媒體甚至猜測這些錢是準備留給保羅的——對於這一點我自己早就想到，而且也深信不疑。

然而，由於社會大眾對於保羅的論文一無所知，因此完全無法揣測柯瑞的動機，只好從他跟塔夫特之間的交往情況下手，八卦扒糞的結果讓這兩個人成了一場鬧劇；想替所有罪惡找出理由的結果就是什麼理由都找不到。塔夫特在學院的住宅成了一棟鬼屋，新來的研究人員都不願意搬進去，只有鎮上的青少年才會彼此打賭，看誰有勇氣夜闖空宅。

各種陰謀論和聳動的標題漫天亂舞，而這種新氛圍的唯一好處，就是任何一種理論都不可能有足夠的證據，指涉吉爾、查理和我三個人做過什麼壞事；或許所有的人都覺得很奇怪，發生了這麼多事，我們卻都不足以在其中擔任要角，不過想到本地報紙大肆炒作新聞，還刊登了沙皇塔夫特和殺他的瘋狂柯瑞的照片，似乎也就不足為奇了。

警方和校方都一致表示，他們無意追究我們的行為；我想這對我們的父母來說應該是很重要的差別，因為如此一來，我們就可以順利畢業，不會留下任何不良紀錄。對吉爾來說，並沒有什麼太大的差別，反正他從來就不理會這種事情；至於我呢，也毫不在乎。

不過我想查理倒是卸下了心頭重擔。他似乎始終沒有走出這件事情的陰影，而且愈來愈嚴重；吉爾說這是被迫害妄想症，因為他一直覺得厄運隨時都會臨頭，不過我倒是覺得，查理只是單純地相信他可以救保羅一命而已。無論如何，他遲早都要面對他無法拯救每一個人的事實——即使不在普林斯頓，也會是未來在執業的時候。查理害怕的並不是迫害，而是最後審判。

＊＊＊

我在大學裡的最後這段時間，唯一讓我感到開心的就是凱蒂了。查理還沒出院的時候，她總是送飯給我和吉爾吃，因為大火發生之後，她就召集其他長春藤的大二學生，成立了合作互助會，自行採買糧食，動手做飯；而她擔心我們沒飯吃，所以總是做三人份的飯菜。後來她開始帶我去散步，堅稱陽光有讓人恢復精神的效果；她說，宇宙輻射裡含有少量的鋰，唯有在清晨曬太陽才能吸收得到。她甚至還替我們兩人照相，好像覺得那段日子裡有什麼值得懷念似的。身為攝影師的她相信，唯一的解決之道就是適度曝光。

凱蒂的生活中沒有長春藤之後，似乎更接近我理想中的她，而比較不像吉爾讓我感到陌生的那一面。她總是精神飽滿，長髮也總是披肩而不再盤起。

畢業典禮的前一天晚上，我們一起去看電影，結束之後她邀請我到她房裡，聲稱要我跟她的室友道別。我知道她別有用心，但是那天晚上我卻跟她說不行；她的身邊有太多的照片，都是已經定格不會再改變的人與事：家人、老友，甚至還有躺在她新罕布夏州家裡床腳邊的狗——普林斯頓的最後一夜，若是圍繞在她生命的恆星之中，只是徒然讓我想起自己的生命有多麼浮動無常。

在最後那幾個星期，我們看著長春藤火災現場的調查逐漸進入尾聲，終於在畢業典禮前的那個星期五——好像是刻意安排作為這個學年的總結似的——本地警政首長宣布，李察・柯瑞『某種程度上直接導致長春藤社的火災，造成屋內兩人死亡』，為了證明這種說法，他們還提出兩塊人類下頦骨骼的碎片，指稱與柯瑞的牙醫紀錄相符。由於瓦斯主要管線爆炸，現場殘留的證據並不多。

然而調查並沒有確切的結論，因為他們始終沒有明確的證據說明保羅的下落。我知道為什麼。爆炸發生的三天之後，一名調查員對吉爾坦承，他們並沒有放棄保羅生還的希望：在現場找到殘骸極少，而且這些殘骸都只與柯瑞相符。在接下來的幾天，我們都滿懷希望等著保羅回來，但是他卻始終沒有出現，沒有步履蹣跚地從森林中走出來，也沒有在熟悉的地方突然現身；後來這名調查員自己也有好一陣子忘了這回事，於是他覺得還是不要再提起比較好，免得讓我們抱持虛妄的希望。

＊＊＊

畢業典禮當天氣候暖和，一點風都沒有，就好像復活節週末什麼事都沒發生似的；我跟同班同學穿著學士袍、戴著學士帽，坐在拿梭大樓的庭院裡等候唱名時，甚至還看到一隻蝴蝶，宛如錯置的徽章，振動著翅膀在空中飛舞。我想像著樓頂上的大鐘少了鐘鎚，無聲地擺盪著：保羅就在世界的邊緣之外，祝賀我們的幸運。

大白天裡到處都是魅影幽魂。穿著晚禮服的女人從長春藤的舞會出來，像基督誕生時的天使般在空中跳舞，宣布新的季節降臨；參加裸體奧運的人群，像過去這一季的幽靈般在庭院裡裸奔，絲毫不以自己的裸體為恥。

致詞代表在台上滿口拉丁文，說著我完全聽不懂的笑話，一度還以為是塔夫特在跟我們說話。塔夫特站在台上，後面是柯羅納；他們兩人身後則是一群形容枯槁的哲學家，每個人都神情肅穆地反覆朗誦同一段詩歌，就像喝醉酒的耶穌門徒唱著『共和國戰歌』。

典禮結束之後，我們三人最後一次回到寢室。查理要回費城參加暑期的救護工作，等秋天開學之後就要去唸醫學院；他最後選擇賓州大學，因為他跟我們說，經過再三思量，他還是想離家近一點。

吉爾自顧自地收拾臥室裡的小擺飾，動作裡有一種我意想不到的熱中，他坦承手邊有一張當天晚上離開紐約的機票；去歐洲晃一陣子，他說，去義大利，還有其他地方。他需要一點時間，徹底想清楚。

吉爾離開之後，查理和我一起去拿最後一天的信件。信箱裡有四個小信封，大小尺寸完全一致；裡面是校友通訊錄的登記表，一人一張。我把自己那張收進口袋，也順手拿了保羅的那一張，這才突然想到：同學錄上還沒有刪除他的名字；我一度還在想：不知道他們會不會也替他準備一張文憑，還躺在某處等著主人去認領。第四個信封原本是寄給吉爾的，但是收信人的名字卻被塗掉，改成我的名字，還是吉爾的筆跡；我打開信封，登記表已經填妥，地址是義大利的某飯店。

『親愛的湯姆，』信封封口的內側有一行字寫著，『我把保羅的這份留在這裡，我想或許你會想收起來。轉告查理，說我很抱歉必須匆匆離去，我知道你能諒解。如果到義大利一遊，請務必來電。——G』

在我們分手之前，我擁抱了查理。一個星期後，他打電話到我家，問我要不要參加第二年的同學會；只有查理才會想出這種藉口來打電話，不過我們還是聊了好幾個鐘頭。最後，他問我知不知道吉爾在義大利的地址，說他找到一張明信片，吉爾一定會喜歡，還嘗試著描述那張明信片給我聽。從他言談之中，我知道吉爾並沒有把新的地址給他，他們兩人之間的問題始終沒有解決。

那年夏天，我並沒有去義大利，後來也沒有。此後四年之間，我和吉爾只見了三次面，都是在同學會上，而且彼此之間的話也愈來愈少。他的人生逐漸回歸嚴肅的現實面，宛如一首行文流暢、用詞優美的禱告詞。他終究還是回到了曼哈頓，跟他父親一樣進入銀行工作；他跟我不同，因為他的人生隨著年紀的增加而成長。二十六歲那年，他宣布與小我們一歲的美女訂婚，這個女孩子讓我想起老電影裡的明星；看到他們兩人出雙入對，我再也不能否認吉爾的生活模式了。

查理和我之間就好多了；老實說，是他不肯放手。在我的生命中，他是最努力維繫友誼的朋友，他不肯讓友誼隨著距離增加或是記憶褪色而逐漸消失。他在唸醫學院的第一年時結婚，對象讓我想起他的母親；他們的第一個孩子——是個女孩兒——正是以他母親的名字命名，第二胎是個男孩，則是以我的名字命名。

我一直維持單身，因此可以公正客觀地評價查理為人父親的表現，不會因為有競爭的壓力而言不由衷；持平地說，查理不但是個好朋友，更是一位好父親。他在照顧孩子的時候，自然而然地流露出一種保護之情，一種舉世無雙的精力，好像是對生命賜予這種無上的恩典，表現出無窮無止的感恩——就跟他在普林斯頓時一模一樣。

現在的他是個小兒科醫生，是上帝自己的醫生；他太太說，有時候到了週末，他還是會親自上救護車擔任急救工作。

我希望有一天，就像他始終堅信不移的，當最後的審判到來時，查理·傅利曼能夠來到天堂門口，因為我再也沒有見過比他更好的人。

＊＊＊

至於我自己，我實在不願意多說。畢業之後，我回到哥倫布市；那年夏天，除了到新罕布夏州跑了一趟之外，整整三個月都留在家裡。不知道母親是因為比我自己更了解我的傷痛，或者是她很高興普林斯頓終於離我遠去——離**我們**遠去——總之她變得更放得開；我們談天說笑，一起吃飯，就我們兩個人。我們坐在滑雪橇的小丘上，就是我姊姊拉我上去的那個地方，母親侃侃而談，說著她這些年做了什麼事：她打算再開第二家書店，這一家要開在克里夫蘭。她跟我解釋要怎麼樣做生意，要如何管帳，還說現在家裡空了，可以把這棟房子賣掉等等。我了解其中最重要的部分，就是她現在終於擺脫過去，準備展開人生的新頁。

然而，對我來說，問題不在於是否展開了新頁，而是理解。這幾年來，在我生命中一些不確定的事情都自行塵埃落定，這是我父親人生中從未發生過的事。

我可以想像在那個復活節週末，柯瑞的腦子裡在想些什麼：保羅身處在柯瑞自己曾經親身經歷過的處境，他不能忍受看到這個孤兒變成另外一個比爾•史坦或文森•塔夫特，甚至變成另外一個自己。

父親的這位老友相信這種零污點的贈予，就像一張空白支票可以支領無限的信任；但是我們卻花了這麼長的時間才了解他。

就算是保羅，在我們還希望他能生還的那段日子裡，我都還有理由相信他就是棄我們而去，從地道逃出去就再也不回來；反正院長沒有留給他任何可能畢業的希望，而我則沒有留給他去芝加哥的希望。

我問他想去哪裡時，他誠實以告：帶著鏟子去羅馬。父親死得早，我還沒有到可以問他這種問題的年紀，但是現在想起來，如果我真的問了，或許他也是那種會誠實以告的人。

回首來時路，為什麼我在失去了對書本的信心之後，還會選擇主修英文？為什麼我在拒絕了父親對《尋愛綺夢》的熱愛之後，還有這種念頭來研究柯羅納的書？我想唯一可能的解釋就是我在尋找一些我自認為父親留給我的片段，讓我得以把他拼湊回去。我認識保羅這麼多年來，在我們一起研究《尋愛綺夢》的這段期間，問題的解答幾乎就已經在我掌心；在我們合作的這麼長時間裡，我總是有希望可以理解。

當這個希望瓦解之後，我遵守合約，成了一位軟體分析師。我因為解開了一道謎題而得到了一份工作；但是我接受這份工作的原因，卻是因為解不開另外一道謎題。在德州的日子幾乎一眨眼就過去了，那裡的夏日熱浪是我未曾有過的經驗，所以我留下來。

凱蒂在普林斯頓的最後兩年，我們幾乎每個星期通信；我開始期待在信箱裡看到這些信件，雖然到後來變得沒有那麼頻繁。

我最後一次見到她，是我飛去紐約旅行慶祝二十六歲生日；此行結束之前，我想就連查理也可以感覺到我和凱蒂已經走到盡頭。我們在秋日陽光下經過展望大道，來到凱蒂工作的布魯克林畫廊附近；我開始了解到：過去我們所珍惜的事情都還留在普林斯頓，而未來卻沒有新的願景足以取代。

我知道凱蒂一直希望在那個週末能夠有新的發展，有一張新的星座圖，畫一條新航線；多年來，我父親一直抱著這種重生的希望載沈載浮，還把他的信心留給他兒子，但是對我來說，卻只不過是一篇讓我逐漸失去信心的文章而已。經過了這個週末假期之後，我開始完全脫離凱蒂的生活；不久之後，她最後一次打電話到我公司。她知道問題出在我這邊，我寫的信愈來愈短，愈來愈疏離。她的聲音讓我再次體驗到一種意想不到的痛楚；她說，她不會再打電話給我，除非我自己能夠想清楚我們現在的處境。最後，她給我新畫廊的電話，還說等情況變得不一樣再打電話給她。

不過情況始終沒有變得不一樣。至少對我來說沒有。不久之後，母親新開的書店生意愈來愈好，於是她打電話叫我回去管理哥倫布市的那家店。我跟她說，我在德州已經落地生根，現在要我離開已經太難。我姊姊來看過我，查理也帶著家人來過一次，每一次都勸我要如何脫離這種生命的低潮、要如何走過這一段等等。事實上，我一直在觀察周遭的事物變化。每年看到的新臉孔都愈來愈年輕，但是在他們的身上，我卻看到相同的組合成份，像是新發行的鈔票或是老教派裡的新教士。我記得跟布魯克斯一起上過一門經濟學的課，老師說一張一元美鈔，只要流通的時間夠久，就可以買全世界的東西——好像商業是永遠燒不完的蠟燭似的。現在，我在每一次的交易中都看到同一張美鈔，但是卻不需要這張美鈔所買的貨品；大部分的時候，所買的東西甚至不像貨品。

最堪時間摧殘的，應該就是保羅了。這麼多年來，他一直在我身邊，永遠都是二十二歲的才子，像是永遠不老的杜連魁㊿。我相信我是在跟德州大學一位助理教授解除婚約之後——我現在知道，在我心目中，她是父親、母親和凱蒂三個人的綜合體——才開始每個星期打電話給查理，也才開始愈來愈想念保羅。我開始懷疑他不應該像這樣一走了之，永遠年輕上進，留下我們跟柯瑞一樣隨著年華老去，卻始終沒有完成年輕時的夢想，徒留悵然失望。我現在覺得，似乎只有死亡才是逃脫時間魔掌的唯一出路。也許保羅一直都知道他打敗了一切：過去、現在以及二者之間的任何差別。即使到了現在，他似乎都還繼續領著我走向人生中最重要的結論；我仍然認為他是我最親近的朋友。

㊿譯註：杜連魁：王爾德的名著《格雷的畫像》中的主角，他和畫中人物交換身份以換取青春不老。

30

也許早在我收到這份郵遞包裹之前，就已經下定決心；也許這份包裹只是催化劑，就像那天晚上派克灑在地板上的酒精助長火勢一樣。

我還不到三十歲，心態上就已經像個老頭子。在我們第五次同學會的前夕，第五年就似乎已經過完了。保羅曾經跟我說過，想像現在是未來的倒影。想像一下，我們花一輩子的時間照鏡子，看我們背後的未來，看到的卻只是此時此地的倒影。有些人開始相信，只要轉身直視明天，就可以看得更清楚，但是真的這樣做的人可能並不知道，轉過身後反而失去了他們曾經擁有的視野，因為他永遠都看不到自己。因此背對鏡子之後，自己就成了未來的一部分，而且是眼睛永遠都看不到的那個部分。

那時候，我以為保羅只不過是從塔夫特那裡聽到一點哲理就拿來學舌，而塔夫特則又不知道是從哪一位希臘哲學家那裡偷來的智慧，說我們一輩子都是背對著未來之類的。

但是我有所不知的是——因為我轉錯了方向——這些話其實是保羅對我說的，說的人就是我。

多年來，我一直下定決心要走自己的路、過自己的生活，固執地摸索自己的未來；每個人都跟我說：我應該忘記過去、迎接未來，結果我做得遠比任何一個人期望的都還要更好。等我真的做到了，卻開始覺得自己完全可以體會父親的感受，對於那種一切都沒來由地坎坷不遂的感覺，我完全感同身受。

事實上，我對於一切所知道的，連皮毛都還不如。如今我轉身面對現在，發現自己從未經歷過父親面臨的那種失意與絕望。在這份我一無所知也從未得過我心的工作上，我的表現還算不錯；五年來，我永遠是最後一個離開辦公室，也從未休過一天假，讓長官都感到驚愕。在不知情的情況下，他們誤以為我對這份工作有過人的狂熱。

現在回過頭來看，我父親一輩子都沒有做過任何一件他不喜愛的事情，相形之下，我終於有了某種程度的了解。我以前就不了解他，現在還是如此；但是我現在終於了解這些年來我所處的位置，轉身凝視未來。以這種方式面對未來只能說是盲目，因為你只是站著讓世界從身邊溜走，還一心以為伸手就可以抓住一切。

今天晚上，離開辦公室很久之後，我辭掉了德州的工作，看著奧斯汀上空的太陽逐漸下降，突然發現：我在此地多年，從未看過下雪，非但四月沒有，連冬季也沒有。我幾乎忘了在寒風颼颼的冬夜爬上床是什麼滋味——你會希望床上有個人相擁取暖；德州太熱了，熱到讓你相信還是一個人睡覺比較舒服。

今天下班回來，包裹已經在門口。土黃色的圓筒包裹靠在門邊，拿起來卻出乎意料地輕，讓人以為裡面是空的。包裹外除了我的地址和郵遞區號之外，其他什麼都沒有寫，也沒有寄件人的地址，只有在左上角手寫了一個投遞路線的號碼。

我想到查理說他要寄一張明信片給我，是易欽斯[71]畫一個人在費城的斯庫基爾河上單舟搖槳；他一直在勸我搬到距離費城較近的地方，說那裡才是適合我這種人的城市。他說，他兒子應

[71]譯註：易欽斯：Eakins（1844-1916），美國寫實派畫家。

該更常看到教父。查理認為我好像漸行漸遠。

於是我先看了其他的一般郵件：信用卡的促銷宣傳、抽獎通知書，沒有什麼看似凱蒂的來信；然後打開圓筒，在電視螢幕光線的照耀下，圓筒裡似乎空無一物，沒有查理寄來的明信片，也沒有隻字片語。

直到我把手指頭伸進圓筒裡，這才發現有一張薄薄的紙，捲起來貼著圓筒內側；有一面摸起來很光滑，另外一面則有點粗糙。我漫不經心地抽出來看，如果我知道裡面是什麼東西的話，一定會更小心一點。

圓筒包裹裡是一張油畫，我攤開來看，一度以為查理什麼時候變得這麼大方，竟然買了一幅原作給我。可是等我看到畫布上的景象，就知道我想錯了：這幅畫的風格遠比十九世紀美國畫家要早，甚至比任何世紀的美國畫家都要更古老；作品的主題與宗教有關，是歐洲的作品，來自第一個真正的繪畫年代。

把過去捧在手上的感覺筆墨難以形容，畫布散發的古老氣味比德州的任何東西都還要更強烈、更複雜，因為在這裡連酒和錢都太年輕。在普林斯頓偶爾還可以嗅到一點這種氣味，像是拿梭大樓裡最古老的教室就一定有，或許在長春藤裡也有可能；但是我手上的這個味道卻更濃郁，小小的圓筒裡有那種經過歷史風霜、年代久遠的濃郁芳澤。

畫布上的色調陰鬱暗沈，還有煤煙污垢，但是我慢慢認出畫作的主題。背景是古埃及的雕塑，方尖碑、象形文字和不知名的紀念碑；前景則是一名男子，其他的人都向他臣服。我注意到畫作的顏料用色似乎別有用心，於是看得更仔細一點：此人身上的袍服色澤比畫作裡其他的顏色都要更明亮，在黯淡陰沈的沙漠中顯得熠熠生輝。

眼前的這個人是我多年來不曾想過的人物——約瑟——他是埃及的重要官員，因為擅長解夢而受到法老王的賞賜；約瑟對前來買糧的兄長表露自己身份，儘管這些兄長在幾年前因為嫉妒他特別受到父親寵愛而企圖將他害死；不過約瑟的彩衣最後還是物歸原主。

在背景雕塑的底部畫了三段碑文。第一段寫著：『CRESCEBAT AUTEM COTIMDIE FAMES IN OMNI TERRA APERUITQUE IOSEPH UNIVERSA HORREA』，也就是說：**世界各地皆遭饑饉，於是約瑟開倉賣糧**。

第二段：『FESTINAVITQUE QUIA COMMOTA FUERANT VISCERA EIUS SUPER FRATRE SUO ET ERUMPEBANT LACRIMAE ET INTROIENS CUBICULUM FLEVIT』，**約瑟狂奔而出，手足深情讓他泫然欲泣**。

第三個雕塑的底部則只有一個署名：SANDRO DI MARIANO——不過眾人比較熟悉的名字可能是這人的哥哥替他取的綽號『小桶子』，也就是波提切利。從他署名底下的日期判斷，這幅畫已經有五百多年的歷史。

我凝視著這幅畫，從它塵封在地底下的那一天起，就只有另外一雙手曾經觸摸過這個歷史遺跡；畫作之美讓任何一位人文主義者都難以抗拒，然而異教徒的雕塑卻不見容於薩瓦那羅拉。如今，這幅畫在我的眼前重現，經過了這麼長遠的歲月，幾乎遭到年代摧殘，但是卻又完整無缺，如此地生氣盎然，連煤煙污漬也遮掩不住其矯健活力。

我的雙手開始顫抖，於是我把畫攤在桌上，又伸手到圓筒裡搜索，看看我是不是漏了什麼東西：一封信、一張短箋、甚或一個標誌什麼的，但是裡面卻是空空如也。

包裹外的筆跡，小心翼翼地拼出我的地址，除此之外，什麼都沒有，只有郵戳和角落的投遞路線編號。

可是投遞路線編號卻引起我的注意：39-055-210185-GEN4519。這其中有某種模式，如同謎語的邏輯，形成一種交換碼，變成一個海外的電話號碼。

我從書架上很少用的那一端找出一本書，是多年前一個朋友送我的聖誕禮物，書裡有各地氣溫、日期和郵遞區號的目錄，現在突然派得上用場。我翻到後面的海外電話索引。

39，是義大利的國碼。

055，是佛羅倫斯的區域碼。

我看著其他的號碼，開始感覺到我的脈搏跳動，像是耳邊古老的鼓鳴。21 01 85，是當地的電話號碼。

GEN4519，則可能是房間號碼，或是分機號碼。

他在飯店或是出租公寓裡。

世界各地皆遭饑饉，於是約瑟開倉賣糧。

我又回頭去看那幅畫，然後再看看圓筒包裹。

GEN4519。

約瑟狂奔而出，手足深情讓他泫然欲泣。

GEN4519，GEN45:19——〈創世紀〉第四十五章第十九節。

在我住的地方，找年鑑比找《聖經》要容易得多。我到閣樓去翻遍了所有的儲物櫃，好不容易才找到一本是查理上次來訪時聲稱不小心才留下來的《聖經》；他以為可以跟我分享他的信仰，還有伴隨信仰而來的確實。不屈不撓的查理，到最後都還不放棄希望。

《聖經》就在我面前。〈創世紀〉第四十五章第十九節，波提切利畫作所描述的故事結尾。約瑟向兄長表露身分之後，跟他的父親一樣成了贈予者；儘管他受了這麼多苦，但是他說他要重新接納這些在迦南地受饑荒所苦的兄長，讓他們分享他在埃及的富有與豐饒。

我完全能夠了解這個故事，因為我大半生一直在犯錯，一心想把父親置於腦後，以為只要把他留在過去，自己就能邁步向前。

『帶著你們的父親一起來，』經文上說，『不要管你們的財物，因為全埃及最好的都歸你們所有。』

我拿起電話。

帶著你們的父親一起來，我心想，連我自己都不知道，他是怎麼知道的？

我放下電話，拿起記事本，在還沒有發生任何事之前，先把號碼抄在本子上。記事本的通訊錄上，只有兩個字母底下有紀錄：新的是在『H』項下的保羅‧哈里斯，舊的則是在『M』底下的凱蒂‧墨芊。現在還在通訊錄加上新的名字，覺得很不自然；我手邊所有的只是圓筒包裹上的這一組數字，只要一個最簡單的錯誤就足以徹底消弭的唯一機會，只要一滴水就會融於無形的機會——我心裡在天人交戰。

我再度拿起話筒時，手心都是汗，完全不知道我在電話旁邊坐了多久，耗了多長的時間，只是反覆思索著到時候該說些什麼。從臥室的角窗望出去，德州的夜裡燈光閃爍，但是我什麼都看不見，只看到天空。

不要管你們的財物，因為全埃及最好的都歸你們所有。

我按了切斷鍵，開始在鍵盤上按數字。我從未想過會撥這組號碼，從未想過會再度聽到這個聲音；話筒裡傳來遙遠的撥接聲，然後是另外一個時區的電話鈴響，響了四聲之後，有聲音傳來。

這裡是曼哈頓的哈德遜畫廊，我是凱蒂·墨芊，請留言。

然後是嗶的一聲。

『凱蒂，』我對著沈默無聲講話，『我是湯姆。現在已經快要午夜了，德州時間。』

電話線另外一端的無聲幾乎讓人有一種如影隨形的感覺，我如果不是知道自己要說些什麼，很可能會被震懾得說不出話來。

『我明天早上就要離開奧斯汀，有好一陣子都不在，也不知道會離開多久。』

我桌上放了一個小相框，裡面是我們兩人的合照；我們有點偏離照片的正中央，是一人伸出一隻手拿著相機的兩側，對著我們自拍的照片。背景是校園裡的教堂，石砌的建築屹立不搖；直到現在，普林斯頓都還在背景裡竊竊私語。

『等我從佛羅倫斯回來，』我跟她說——我照片裡的大二學妹、生命中意外的禮物——就在紐約的機器截斷我的話之前，『我想見妳。』

然後我把話筒放回去，再度凝視著窗外。我要收拾行李、要打電話找旅行社、還要拍新的照片。雖然我已經想到我要做的這件事情規模有多大，但是有個念頭還是跑進我的腦子裡：在重生之城的某處，保羅從床上支起身子，凝視著窗外，等候著；鴿子在屋頂咕咕作響，遠處的教堂尖塔傳來鐘聲。我們隔著大陸坐著，就跟以前一樣，坐在床墊的兩端，始終在一起。

在我要去的地方，天花板上會有聖徒、神祇和飛翔的天使；不論我走到哪裡，都會有東西讓我想起那些碰觸不到的時間。我的心是一隻籠中鳥，滿懷著期待的痛苦，鼓動著翅膀。在義大利，太陽正要升起。

作者後記

五百年來，《尋愛綺夢》一書的作者身分始終無法確定；由於欠缺明確的證據可以證明作者是羅馬人法蘭契斯科·柯羅納或是同名的威尼斯人，學者只好繼續緊抓著奇怪的字謎不放——『Poliam Frater Franciscus Columna Peramavit』——有時候還說這就是作者神秘意圖的證據。

吉洛拉莫·薩瓦那羅拉（一四五二—一四九八）在佛羅倫斯擔任宗教領袖的短暫期間，同時受到當地民眾的尊敬與咒罵，雖然在某些人的心目中，他始終是精神改革的象徵，扭轉當時奢靡浮華的風氣；但是對其他人來說，他卻是在一把營火中燒燬無數繪畫、雕塑與手稿的劊子手，也因此在歷史留名。

《四的法則》一書的出版，與薩瓦那羅拉和《尋愛綺夢》無關。

李察·柯瑞修改了布朗寧的詩〈薩爾托〉，以符合書中的需要；湯姆回想起柯瑞的用法，也是如出一轍。布朗寧的原詩為『我完成了許多人的終生夢想』。湯姆和保羅在引用學者的著作時，有時會使用書名的縮寫，包括布勞岱爾、哈爾特。保羅在狂熱地描述佛羅倫斯的歷史時，把橫跨好幾個世紀的藝術家和知識份子，說成是『同一個時代』。湯姆則是任意把『普林斯頓戰場國家公園』縮寫成『普林斯頓戰場公園』，把『搭乘A號列車』一曲說成是艾靈頓公爵的作品，而不是比利·史崔虹（Billy Strayhorn），另外他在第一次見到凱蒂時，指稱詩人康明思的名字必須以小寫出現，而事實上，康明思本人（至少在這方面如此）或許還是喜歡自己的名字以傳統的大寫出現。

至於其他的新創與省略，作者負全部文責。傳統上，裸體奧運都是在午夜舉行，而不是如《四的法則》書中所言在日落時舉行。強納森‧愛德華確實是普林斯頓的第三任校長，小說中描述他過世的情況也是事實，不過他並沒有發動書中所說的復活節儀式，這個儀式純屬虛構。雖然展望大道上的餐飲社團每年都舉辦很多活動，但是湯姆去長春藤參加的舞會卻是虛構的；此外，長春藤的內部配置以及書中提到的其他地點也都有所修改，以因應故事情節的需求。

最後，湯姆及其友人都很熟悉的普林斯頓固定傳統，也有好些已不復存在。凱蒂那一級是最後一屆在下第一場雪的晚上跑到好德樓庭院裸奔的大二學生（不過是在一月，而非四月），因為湯姆在一九九九年畢業之前，校方已經下令禁止裸體奧運；至於備受凱蒂鍾愛，一度矗立在普林斯頓戰場國家公園的老橡樹，也在二〇〇〇年三月三日因天然因素傾倒，不過在華特‧馬殊主演的電影『愛神有約』裡，還是可以看到這棵樹。

除了上述這些地方之外，我們在其他絕大部分都儘可能地符合義大利文藝復興時期以及普林斯頓大學的史實。我們要向這兩個啟發人類心智的偉大所在致最高的謝意。

玫瑰的名字

安伯托・艾可◎著　謝瑤玲◎譯

世俗凡人的誘惑是通姦，神職者的渴望是財富，而僧侶夢寐以求的，卻是知識……

故事以中世紀修道院為背景，一間原本就被異端的懷疑和僧侶個人私欲弄得烏煙瘴氣的寺院，卻又發生一連串離奇的死亡事件。一位博學多聞的聖芳濟修士負責調查真相，卻被捲入恐怖的犯罪之中……艾可最膾炙人口的經典之作。出版至今，銷售已超過一千六百萬冊，並被翻譯成三十五種語文。

傅科擺

安伯托・艾可◎著　謝瑤玲◎譯

三個米蘭出版社的編輯，偶然間得到一則類似密碼的訊息，是有關於幾世紀前聖堂武士的一項秘密計畫。三個人突發奇想，把各種各樣的資料輸入一台小名『阿布』的電腦中，然後把歷史上每一樁無法解釋的神秘事件都歸因於聖堂武士的『計畫』。他們並得意地預言『計畫』的最終實現－－即征服整個世界，已經迫在眉睫了！

他們樂此不疲地大開歷史玩笑，直到原本的『遊戲』竟似乎『弄假成真』，直到神秘莫測的『他們』突然出現爭奪『計畫』的細節，直到開始有人一個接一個莫名地失蹤……

昨日之島

安伯托・艾可◎著　翁德明◎譯

一六四三年的熾熱春天，負有尋找一百八十度經度線位置秘密任務的商船阿瑪利里斯號遇難了！唯一的倖存者羅貝托，漂流到棄船達芙妮號上，遇到了耶穌會的神父卡斯帕，兩人不約而同的尋找同一個目－－地球表面虛擬的分日經度線！

這條能劃分昨日和今日，將今日之島轉化成昨日之島的時間分界線到底要如何測度呢？想以正確的經緯度掠取海上霸權的各國展開爾虞我詐的間諜戰，而在追尋真理答案和生命永恆知識的同時，羅貝托面對的卻是一場永不能登岸的冒險……

波多里諾

安伯托・艾可◎著　楊孟哲◎譯

一個最滑頭的天才騙子，
一位好大喜功的紅鬍子大帝，
一趟前往東方盡頭的未知旅程，
一段又一段如迷宮般虛實難辨的故事……

從十字軍東征、聖杯傳說，到天主教城市的興起、教皇與皇帝權力的衝突……國際記號語言學大師安伯托・艾可，以其浩瀚淵博的知識，透過『波多里諾』這個詭譎人物，恣意地穿梭在中世紀歐洲的歷史中，構築出一個典型的艾可式奇想迷宮，既真實又虛幻，帶你經歷一場看似荒誕不羈卻又饒富深意的閱讀冒險。

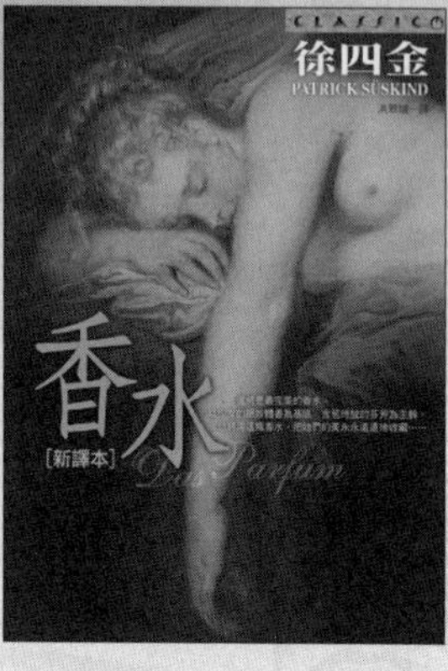

香水【新譯本】

徐四金◎著　洪翠娥◎譯

這將是最完美的香水。以少女的絕妙體香為基底，含苞待放的芬芳為主幹，他將用這瓶香水，把她們的美永永遠遠地收藏……

對葛奴乙來說，每一次都是戀愛，但是他愛的不是人，他愛的是香味，而且還只因為那香味將屬於他，所以他才愛。謀殺只是為了要永遠的擁有，永遠擁有他所愛的那種沒有感覺、沒有生命的『香味』……

徐四金最膾炙人口的經典代表作！出版20週年紀念版！根據德文原版全新翻譯！

棋戲—徐四金的三篇短篇故事

徐四金◎著　洪翠娥◎譯

徐四金的文字讓你看到、聞到、嚐到、摸到、聽到他所描寫的一切，以嗅覺為主題的《香水》更是轟動全球，並且為他贏得「當代文學奇人」的封號。他最新的短篇作品集《棋戲》，收錄了三個短篇故事和一則散文；不論是以藝術家為主題的〈深度的壓力〉，或是以市井小民為主題的〈棋戲〉，徐四金都呈現出龐大的內在戲劇張力!!

生活在他方

米蘭．昆德拉◎著　尉遲秀◎譯

昆德拉:『我的小說是一部青春的史詩。』
榮獲法國麥迪西大獎！
根據昆德拉親自修訂最新法文版全新翻譯！

『生活在他方』是十九世紀法國詩人韓波的名言，昆德拉以此為名，構築出一部青春史詩。對年輕的心靈來說，當週遭的生活是如此地庸碌平淡，真實的生活似乎總是在他方；而詩歌、愛情與革命，便成了最浪漫的反抗。透過主人翁雅羅米爾的視界，奔放的情感現身為一首首動人的抒情詩，而在現實與夢境的交錯之中，讀者似乎也隨雅羅米爾活了一次，走向夢想的遠方……

玩笑【新譯本】

米蘭．昆德拉◎著　翁德明◎譯

昆德拉的第一本小說！
出版四十週年紀念版！

一封明信片裡的玩笑，瓦解了路德維克的世界。愛情與友情輕如飛灰般消散空中，學籍和黨籍被撤銷，路德維克被列入黑份子，提前入伍，日復一日被勞動消磨心志、被粗魯敗壞靈魂。但在這裡，他遇見了露西，他情感的烏托邦，可是，露西卻逃離了他。

路德維克回到故鄉，回到他充滿恨的過去，進行一項復仇計畫。過去像夜裡的惡夢般緊緊揪住他，他全身驚顫、卻無力掙脫。

也許，生命與歷史都是謬誤，也只是玩笑。

國家圖書館出版品預行編目資料

四的法則/伊恩・柯德威, 達斯汀・湯瑪遜著；劉泗翰譯. -- 初版.--
臺北市：皇冠,2006〔民95〕 面； 公分.--
（皇冠叢書；第3571種）（JOY；75）
譯自：The Rule of Four
ISBN 978-957-33-2256-6（平裝）

874.57 95012774

皇冠叢書第 3571 種
JOY 75

四的法則

作　　者—伊恩・柯德威、達斯汀・湯瑪遜
譯　　者—劉泗翰
發 行 人—平雲
出版發行—皇冠文化出版有限公司
台北市敦化北路120巷50號　電話◎02-27168888
郵撥帳號◎15261516號
香港星馬—皇冠出版社(香港)有限公司
總 代 理　香港灣仔告士打道88號19樓
電話◎2529-1778　傳真◎2527-0904
出版統籌—盧春旭　版權負責—莊靜君
責任編輯—沈書萱　外文編輯—李佳姗
美術設計—陳韋宏　印　　務—林莉莉
行銷企劃—江孟穎　校　　對—鮑秀珍・黃素芬・沈書萱
著作完成日期—2004年
初版一刷日期—2006年8月

讀者服務傳真專線◎02-27150507
皇冠文化集團網址◎www.crown.com.tw
22號密室網址◎www.crown.com.tw/no22
電腦編號◎406075　ISBN◎978-957-33-2256-6
Printed in Taiwan
本書定價◎新台幣360元/港幣120元